21世纪中国纪实文学大系

2006卷

顾问：钱谷融
主编：桂国强

高原之路

文匯出版社

编委会名单

总序

21世纪是一个非同寻常的世纪。尽管这个世纪至今仅仅走过了十多年的历程，但在与人类朝夕相处的地球上，却已经发生了诸多惊天地、泣鬼神的重大事件，令世界格局发生了错综复杂的变化，给全世界留下了难以泯灭的记忆。

对于正在不断崛起的中国而言，21世纪无疑是一个机遇与挑战并存、成就和困难共现的世纪——这已在中国社会的各个层面展现出来。

在刚刚过去的十多年里，中国正式加入WTO，成功举办2008年北京奥运会和2010年上海世博会，国际地位显著提高；中国全面实施西部大开发战略，青藏铁路顺利开通，“西气东输”工程全线推进，高速铁路亦成功运行，国家建设硕果累累；中国高度重视科学发展，包括航天科技、农业科技、石油勘探等在内的科学技术取得了举世瞩目的辉煌成就；中国的新农村建设卓有成效，农业税费制度改革进一步推进，农村义务教育经费保障机制有力推行，农民的生活不断改善；中国的两岸关系有所突破，厦门金门实现直航，两岸春节包机适时通航，大陆居民赴台旅游更加便捷，两岸“大三通”已然实现……勤劳而智慧的中国人准确把握机遇，用自己的行动赢得了世界的尊重。

当然，在新世纪已经过去的十数年里，中国也面临着诸多挑战，遭遇了不少困难。譬如：2003年的“非典”，2004年的“禽流感”，2008年的四川汶川大地震及这一年全球金融危机给中国带来的负面影响，2010年的青海玉树地震，2011年湖北、湖南、江西等地出现的大面积干旱……此外，还有环境污染、食品造假、海峡那边陈水扁的“台独”闹剧等等，凡此种种，都给中国的前进之路带来了挑战。

成就也好，挑战也罢，时至今日，都已在新世纪所发生的重要事件中显现出来。这些事件，有些已经成为历史，有些却还在延续。历史是一面镜子，对于后人，可以起到“以史为鉴”的作用；现实是当下的存在，研究它可以积累经验，帮助我们寻找到人类发展的正确路径——基于此，我们有必要将这些已经过去的或仍在延续的事件以及与这些事件有着密切关联的人物——用一种最为世人接受的文字形式记录下来，为今天和明天留下一份可供借鉴与启迪的珍贵资料。

我们之所以选择纪实文学作为承担“记录”重任的文字形式，是因为这种文体乃涉猎文学和新闻两大领域的一种独特的艺术样式，是兼具新闻真实和历史真实品格的艺术真实，它在很多方面弥补了现实新闻报道无法反映的空白，达到了相当的深度和广度——正是由于它能比一般的新闻报道更深地切入现实、切入人心、全景式地反映变革过程中某些本质的东西，因而，随着时间的推移，也就更能凸显其无可争辩的文献史料价值和文学欣赏价值。

新世纪以来，中国的纪实文学蓬勃发展。国家综合实力的提升，国际多边交往的频繁，国民生活水平的提高……都为纪实文学提供了丰富的创作素材，激发了纪实文学作家和各类媒体记者的创作热情，从而创作出一批又一批展示波澜壮阔历史画面、描绘跌宕起伏现实场景的精品力作，为反映中国的现实、记录中国的历史、繁荣中国的文学立下了不朽的功勋。

现在，呈现在读者面前的就是新世纪以来（自2000年开始）中国优秀纪实文学的精选、精编本。入选的文章中，有的获得中国报告文学奖，有的获得鲁迅文学奖，有的则荣获了各种类别的年度新闻奖……由于诸多事件的发生、发展都会经历一定的时间，有些还会延续几年甚至更长；从创作规律来说，一篇成功纪实文学作品的采访、创作和发表也需要相当的时间，很难保证当年的文章能与当年的事件完全同步。因此，在对文章的选择中，我们首先考虑的是能够反映该年度的重要事件及其相关人物，至于其具体的发表时间，则应当服从于事件和人物。

我们计划一年精编一本，每本都能比较客观、全面、及时地反映该年度中国所发生的重要事件及与之相关的重要人物，从而能凸显其独特的史料价值；我们同时又希望，书中所精选的纪实文学作品能给予读者朋友有益的启迪和思考，充分享受阅读的愉悦，从而真正领略纪实文学的艺术魅力。

迈着稳健而充满活力的步伐，向着明确而富有挑战的目标，中国依然在前进，中国的大地上依然在发生着历史性的深刻变化。因此，用文字记录中国、展示中国，依然是我们今后相当一段时期内义不容辞的重要任务。我们将不辱使命，勤奋工作，努力选编好一年一度的《21世纪中国纪实文学大系》，为广大读者奉献上兼具史料和文学双重价值的精神产品。

（主　编）

2006年纪实文学概述

与往年的纪实文学相比，2006年的纪实文学作品似乎将更多的目光投入到民生问题上，描写的题材多集中于平凡人物的小故事，而就是这些小故事却常常让我们感动。这是2006年纪实文学的成功之处。

一

2006年7月1日，青藏铁路全线通车，这是世界上海拔最高、线路最长的高原铁路。有关这条铁路的建设情况，李木生、王昌尧的报告文学作品《天堑变通途》，有详细的介绍。作者对青藏铁路的建设者——铁道兵第十师和由铁十师“兵改工”而来的中铁二十局集团进行了采访，掌握了大量的第一手资料，记录下很多感人的故事细节。作品不是一般地报道高原铁路的建设情况，而是从文学角度，集中描写建设者的精神状态。这些铁路建设者有不同的身世背景，有不同的个人故事，而为着共同的目标来到雪域高原。在他们身上，不仅可以感受到暖暖的人情，更可以体会到那种刚劲铁骨的坚强毅力。

2006年2月，王濛在第20届都灵冬奥会上取得了一金、一银、一铜的好成绩，这是黑龙江省七台河市冰上运动训练基地继杨扬之后，培育出来的第二个奥运冠军。《闪电基地》给读者展现了七台河训练基地是如何培训这些冰上运动员的。与一些发达国家的训练不同，中国运动员的训练，最基本的一点，就是吃苦。作者重点塑造了孟庆余这一人物形象：作为运动员，他努力训练，坚持不懈；作为教练，他异常严苛，被称为“魔鬼教练”。文章以孟庆余为主线，串连起中国冰雪运动从起步到腾飞的历史线索。

2006年4月9日，新疆和甘肃省河西境内遭遇特大沙尘暴，《T70次列车沙尘暴惊魂记》真实地记录了沙尘暴发生后，旅客列车遭遇的混乱而惊恐的场景。然而面对自然灾难的突然袭击，列车工作人员坚守职责，抚慰乘客波动的情绪。乘客之间相互配合，相互帮助，终于用集体的力量共同抵御沙尘暴的侵袭。

蒋巍、徐华的《丛飞震撼》，讲述了歌手丛飞的感人故事。丛飞在他短暂的37年人生岁月中，先后参加了400多场义演，他将演出收入进行慈善资助。他资助了183名贫困儿童，捐款捐物300多万元。2005年，他的事迹被记者发现，这时的他已经身患癌症。丛飞从事慈善捐助达11年，从来不求任何回报。这位歌手的事迹感动了大家，他被评为年度感动中国人物。

二

反腐问题在2006年的纪实文学作品中，也占据一定的比例。朱晓军的《天使在作战》，讲述了上海一位普通医生陈晓兰，十多年来从事医疗打假反腐的生动事迹。作为医生，她尽职尽责，面对医疗腐败的雪球越滚越大，她内心的良知呼唤她勇敢地站在前线与社会的丑陋作斗争。这是一个人的抗战、一个人的决斗，但她却从不孤单，因为有整个社会的正义和公道支持着她。《天使在作战》是从正面讴歌了人生的信念与追求，呼唤社会良知和时代良心。

教育改革是当今中国社会敏感话题之一，2006年的纪实文学作品有不少涉及这一话题。2006年，复旦大学、上海交通大学分别向社会宣布，通过自主命题考试的方式，分别选拔、录取了291名本科生。张英的《复旦开门——中国高考的破冰之旅》，记录了这一焦点事件。朱雨辰的《南洋崩盘》，以新闻纪实的手法，揭示了南洋教育集团的破产内幕，通过一个案例，让广大读者看到中国教育改革的路不仅艰难，而且还很漫长。

鲁沂、刘加民的《中国民办教师》，关注教育界一个特殊的群体——民办教师。这一群体不能完全享受教师应有的待遇，但却担负起当今中国大陆最艰苦的农村教育的重担。作者为我们讲述了这个群体背后的感人而心酸的故事，同时，呼吁社会关注这一特殊群体的艰难处境。

三

2006年的纪实文学对网络文化给予了较大的关注。随着网络的普及化，网络文化成为大众文化、草根文化的代表。王佳发表在《报告文学》上的《一个“馒头”引发的风暴》，分析了风靡网络的视频《一个馒头引发的血案》的产生、传播的原因。与此类似的还有起于网络的韩、白“文坛”之争。青年作家韩寒与资深评论家白烨在新浪博客上笔战一个月，4月7日，《南方周末》发表了张英、夏榆的《2006韩寒白烨笔战始末：起于网络　无疾而终》，详细披露了笔战的全过程，并采访了两位当事人。文章认为笔战体现的是80后新生代作家与传统文学批评之间的话语权争夺。

网络争战此起彼伏，然而当人们的生活越来越依赖网络，我们的语言也发生了很大的变化。大量网络语言充斥我们的生活，大规模侵袭原有的汉语世界。对这些文化现象，汤军发表了《汉语，我们回家的路》。文章认为大量网络语言的持续入侵，引发了对原有汉语的语言颠覆浪潮。汤军依次对网络语、短信体、广告、标语中滥造词语、写错别字、打破汉语语法规则的行为，进行了揭示，对一些粗制滥造现象进行了批评。作者在文章中对目前语言运用中，常用汉字的减少、方言的濒临灭绝，表示了担忧，呼吁人们“正确地使用汉语”，“富有创造地书写汉语”，“活在汉语里”。

（撰稿人：杨扬、王芳）

目录

天堑变通途

青藏铁路是世界海拔最高的高原铁路，其中新建线路1 110公里，于2001年6月29日正式开工，2006年7月1日全线开通试运营。历经长达五年的艰苦奋战，十万筑路大军在“世界第三极”青藏高原挑战生命极限，挥洒万丈豪情，攻克多年冻土，保护生态环境，创造出一个个雪域奇迹，写下中国乃至世界铁路建设史上的精彩一笔：青藏铁路建设者凭借超人的吃苦精神、坚强毅力和现代科技打造出九大“世界之最”。

是谁把登天之梯砉然打开？是谁让万里关山一朝贯通？

当中国北部的万里长城在历史风雨的剥蚀下渐次老去的时候，中国的西部却崛起了一条关涉着中华民族复兴大业、被世界称为人类文明史上最大奇迹之一的钢铁大动脉——青藏铁路。

孙中山—毛泽东—江泽民，西宁—格尔木—拉萨，祁连山—昆仑山—唐古拉山。从上个世纪的1958年9月1日正式动工，到2006年7月1日全线贯通通车，这条横跨两个世纪的伟大工程，在近50年的时间里，曾经经历过三下四上的艰苦卓绝却又百折不挠的悲壮历程。

更令世人惊叹不已的，是在这近半个世纪“四上”历史抉择之中，共和国四次全都选中了同一支队伍——铁道兵第十师和由铁十师兵改工而来的中铁二十局集团。就是这支队伍，打通并建成了20世纪世界第一高隧关角隧道，和21世纪世界第一高隧风火山隧道，并以在风火山隧道施工中取得的多项世界领先的科技成果，荣获国家科技进步二等奖；就是这支队伍，四上青藏高原，三上海拔5 010米、被称为生命禁区的风火山，与科研单位一起进行青藏铁路的科学试验，铸就了打开青藏铁路全线贯通大门的金钥匙；就是这支队伍，参与两弹一星的建设任务，独立完成了其

从空中俯瞰“世界屋脊”青藏高原，景色蔚为壮观。（觉果/摄，图片来源：新华社）

所需铁路等配套交通运输工程，被称为“两弹一星的开路先锋”……让我们记住这支英雄的队伍。

万里高原在自己博大而又深邃的胸膛里，铭记着一代又一代建设者为了这条铁路所洒下的鲜血、汗水和泪水。2006 年 4 月 9 日至 29 日，作为当年这支队伍中的老兵，我们重返青藏高原，从西宁到拉萨，沿着蜿蜒西上的铁路，进行了让我们终生难忘的采访，并让我们有幸打开岁月的帷幔，领略到了那一幕幕惊心动魄的大剧……

呼唤：中华民族的世纪之梦

2000 年 11 月 10 日深夜 11 时，江泽民为铁道部部长傅志寰呈交的修建青藏铁路的专题报告，挥笔写下了长达三页的批示：修建青藏铁路十分必要，我们应该下决心尽快开工修建，这是我们进入 21 世纪的一个重大决策。2001 年 2 月 8 日，朱镕基主持召开国务院总理办公会，认为修建青藏铁路二期工程条件已经成熟，批准铁路上马。

总书记这里所说的是青藏铁路的二期工程，从青海格尔木至西藏拉萨，全长 1 118 公里；第一期工程西宁至格尔木，全长 814 公里，已于 1984 年投入运营。

总书记与总理一定是从现实与历史的深处，听到了一个绵长而又急迫的呼唤。青藏铁路，青藏铁路，一个世纪之梦，是这样牵动着一代又一代的中华儿女。

还在上个世纪之初，孙中山先生就在他的建国方略中提出了修建青藏铁路的构想。在他这一构想之中，青藏铁路的终点站竟然还要从拉萨往北往南分别伸向更加遥远的地方——往北跨越冈底斯山，穿越辽阔藏北，直达阿里首府狮泉河，往南则要横跨雅鲁藏布江，过山南，直抵六世达赖仓央嘉措的故乡、喜马拉雅山南坡的达旺。

就是这个诞生了六世达赖的中国的达旺镇，1951 年 2 月 6 日却被印度军队公然占领。就因为他们已将铁路、机场、战备公路修到了哨卡之前，印军就以为可以有恃无恐了。

还是在这一年，刚刚取得政权不久的中国共产党人，分别在 8 月 26 日和 12 月 18 日，派西北军区部队护送班禅返藏和供应物资进藏。护送班禅返藏物资的队伍 12

月1日到达拉萨，而护送班禅返藏的队伍，则在第二年的4月28日才到达拉萨。两次行动，出动部队官兵1 500多名、驼工近4 000名，共投入军马5 000多匹、骡子2 700多头、牦牛1.5万多头、骆驼3.6万多峰（当时整个青海省也只有9 600头骆驼）。这是在没路的地方跋涉，这是在布满着无数自然关隘的世界屋脊上长征。两次行动共有4万头牲口死于路途，而作为最有耐力、被称为沙漠之舟的骆驼竟然损失了十分之九。时间仅仅过去一年，又一次以骆驼为主的惨烈的运输行动不得不火速进行。1953年春，进藏的第十八军即将断粮，中共中央还是命令西北军区不惜一切代价送粮进藏。又是3万峰骆驼组成的运输大队踯躅在风雪之中。虽然每前进500米就有十头骆驼倒下，这条蹒跚向前的运输大队，还是在风雪中不停地前进，前进。因为这不仅关系着十八军将士的生死存亡，还关系着新生西藏的生死存亡。当56天之后将救命粮运抵拉萨时，三次进藏行动的总指挥慕生忠将军陷入了深长的思索之中。这位身上有着21处战争伤疤的将军，这位早已将自己的生死置之度外的将军，却不得不让目光再次越过布达拉宫的高墙，投向那以驼、马、骡、牦牛的白骨连成的运输之路。就是将全中国的牲口全都累死在这高原之上，也无法保障西藏的货物运输。何况在这牲口的白骨间，还迤逦着自己的战士与驼工兄弟的白骨啊！那支在驼队中怆然而生的歌谣，又在他的心头响起了："头上只有天大，脚下只有地大，走西藏的路上苦大，滴过的眼泪比太阳还大。"

于是，这位传奇将军便用烧红的火钩在一把铁镐的木柄上烙下"慕生忠之墓"五个字，之后就带着彭德怀拨给的十名工兵和1 500公斤炸药、3 000件工兵铁镐，领着1 200名驼工，（后又追加了一些工兵和物资——编者注）用了七个月零两天，于1954年12月15日修成了青藏公路，在历史上留下了"青藏公路之父"的美名。庆祝青藏公路通车这天，毛泽东高兴地喝了酒。只是喝了酒的毛泽东也没有想到，有两位将军竟然与他有着一样的心思：1955年，慕生忠又石破天惊般地向中央建议组建青藏铁路工程局；而另一位将军、铁道兵司令员王震则直接走进中南海毛泽东的书房，当面向毛泽东立下了要将铁路修到喜马拉雅山的军令状。

青藏铁路，这个撞击得中国人心潮难平的憧憬，终于要从梦想变成悲怆而又英勇的实践。而这一伟大工程的"主攻者"，却要等到一个偶然的契机，才会隆重登场。

1959年3月19日，西藏叛乱武装向驻拉萨的人民解放军发动武装进攻，22日，解放军彻底扫平了叛乱。28日，周恩来总理发布命令，解散策动叛乱的西藏地方政府，由西藏自治区筹委会行使地方政府权力。此刻，对于青藏铁路的急需，是这样清晰又这样沉重地凸显在中华民族面前，犹如雪中的炭、雨中的伞，不，它就是一个贫血生命所急需的血液！于是，共和国想到了这支曾经在朝鲜战场上立下了不朽功勋的英雄部队。4 月 9 日，铁道兵第十师遵照中央军委的命令，火速开赴青藏高原，担负青藏铁路一期泉吉至格尔木段 178.4 公里施工任务，并派出 47 团二连执行高原冻土层铁路路基工程试验任务。而这一试验，正是为几十年后打开青藏铁路全线贯通大门的一把至关重要的钥匙。

从此，铁十师的命运便与青藏铁路紧紧地连在了一起。

当年 12 月，青藏铁路在共和国因人祸天灾所酿成的巨大的困难中下马。虽然已经缺粮多日，撤退的部队只能到寒冷的戈壁滩上挖野麻根、锁阳充饥，虽然死亡的威胁嚣张地追随着这支衣衫褴褛、饥寒交迫的队伍，但是这支队伍中的每一个人，都在这悲凉的撤退之中等待着，等待着共和国的下一次召唤……

1962 年 12 月，当青藏铁路二次上马的时候，共和国再次选择了铁十师。1963 年 3 月，铁十师二上青藏线，担负青藏铁路一期海晏至克土段干线、海湖支线施工任务。1964 年 10 月 17 日，工程全部竣工移交。而青藏铁路的第三次上马，却在十年之后了。

1973 年 12 月 9 日，毛泽东会见尼泊尔国王比兰德拉时，许下了要将青藏铁路修到拉萨、修到喜马拉雅山脚下的中尼边境的诺言，并说：“青藏铁路修不好，我睡不着觉。”

距青藏铁路第二次上马的十年之后，共和国再次选择了铁十师。1974 年 3 月 4 日，铁十师 3.4 万人奉命三上青藏线。经过十年超出常人想象的艰难奋战，终于于 1984 年一举完成青藏铁路一期哈尔盖至连湖段 419.8 公里的铁路修建任务。其间，铁十师二上风火山，它的五十团十三连连续三年在海拔 5 010 米的“生命禁区”，与科研单位一起共同进行冻土施工试验，被铁道兵命名为“风火山尖兵连”并记集体二等功。

三上雪域高原，铁十师承建了青藏铁路一期工程 814 公里中的 697.78 公里，将数万官兵的青春连同 201 名烈士的生命，一同献于高原之上。在西宁至格尔木之间运行的列车，曾经在好长一段时间里，总会在路过这些烈士陵园的时候长鸣不已。这一声声响遏行云的鸣笛，既是在向献身的烈士致敬，也是向生者的呼唤，提醒他们还有青藏铁路的二期工程在急切地等待着。

但是世界级的三大难题在面前横亘着：550公里的多年冻土，影响着亚洲乃至世界生态变化的高原环境保护，960公里处在海拔4 000公尺以上的高寒缺氧地区。那个美国的旅行家保罗·泰鲁就曾断言说："有昆仑山脉在，铁路永远到不了拉萨。"

这支队伍在执著地盼望着。高原之上的烈士更在日夜不宁地盼望着。

尽管几十年间，国家向西藏补助达四五百亿元，但是资源富饶的西藏却还依然贫困，不足200亿元的国民生产总值一直在全国排在最后一名。公路运输不仅成本太高，还没有保障。如在西宁160元一吨的煤，运到拉萨竟要640元一吨。唐古拉山乡原党委书记芮藏，曾经因为见到这支队伍在风火山上的铁路试验而兴奋得天天梦见火车。他甚至把这些投进了生命也要为青藏铁路留下科学而又准确数据的人，当成自己最亲的亲人。后来见到试验的人走了，又听说风火山薄薄的土层下全是冰，修不了铁路，芮藏竟哭了几天几夜。之后，芮藏在痛苦的梦里，总会看见从遥远的天边，飘来战士那翠翠的绿色。还有西藏自治区副主席巴桑的哭声。他曾找到中科院兰州冻土研究所的吴紫汪教授，哭着问他："你是最权威的冻土专家，你说说青藏铁路到底能不能通过冻土关？要是能看到西藏有铁路的那一天，我死而无憾。"

嗷嗷待哺的高原在盼望着。

终于盼来了历史性的时刻：2001年2月7日，中华人民共和国国务院批准青藏铁路二期工程正式立项。

这是一个历史性的考验，也是一个历史性的机遇。已经由铁道兵第十师改工为企业的中铁二十局集团，一下子站在了重大的历史关头。

世界在翘首注目，这支英雄的队伍会作出怎样的决断？历史，又会作出怎样的抉择？

夺标：共和国第四次选中这支队伍

中铁二十局集团公司董事长余文忠与集团公司党委书记周玉成，几乎同时将目光盯住了青藏铁路二期工程的第七标段。

第七标段全长36.02公里，全部在风火山上，其自然地理气候条件之恶劣为全线之最，是整个青藏铁路三大世界级难题体现最充分、最具典型意义的标段，也是整个青藏铁路的控制段，决定着青藏铁路能否按期通车。它不仅是开标的单项工程中数额最大的标（8.48 亿元），更包括世界海拔最高的风火山隧道和北麓河厚层地下冰路基试验段。尤其是位于青藏高原腹地昆仑山与唐古拉山之间的风火山隧道，全长 1 338 米，轨面标高 4 905 米，是目前世界上海拔最高的铁路隧道，被列为青藏铁路五大冻土科研试验段之一，是青藏铁路重难点工程。隧道全部穿越多年冻土区，地质含冰量 10% ~ 50% 不等，是青藏铁路建设三大难题即多年冻土、高寒缺氧、生态脆弱的典型代表工程。

但是，在他们心灵的深处，最让他们共同盯死在第七标段的原因，还是在那已经逝去的几十年的岁月中，这支队伍与青藏铁路所结下的生死之缘，是三上青藏线所牺牲的那 201 位死不瞑目的在天的英灵，是风火山上留下的战友们的青春——因为他们都曾经是这支队伍中的一名战士。当年那个风火山尖兵连连长黄玉明正看着他们。是他，隐瞒了自己唯一的男孩死亡的消息，将无比的创痛深深地藏起，毅然带领全连走上风火山，完成了非凡的施工实验任务。那个胳膊里残留着八块铁皮碎片的班长柳岁祥也在看着他们。是他为了配合高原缺氧条件下劳动强度承受能力的实验，八磅大锤一口气抡了 186 下，直至昏倒在地。就是这样一群人，在 1975 年到 1977 年三年的时间里三上风火山，每年在山上施工的时间都在半年以上，以至完成任务之后，60% 的人身体发生异常病变，胸动脉高压突出，心脏扩大，心电轴左移或右移。就是这样一群人，以青春甚至生命为代价，建成了风火山实验段，也为青藏铁路第二期工程的施工奠定了可靠的基础。当然，看着他们的，还有那个名叫邓广吉的连长。他拼死拼活地干，就为了早一点修通青藏线。病了，还在坚持着，他老重复电影上指挥员的一句口头禅：轻伤不下火线！在高原上得了白血病，他自知来日无多，留下了这样的遗嘱："我若死去，把我的骨灰埋在青藏高原上，我生前没有把铁路修通，死后也要看到铁路修到世界屋脊上。" 这是重如泰山的嘱托啊。余义忠与周玉成曾是这个队伍中的老兵，都在想着同一件事：放妥这重如泰山嘱托的最好办法，就是拿下第七标段。人生，只有一次的人生，能够卓越，岂可平庸！两位都已年过半百的老兵，心头竟然涌起同一誓词：不夺取第七标段，我们这届领导班子就将成为中铁二十局集团公司的罪人！

只是，谈何容易！一个千载难逢、能够实现多年夙愿、促进企业腾飞的历史机遇，这样的集政治、经济、文化、精神效益于一体的巨大诱惑，每一位有头脑有理性的企业领导人，每一支与青藏铁路有着千丝万缕联系的筑路大军，每一个有着绵长高原情结的筑路人，都不会愿意轻易错过。又怎能不引来趋之若鹜的众多竞标者——铁道部隧道局、中铁第十六局集团公司、乌鲁木齐铁路局工程公司……国内众多王牌建筑企业纷纷盯在了第七标段上，竞争到了白热化的程度。几十年里总是迎难而上的中铁二十局，又以前所未有的决心、毅力、胆识、智慧，以及科学的精神和科技的力量，再一次迎难而上。

三上青藏线的高原施工经验成为他们最为珍贵的财富。他们迅速组成了由各方面专家参与的考察组，对青藏铁路沿线特别是风火山地段进行了全方位的考察，并组织起200多人的投标队伍，对第七标段的施组和标价等进行反复论证，从而做出了一流的标书。集团办公大楼的八楼1 000平方米的大会议室里，200多台电脑排列有序，200多名各类科技与专业人士进行着高度紧张而又专注细致的工作。时间虽然已经过去了五年，谈起当年论证与做标书的情景，周玉成依然显露出兴奋与激动："外人进来，谁会相信这是一个工程局做标书的现场，这简直就如卫星发射前的工作场景一样。"大家至今还铭记着周玉成书记当时在现场讲过的那句话："历史不会忘记你们。"

青藏铁路二期工程上马的喜讯与参加竞标第七标段的消息，早已在集团公司14 000名职工中引起了强烈的震动。短时间内，就有7 000多人主动递交了申请书，坚决要求重返高原，再建青藏铁路。

在这7 000多名申请者中，有一个叫黄胜的普通工人。他不仅是在为自己而申请，还是在为死去的父亲与将兄妹四人拉扯成人的母亲申请。父亲黄永良是铁十师1950年入伍的老战士，在跟随部队修了好多的铁路之后，1980年牺牲在青藏铁路一期工程的关角隧道——也是上个世纪里世界最高的隧道——的工地上。随军的母亲带着四个儿女离开了高原，却把父亲留在了青藏铁路旁边的乌兰小城。母亲知道父亲离不开他的铁路他的高原。黄胜还记得1980年的那个冬日，下着大雪，母亲牵着他们的手，来到乌兰烈士陵园向父亲告别。真静啊，父亲在坟墓中沉默着，只有无言的雪伴着母亲和兄妹们的痛哭。那年黄胜9岁。等他长大了又来到了父亲战斗过的队伍，这支队伍已经脱下军装。但是黄胜还是觉得自己是个像父亲一样的军人，忠诚，实在，敢于牺牲。虽然生活里少不了磨难，但爱还在心头存着，那也是父亲遗留下的。青藏铁路第四次上马让他的爱有了发芽、成长的机会，他怎么会错过呢？

在这7 000多封请战书中，有一封是18名当年在风火山上战斗过，而今就要退休的老兵写下的。他们联名请战，情真意切："谁说我们老了，问问西宁到格尔木的每一条钢轨、每一根枕木，它们都知道我们是多么能干。求求领导，让我们上吧，就是不给报酬我们也上。"

能征善战的董事长余文忠深知这些申请书的分量。他精选出一部分有代表性的，复印后装帧成四大册。留下一册作为局里的传家宝，之后他便带着另外的三册赶赴北京。他要让北京的有关领导亲手摸摸这一万多人的心到底有多热有多诚有多真。

那是5月末的一天，余文忠刚在铁道部长傅志寰的办公室捧出这册特殊的大"书"，就见秘书给部长急急送来一封陕西咸阳寄来的特快专递，封面上赫然写着"北京铁道部傅志寰部长收"。打开一看，秘书吃惊，部长吃惊，余文忠更加吃惊。这竟是自己的属下、二十局第六工程公司团委书记夏军民写来的一封请战血书。血书就写在一块白布上，是铿锵有力的四句诗："昔日高原铸辉煌，今日请战上青藏。甘洒热血写春秋，誓与青藏共存亡。"

白白的纸，红红的血，热热的心！共和国的铁道部长似乎听到了隆隆的火车铁轮一如这蒸腾着血性、情感与理想的诗句，正气势磅礴地越过昆仑山、唐古拉山，直向拉萨奔腾而去。

部长感动了。感动了的部长坚决地说："只能存不能亡。"

2001年6月3日，青藏铁路二期工程招标在北京隆重揭标，中铁二十局集团公司力挫群雄，一举中标青藏铁路第七标段！

"忽报人间曾伏虎，泪飞顿作倾盆雨。"就要四上高原亲手去圆中华民族的中国铁路之梦的二十局集团公司，上上下下顿时沉浸于幸福与欢乐之中。

出征：哪一个不是董存瑞、黄继光

天降大任于斯人。

终于到了勇士出征的时刻。

2001 年 6 月 8 日下午，悲壮的气氛笼罩着陕西省咸阳市火车站。中铁二十局集团公司的领导、机关干部、职工和家属数百人齐集在咸阳火车站，围定了局青藏铁路建设指挥长况成明及其一行。嘱咐，握手，拥抱，模糊的泪眼，还有孩子牵着的爸爸的衣角。就是这一批人，就要踏上西去高原的征程，在被称为死亡之地的风火山上安营扎寨。

通体赤红的风火山，如猛虎一般横陈在昆仑山与唐古拉山之间的高原腹地，是格尔木通向拉萨的必经关隘。它海拔 5 010 米，险恶的名声威震天下。年平均气温在−7℃，极端最低气温达−40.8℃，那里没有夏天，只有被延长了的冬天。空气中的含氧量最低时只有 10.87 千帕，不到内地的 50%，较人类生存极限的 11 千帕还低 0.13 千帕。缺氧，低气压，再加之不分四季的狂风、暴雪、酷寒、闪电，和随着裂天的闪电从山上一路滚下可将土地烤焦的滚地雷，风火山可说是整个青藏线上最高也最为险恶的地段！这些对人体生存极为不利的各种因素，能使人的机体短时间内就生发一系列极为复杂的变化。比如一个小感冒，在这里就是了不得的大病，稍不注意，就会转成脑水肿、肺水肿等高原性疾病，救治稍不及时，几个小时内就会有生命危险。被称作“青藏公路之父”的慕生忠将军说，当年公路修到风火山时人与牲畜死亡数急剧增长，平均每公里要倒下一个筑路工、两头骆驼、三匹骡马。更不要说这里还是青藏铁路全线一号病的重点疫区。

出征将士们的家属也许还不能详细了解风火山的具体情况，但是他们却都在传着一首歌谣：“到了昆仑山，气息已奄奄；过了五道梁，难见爹和娘；上了风火山，进了鬼门关。”虽然明晃晃的太阳在天上挂着，可是大家的心头，却被一种“壮士一去不回还”的念头压着。这次出征成员之一的侯安刚大夫，多年之后回忆起那个场面，说：“能够上去留下来工作，哪一个不是董存瑞、哪一个不是黄继光？那时节，上去就没想着活着回来。”

没有谁注意，在送行的队伍里，有一位特别的老人。他也是来送亲人出征的，要送的是女婿丁守全，这次出征队伍中的卫生长官。他不去叮嘱女婿，只远远地站在人群外面，久久地注视着自己的亲人。老人叫董学彬，高级工程师，修建青藏铁路一期工程时，曾担任铁道兵十师四十八团副团长，1975 年曾在风火山从事过进藏铁路唯一的一段地下冰冻土无轨试验工程。他把女儿的一生交给了女婿，但是这位老兵更知道自己全家的身家性命早已属于了青藏铁路。站台上，他默默地注视着。

当他发现女婿的目光与自己久久注视的目光相遇时，竟然只向女婿挥挥手，一句话不说便转身离去。老人知道，女婿心地特别善、心肠特别软，他不愿让儿女情长分了女婿出征的雄心。

1978 年入伍就在铁道兵十师当卫生兵的丁守全，亲眼目睹过一个又一个年轻战士的生命留在了这条线上。作为大夫，他比旁人更清楚风火山对于生命的损害与威胁。可是这个已是人到中年、上有老下有小的汉子，还是毅然递上请战书，并欣然接下让自己组建指挥部医院的艰巨任务。岳父已经从视线中消失，可是那匆匆一瞥里所传达的嘱托与叮咛，却让心中充满暖意的丁守全更加充沛起出征的力量与豪情。

2001 年 6 月 29 日，西部大开发的标志性工程——青藏铁路全线开工。（图片来源：新华社）

就在他转身走向列车时，却被女儿丁星月拉住了。14岁的星月，早已是泪光莹莹了。她眼睛不眨地看着亲爱的爸爸，好一会儿才把藏在身后的一个精心包装的纸盒递给他，强作轻松地说："老爸，这是我送你的礼物，请上火车再看。"在中铁二十局集团公司才子唐相彦的通讯《雪域水晶心》一文里，有这样一段精彩的描述——

"列车启动，丁守全慢慢打开纸盒，一个做工精美的水晶瓶装满了他的目光，雅致的瓶口，'166'三个数字和两艘小船静静站立。周围依次写着：'女儿深情，不需邮政，心来传递'。望着瓶内朴素中闪烁着醇美亲情光芒的166颗幸运星，丁守全这位很少落泪的硬汉失声大哭起来。身为人母的护士尹金梅，年轻的张君轲，目睹此景，也都忍不住潸然泪下。多么可爱的女儿啊！这就是我们筑路工孩子的心啊！一路上，那水晶般的心灵，那代表着吉祥的'166'颗幸运星，深深地感动着，震撼着丁守全和他的同事们的心。更加坚定了他投身雪域，全力做好职工健康保障工作、倾心致力高原病医学研究的信念和决心。"

风火山在等着他们。

再过16天，2001年6月29日，国务院总理朱镕基和副总理吴邦国，就要分别在格尔木与拉萨，同时宣布青藏铁路二期工程的隆重开工。

奇迹：20世纪世界第一高隧关角隧道

西行。西行。一路西行。

前面就要到达20世纪的世界第一高隧天峻县关角隧道，带队西征的指挥长况成明早已在脑海里翻腾起记忆的波涛。那是一场凄怆而又悲壮、惨烈而又漫长的战斗。是这支队伍的前辈与兄长们，以健康、鲜血、生命为代价，用了三年零三个月的时间，牺牲了25名干部战士，终于攻下了这座长达4 010米的关隘。

关角隧道，属青藏铁路一期工程的头号重点难点建设项目，位于青海省天峻县境内的祁连山脉东延部分的关角垭口，路肩标高海拔3 671米，最大埋深520米，地质构造极为复杂，岩性多变，软硬不均，断层最宽处达100多米，断层带两侧岩山破碎，裂隙丛生，地下水呈网络运动。施工过程中，出口地段涌水量最多达每昼夜1 000吨，对软质岩体起到了更大的破坏作用。地方单位已于1958年开始了关角隧道的施工，在1961年铁路下马停工封洞时已经掘进1 000米。等到铁十师集结了两个营的兵力会战关角山下时，已是13年后的1974年3月。当他们打开封闭了多年的洞口时，只能用阴森恐怖来形容：洞体变形，多处坍塌，洞内积水成河，水深处可达三米，洞顶多处塌方，怪石狰狞。且二次施工时，要将原来的内燃机车牵引改为电力机车牵引标准，隧道净高必须加大0.55米，为维持原衬砌，原来的路肩须降低0.55米，要比重新修建一座新的隧道更加危险和艰难。

据科学测定，海拔每升高1 000米，空气中的氧气含量就会减少10%，隧道每打进1 000米，加之粉尘、机械尾气等会使隧道的氧气含量更低。由此不难推算，在关角隧道施工中，全仗风枪大锤、常年吃着压缩干菜的指战员们，要在强体力劳动中忍受怎样的痛苦。更何况这些以命筑路的干部战士，还将要面临整个施工过程中130多次的大小塌方。这样的气候地理环境，地质、水文资料又极不完备，还是一个革命年代的典型的“四边”工程——边调查、边探索、边设计、边施工，官兵们可说是在一个危机四伏却又情况不明的环境中进行着一场又一场的生死之战。

忠诚与勇敢，理想与牺牲，都在这里得到了空前的考验与诠释。

1975年4月5日10时45分的那次特大塌方，是否还会让就要率队进攻风火山隧道的况成明怵然心惊？这一刻，32米长的大塌方骤然间将127名官兵严严实实捂在了洞内，并把所有的管道统统砸断。本来就缺氧的隧道又被塌方堵断，情况极端危急。师长火速赶来，铁道兵兵部领导火速赶来，兰州军区首长火速赶来，青海省委、省政府领导火速赶来！一时间，天峻县的关角成了世人关注的焦点。“天峻”，蒙语为“登天的梯子”。难道修通关角隧道，真的比登天还难吗？

抢险指挥部很快便确定了从正洞塌方体顶部，向里边掏挖边搭支斜形弧角支架的方案，并由排险专家、副排长肖崇炳现场组成了突击队，而处于突击队最前端可谓是刀尖的就是副班长袁武学。里面处于严重缺氧的状态，战士们只能静坐保存体力少耗氧气，尽可能延长活着的时间以等待外面的救援。

运动员出身的袁武学不仅身体棒，敢牺牲，还有文化，肯动脑筋。他在旁边看了一会儿肖崇炳的操作，便看出了门道，换过肖崇炳自己上去一支，比肖支得还快还好。他趴在塌方体的顶部，急得手脚并用，使劲用小耙子将塌下的土石扒到怀里，用脚蹬给身后的战友，再迅速搭好斜形弧角支架。干了一阵子，看到塌方的土碴间有了缝隙，聪明的袁武学便喊人找来一根钢管，用手套一套，插进去。副连长刘巨才向洞内传去了信息:“战友们，师长来了，北京也派首长来看你们了！”袁武学说，战友们在离塌方处较远的地方躲着，都在静悄悄地听。如今，已经是一所军事院校的大校教授的袁武学向我们谈起这些，脸上还泛起激动的红晕。知道里面的战友安全无恙，袁武学干得更欢了，他说当时什么也没想，“就想着快把战友救出，饿忘了，渴忘了，累也忘了。自己都不知道已经一气干到了晚上10点钟。班长心疼地骂我，让我下来歇歇。我听不见。连长苌根京过来逼我下来，说不下来就处分我。我下来了，接着就昏倒了。醒来，饭已经没有了，只有一个同乡兜里还揣着一个冷馍，我咬了几口，迅速地喝了点水，就又上去拼命地干起来。越往深处掏越危险越缺氧，亏了我有一个好体魄。”我们问他，如果你支架的地方再塌方你可怎么逃？这个融儒雅和雄壮于一体的军人，依然露着泰山压顶不变色的幽默:“我教了我身后的战友一招，就是一旦塌方，千万别乱喊，赶快一人抓住我的一条腿往后拖，残了不要紧，可别让土石捂死我。”快打通了，心急的袁武学先把头伸了过去，里面的战友爱他又疼他，边把他拉扶下来边“骂”他:“还进来，找死？想多死一个？”打通救命的通道，袁武学却躲在一旁，让战友们先出去，一个，两个，直到127个全部走完，他才最后一个出来。

拼命干了14个小时的袁武学几乎处于虚脱状态，一件绿衬衫已经被汗水和泥土染得不见了真色，再在零下的寒冷中一冻，早已成了铁板一样。我们询问报酬，大校大笑了，一旁他的也是教师的妻子自豪地替他说:“奖赏就是他一气睡了三天三夜。”我们让他回忆当时最主要又最难忘的收获。他陷入深思之中，好久，才轻轻地说:“那时候，为了战友，粉身碎骨也甘心，要说收获，就是当时看着战友一个一个从洞中安全地走了出来，心里的那种踏实和高兴。”

1977年6月16日，是关角隧道贯通的日子。这座隧道，已经作为青藏铁路一期的标志性工程，永远地矗立在这片高原之上，也永远地矗立在历史与人民的记忆之中。与它一起被永远铭记的，还有为关角隧道的建设献出了年轻生命的25位烈士——彭信柏、姜广波、黄国斌、王有有、孟广明、支新民、诸万中、何才兴、李权兴、王尕尕、刘改过、孙应学、程六拾、陈永新、丁福玉、胡礼才、尚锡福、何平、温月海、卢成金、周金成、石海中……

沉浸在思索之中的况成明也在计算着风火山隧道开工与贯通的日子。只是在他的心里有着一个坚定而又明晰的思想：前辈与兄长们的那特别能吃苦、特别能战斗、特别能忍耐、特别能奉献的“四特”精神绝对不能丢，但是风火山隧道要有新的干法，新一代风火山人也要有新的想法与新的做法。

科技：撬起地球的支点

在二十局集团竞争青藏铁路建设指挥长的大会上，况成明在竞选演说中引用了古希腊物理学家阿基米德的一句话：假如给我一个支点，我将撬起地球。

这个支点，也许在这支队伍的三上青藏线、二上风火山的14年高原实践中早已显现，只是由于时代与大环境的局限，使得这个支点还处于时隐时现的蒙眬之中。那条躺在风火山上已经几十年的500米的铁路路基实验段，不正见证着这个支点吗？还有这支队伍作为“两弹一星的开路先锋”的罕见的经历，不也在将这个支点作为一种传统深深地根植于这支队伍之中吗？

1958年2月，铁十师挥师北上，驻防甘肃省酒泉地区，在荒无人烟、飞沙走石的大漠里，为酒泉卫星发射基地修建清绿军事专用线。1962年12月，还是这支部队，先后开赴青海省湟源、海晏两县，为原子弹、氢弹研制基地修建二二一厂铁路专用线，到1964年9月胜利完成任务。这是共和国历史上，唯一一支“两弹一星的开路先锋”。

当多年冻土作为世界级技术难题而成为青藏铁路的最大拦路虎时，又是这支队伍分别于20世纪60年代和70年代两上风火山，与铁一院、中科院冰川冻土研究所、铁道部科学研究院西北分院等科研单位配合，致力于冻土的试验与研究。这种研究，除了冰川冻土给施工带来的科研难题，同时还包括建设人员在高原缺氧条件下的肌体承受能力的研究。他们不仅投入智力，还要投入身体亲自参与科学实验，这也就让他们与一代又一代科学家建立起骨肉般的情谊——这一切，更将这一支点牢牢地扎根在这支队伍的血液之中。

站到风火山青藏铁路试验段上，70年代曾经参加过试验段建设的党委书记周玉成浑身热血沸腾了。他甩脱上衣，迎着零下刺骨的寒风，让稀疏的华发在零乱的雪花中飘舞，泪水在他的眼睛里涌出。终于要离开了，车子又走在西去拉萨的路上。前边就是让世界震惊也让中国人自豪的风火山隧道了，这位心脏中已经安了五个支架的老兵，突然以充沛的底气说："这次风火山之战，我们大获全胜的支点就是科学，科研，科学技术。如果说四上青藏线是一次长达半个世纪的接力赛的话，那么我们在这四个赛段上要数这个第四棒跑得最漂亮，得力的就是科学技术，就是我们的老师和战友的科学家们。这既有时代进步的原因，也有我们这支队伍几十年间所形成的亲近科学、学习科学、实践科学、发展科学的传统的因素。"

作为科学城的风火山，无疑已经成为整个青藏铁路的一块科学圣地。是它吸引并接纳了全国的冻土研究工作者，吸引和迎来了这支四上高原的英雄的队伍。也是它的无比丰富又无比严酷，造就了灿若群星的科学家群体和举世瞩目的大科学家们，也在这支四上高原的铁道工程队伍的英雄气概中淬进了科学的品格。铁道兵作家朱海燕说得好，风火山上的这段500米试验路基，就是青藏线的产床。是的，当全线550公里的多年冻土拦在决策者与建设者面前时，就是这500米试验段上的科研成果一一化解了无数个难解之题，从而才有了今天的豁然贯通。

在这段试验路基的旁边，长眠着一位科学家，他就是铁道科学研究院西北铁路研究所副所长王占吉。他1964年到风火山搞冻土试验研究，一待就是13年。因高原病引发癌症，才50岁就去世了。去世时他只有一个要求，就是将他的骨灰埋在风火山上，要等着青藏铁路经过这里。

等啊等啊，20多年过去了，不见他所熟悉的队伍的影子，也不见一个亲人来上坟烧纸，更不见他死也不能泯灭的渴盼着的铁路。只有高原的寂静与洪荒，只有忧伤的白云和凄厉的风雪，但是他坚守着这座让几代科学家与那支神奇的队伍魂牵梦绕的风火山，他坚信他们会来、铁路会来。他们没有让他失望，他们来了，铁路来了，如今，他的儿子王跃新又来到了风火山上，在工地当一名工程监理。当火车的汽笛声向坟墓中的父亲送上问候与敬意时，这或许就是儿子最好的还愿与报答吧？

还有那个被西藏自治区副主席哭着追问的冻土专家吴紫汪。为了这条青藏铁路，40年间他在海拔4 500米以上的生命禁区中奋斗了28年，近百次走完青藏线的全程。在生活最困难的岁月里，为了坚守住自己的冻土研究也坚守住高原上的这方科研阵地，他常常要到青藏公路沿线的兵站去捡拾战士们吃剩的饭菜，被称为"要饭"的科学家。这样的生活只能以身体的透支为代价，他的牙掉光了，头发脱落了，数不清的病痛，五次大的手术，但海外亲属的邀请以及高薪与舒适生活的诱惑，都不能动摇他坚守的决心。

风火山科学观测站就设在二十局指挥部旁边。就是这个观测站，每天坚持“828”工作制——早8点、下午2点、晚8点必须按时到观测点观测抄录科学数据。40多年间，上百位科学工作者代代相接，没有一人一次迟观迟抄、漏观漏抄，共积累下1 200多万个科学数据，为青藏铁路的建设、尤其为二期工程的启动打下了坚实可靠的基础。

周怀珍与孙建民师徒俩当是他们的代表。两人可以在酷寒的雪窖中冻残双手，也不漏抄一个数据；寂寞得实在难忍了，就牵上相伴的狗在荒原上转啊转啊；数不清的春节就在这荒无人烟的山上度过，想家想得实在太难受了，就蒙上被子痛哭一阵，让泪水稍稍减轻一下长长的思念。我们都还记得中央电视台播出的那个感人的场面，面对镜头，面对全国人民，也面对他们相守相恋了几十年的青藏高原，观测站的第一代科学家、在风火山观测站奋斗了22年、已经78岁的周怀珍老人泣不成声，只说出了一句话:“青藏铁路……终于……上马了。”而他的徒弟、在观测站坚守了28年的孙建民则只有哭泣，连一句话也说不出来。

能够有这些科学工作者为师，并成为他们生死相交的战友，这个队伍是幸运也是幸福的；而能够与这支英雄的队伍为伍为邻为友，这些科学工作者们，一定也会感到欣慰与荣幸吧?

有这样两支相知相亲相助的队伍在为它奉献着所有的智慧与挚爱，高原是幸运的。

圆梦：21世纪世界第一高隧风火山隧道

2001年10月18日，青藏铁路的科技代表工程——风火山隧道打响了正洞施工的第一炮。一炮过后，炸开的竟然几乎全是寒光闪烁的冰块，含土量只有15% ~ 20%。典型的含土冰层，被专家视为隧道施工的绝对“禁区”。施工中，震动大，冰层极易破碎；震动小，冰层又会“无动于衷”。即使恰到好处，若温度过低，混凝土喷护就会因结冰脱落，达不到封闭围岩的目的，继而还会严重影响到隧道的喷护和衬砌质量；若温度过高，冻土岩层就会遇热而发生热融，掘进和支护就难以进行，甚至还会造成塌方。而施工人员的严重缺氧，已经并正在威胁着施工人员的身体健康，也对施工效率造成了巨大阻碍。

高寒缺氧、冻土施工、环境保护，三大世界级难题迎面逼来。

但是况成明和他率领的勇士们创造了奇迹。

2002 年 10 月 18 日早上 8 时，中铁二十局集团青藏铁路建设指挥部党委书记、风火山有名的“老汉”陈文珍，带领公安人员拿着手铐来到隧道施工现场。整个青藏铁路的焦点之战风火山隧道即将贯通。进口出口两个已经进行了整整一年劳动竞赛的隧道队，都憋足了劲，要放最后贯通的一炮。由任文祥为队长的一队摩拳擦掌，由任少强任队长的二队跃跃欲试。就在两队争执不下时，“坐镇”现场的陈文珍发话了：一切听从指挥，谁敢乱来就立刻把谁铐起来。大家心里清楚，他的心里也激动着呢，只是没人镇住是不行的。

还剩下最后六米，按常规一炮只能炸开四米。二队的副队长罗宗帆将风枪杆悄悄加长了两米，一炮，通了。

通了，终于通了！共和国等了半个世纪，青藏高原等了半个世纪，这支四上高原的队伍更是等了盼了半个世纪的时刻终于到来了！谁又会在意谁放的最后一炮，所有的施工人员全都处于忘我的极度兴奋之中。这是世纪与世纪的贯通，这是大海与高原的贯通，这是生命与生命的贯通，那付出的青春付出的汗水付出的生命，全都在这一刻得到了百倍的回报。

这时，陈文珍拿着早已准备好的毛笔，将红漆蘸得饱饱的，走向刚刚贯通的地方，大笔一挥，落下了两队进程的界线。真是神手，从他落笔处一量，正好是当初计划的分界线。再看时间，19 日凌晨 2 点 30 分。至于后来公布的 2002 年 10 月 19 日下午 1 点 30 分，那是为了让领导剪彩又重放了一次虚炮的时间。

欢呼与泪水早已在隧道之中更在每一个人的心里如春潮一般的涨满了。

被称为“风火山老汉”的陈文珍，曾经是当年那个被中央军委命名为“风火山尖兵连”的技术员。他以局领导班子成员的身份出任指挥部党委书记，却像兄长一样对待风火山上的每一位职工。他的话，大家都听。刚到风火山时，高原反应折磨着每一个人，头痛欲裂，连夜失眠，食欲全无，有的人甚至动过逃走的念头。有一位实在受不了，找到他说：“陈老汉，我不要钱，要下去。”陈文珍不唱高调，只拉家常似的说了一句：“兄弟，你肯定行，有我老汉陪你怕啥？”就让动摇的心立时畅快起来也坚定起来。是的，一个五十开外的人都能在风火山上笑眯眯地待着，年轻力壮的还有什么怕头？他成了风火山人的主心骨，因为他的那双眼睛看见了大家的苦乐，并以兄长般的温暖、关怀去慰抚对方或痛苦或寂寞或恐慌或焦虑的心。比如他的风火山上周末包饺子的“发明”。这看似平常，却在大家有说有笑的“集体活动”里融进了春风般的亲情。在这种欢乐与亲情中，有了团结，有了理解，也有了友爱，就连“高原反应”也会“退避三舍”。在风火山隧道就要贯通的那几个月里，“陈老汉”几乎每天都要在长达36公里的工地上转上一趟。有时偶尔一天见不到他，大家就会问:“陈老汉咋没来？”“陈老汉”有着很深的学养。比如对于风火山人的牺牲与贡献，他就有着高屋建瓴般的透彻认识，比如他说“在风火山上，没有一个好身体半天也待不了；要在风火山干，没有坚强的意志和牺牲奉献精神，一天也坚持不住”，比如他说“青藏线上的每一名职工既是路基上的道碴，又是国家大厦的基石”，等等。

“陈老汉”其实身体有病，可是风火山隧道打通的那会儿，在工地现场他从18日早晨8点一直站到19日凌晨1点半，17个多小时下来却一点也不觉得累，之后还高兴得破天荒“违纪”喝了半斤五粮液。

青藏铁路建设总指挥长卢春房在祝捷大会上称赞道:“风火山隧道是青藏铁路的标志性工程，中铁二十局集团在没有发生一次塌方，没有伤亡一名员工的前提下顺利贯通，充分体现了二十局集团的管理水平和科学施工能力，标志着一系列高原冻土施工领域的科研课题取得重大突破。”

2002年10月20日，国家青藏铁路建设领导小组在给党中央、国务院的喜报中写道：2002年10月19日，世界海拔最高隧道、青藏铁路重点难点工程风火山隧道，经中铁二十局集团建设者一年艰苦鏖战，胜利贯通，这是青藏铁路建设攻坚战取得的又一成果，它攻克了冻岩爆破、低温混凝土灌注等十多项世界级技术难题，达到国内外高原冻土隧道施工的领先水平。

对于世界级三大难题中“高原冻土”与“高原缺氧”的攻克，指挥长况成明简洁而又十分专业地作了介绍:“为了解决冻土围岩热融滑塌和衬砌混凝土需保温养生的矛盾，我们大胆创新，投资数百万元，与石家庄铁道学院共同研制了两台大型隧道空调机组，把洞内的温度控制在正负5摄氏度以内，既防止了冻土隧道因热融而导致塌方的可能，又解决了洞内温度低、混凝土不能正常养生的质量隐患。一年来，我们和多家科研单位合作，相继攻克了浅埋冻土隧道进洞、冰岩光爆、含土冰层热融控制与喷护、冻土防水隔热、冻土地质开挖与喷护的温度调节与控制、高寒条件下混凝土入模温度控制、沙石料预热及保温等20多项世界性高原冻土施工方面的重大科研难题，使风火山隧道自2001年10月开工至2002年10月贯通的一年时间里，未发生一起塌方的安全质量事故，铁道部专家称之为‘中国铁路建设史上的一个奇迹’。我们成功解决高原冻土施工难题，被评为‘2002年公众关注的中国十大科技事件’之一。与‘冻土’难题被攻克的同时，另一个世界级难题的‘缺氧’问题也被我们一举攻克。我们与北京科技大学联合，投资近千万元建成了三座世界上海拔最高的医用制氧站，实现了隧道内弥漫式供氧和宿舍内氧气瓶供氧，从根本上解决了施工和生活缺氧问题，这一科研成果，在青藏铁路被全线推广，经国家级专家论证，达到世界领先水平，并获得‘2002年中国高校十大科技进展项目’”。

对此，由工程院院士王梦恕等六位院士领衔的鉴定委员会给予了确凿无疑的鉴定:“青藏铁路风火山隧道处于高寒、缺氧环境，环境恶劣、大气压55千帕，氧分压低于生命极限，被称为在生命禁区中修建隧道，具有许多常规修建隧道不同的难点与特点，课题组从八个方面进行配套技术的研究和实践，创造了单口掘进最高104米/月的施工记录，平均月成洞96米，提前十个月贯通了风火山隧道，且不渗、不漏、不裂，质量优良，施工中无一人因高原病死亡，无一等级事故发生、高原病发病率最低，其成果对国内外类似工程的建设具有重大意义，可以推广使用。”

这些枯燥与艰涩的科学概念与工程表述，代表着将永载史册的重大历史时刻，记录着将影响人类生存状态的重大历史事件。这样的时刻与这样的事件，已经让世界震惊，并将会作为中华民族永久的精神与物质财富，为当代与未来享用。

于是，风火山隧道的施工与中国科学家揭开人类细胞衰老之谜，神舟三号、四号飞船发射成功并圆满返回等事件一起被评为“2002年公众关注的中国十大科技事件”和“2002中国高校十大科技进展”之后，二十局集团就这一项目向吉尼斯世界纪录总部递交了申请。经过两年多的公示和相关机构人员严格的审查，风火山隧道又以不争的事实被载入吉尼斯世界纪录。

科学为他们的理想、抱负插上了腾飞的翅膀，而在重大实践当中运用科学并拓展科学的领域，又使他们拥有了高远的眼界与非凡的胆魄。大获成功的风火山人，一刻也没有忘记为研制建造大型制氧站，北京科技大学的刘应书教授穿着军大衣，像民工一样在隧道里一待就是三个月。而北京科技大学更没有忘记有着科学头脑并以非凡的勇气将科学技术从实验室搬到了生产第一线，让科学技术迅速转化为生产力，

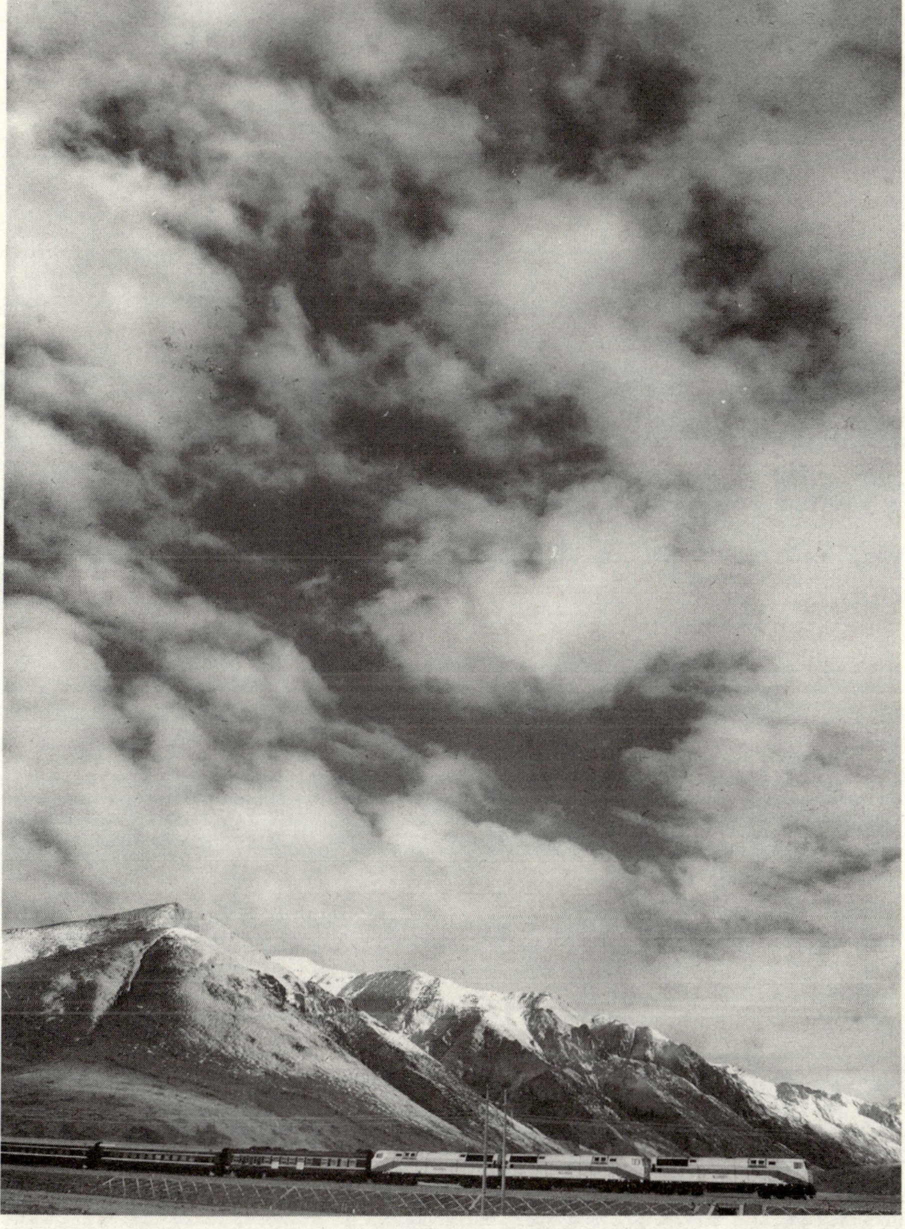

一辆青藏铁路列车行驶在藏北念青唐古拉山脉中。（格桑达瓦/摄，图片来源：新华社）

一列火车从藏北当雄县境内驶向内地。藏北高原连日降雪，穿越其间的青藏铁路成为真正的雪域天路。（觉果/摄，图片来源：新华社）

一辆青藏铁路列车行驶在藏北那曲特大桥上。（格桑达瓦/摄，图片来源：新华社）

也为科研与工程实施的后来者开辟出了一条宽广的道路的风火山人。他们打破常规，毅然邀请第一任的风火山人指挥长况成明、第二任指挥长李景超、指挥部党委副书记、医院院长丁守全赴北京科技大学作关于青藏铁路的学术报告。在大学的讲坛上，风火山的代表们讲得有声有色，获得了学子与教授们真诚的欢迎与热烈的掌声。

中国唯一的高原病学院士吴天一，特别提到风火山隧道的大型制氧站与弥漫式供氧，称“这是国际铁路建设史上的一个伟大的创举”。

2006年1月9日至11日，全国科学技术大会在北京召开，温家宝总理在会上庄严宣读了《国务院关于2005年度国家科学技术奖励的决定》，其中，由中铁二十局集团公司所担负施工的世界第一高隧——青藏铁路风火山隧道施工技术获得国家科学技术进步二等奖。

关角山，风火山。20世纪，21世纪。既是两座永远的丰碑，又见证着一支队伍甚至一个国家所走过的风雨历程，停滞与飞跃、痛苦与欢乐、阴霾与晴日。它们之间既有着必然的联系，又有着截然不同的性质。还是这支队伍，在关角山与在风火山，虽然有着一以贯之的精神内涵，却又展现出了时代境界的根本区别。一个海拔3 698米，却用了三年又三个月的时间，牺牲了25位战友的生命。一个海拔4 905米，是世界级难题的含土冰层的多年冻土，却只用了一年时间，并获得了由六位院士领衔的鉴定委员会的高度评价。

在风火山隧道的进口处，我们久久地流连。建设者们在隧道两边竖起的两行长长的对联，在这寂静空旷的天地间分外醒目：乘白云抚蓝天搏击雪域缚苍龙，踏清风邀明月洞穿世界最高隧。作为中国铁路建设新的里程碑的风火山隧道，已经成为世界铁路建筑史上新的纪录和新的高度。平凡而又伟大，朴实却又有着英雄的干云豪气，风火山人与他们的风火山隧道一起，正在成为中华民族屹立于世界民族之林的新的坐标点之一。这不仅标志着“多年冻土”和“高原缺氧”两大世界级难题的破解，也在叙说着风火山人攻克另一道世界级难题——高原生态与环境保护的故事。

环保：新世纪的先行者

在世纪之初的青藏铁路开工典礼的讲话中，共和国总理朱镕基突然脱开讲稿，有一段至关重要的“即兴发挥”，他要求所有青藏铁路的参建者，要认真贯彻国务院加强保护青藏高原生态环境的精神，十分爱护青海、西藏的生态环境，十分爱护青海、西藏的一草一木，精心保护我们祖国的每一寸绿地。

还是建设青藏铁路，还是这支队伍，在生活极度困难的1960年年底，却接到过中共中央、中央军委《立即开展大规模采集和制造代食品运动的紧急通知》，并抽调人员加强祁连山打猎队和青海湖捕鱼队。

跨过这一步，我们用了近半个世纪。

我们曾经有过让麻雀无处躲藏的时代，我们的诗人曾经那样自豪地歌颂过制造着污染的烟囱。而以糟蹋资源、破坏环境为代价的“经济发展”，更是到了触目惊心的地步。

而今，站在21世纪新的起点上，共和国总理的话说到了高原人民和青藏铁路建设者的心坎上，也对全世界重重的疑虑给出了一个确凿无疑的回答。

有一件事情曾让我们震撼：2005年8月16日，由青海省环保局、支铁办、林业局、国土资源局组成的联合检查团一行十余人，对中铁二十局集团公司的第七标段线路环境恢复情况进行了检查，他们用“十分满意”给以肯定，高度赞扬了风火山隧道碴场，称其是:“青藏铁路全线的环保工程艺术精品。”一个本应是土地遭到严重破坏的碴场，却被风火山人建成了“环保工程艺术精品”，建设者们该付出多少智慧与努力!

虽然工程的压力已经如火烧眉毛一样紧迫，但是指挥长况成明还是在为隧道弃碴场的选址踌躇再三。他心疼这里的每块草地和草地上的每一棵草，他更是对青藏铁路建设环境保护的倡导者、设计者与督促者孙永福的话有着强烈的共鸣。青藏铁路建设领导小组副组长、铁道部副部长孙永福一遍又一遍地讲：这条铁路所经过的地区是世界上生态最为脆弱的地区，千万年才形成的高寒草原高寒草甸生态系统是世界上独有的生态系统，覆盖层十分薄，生长又特别艰难，一旦扰动和破坏就几乎是永久性的，再难恢复，必须像爱护我们的眼睛一样去爱护它保护它。在他的倡议下，青藏铁路的环保投资提高到12亿元，宁可多投入3亿元、延长线路30多公里，也要避开纳木措自然保护区和林周黑颈鹤自然保护区。

终于，况成明接受了“老汉”陈文珍的建议，将弃碴场建在当年武警部队修建青藏公路时的旧址上，虽然远但却可以减少对高原生态的扰动与破坏。为了恢复几十年前就已经被破坏的地方，他们将铁路路基所经过地方的草皮精心挪出，再派出专人进行养护，施肥，洒水，加盖塑料薄膜，等到弃碴场完成了它的历史使命之后，再将养护好的草皮植入弃碴场，从而让已经遭到破坏几十年的地方恢复了原有的生机，并成为青藏铁路上让人眼睛陡然发亮的景点。

站在这件“艺术品”旁，我们似乎忘记了强烈的高原反应，而被它深深地吸引着。原已破坏殆尽的草皮不仅已经恢复成活，还显现着独特的茂密与生机。就连底部两米多高的挡墙坡面，也被以预制干件为骨架做成菱形的花纹，菱形中金色的草更使这花纹有着一种悦目的美观。400多平方米的弃碴场，就这样以其人文之美呈现于昆仑山与唐古拉山之间，并与这高原的自然之美融为一体，让人叹为观止。最近，可可西里自然保护局局长才嘎这样评价说：中铁二十局集团公司的第七标段，代表着青藏铁路生态恢复的最高水平。

筑建路堑、隧道开挖、架设桥梁等，因为采用这种办法将草皮挪出养活然后再恢复的办法而形成的独特“景点”，就达十几处。

为保护这些可爱的小草，他们在施工便道两侧插上彩旗，在生活区周围设上绿色的围网，禁止车辆与人员踩轧草地。曾经有过这样的一幕，一位司机不小心让车轮超出了彩旗所标的界线，况成明一边对司机与其所属施工队按规定采取了严厉的惩罚措施，一边蹲下身子，一棵一棵地将被车轮轧伏的小草轻轻地扶起。

处在可可西里，就不能没有藏羚羊的故事，藏羚羊的故事又总会是可可西里最为悲伤也最为美丽的故事。令不义者垂涎的羊绒，曾经给它们带来残忍的猎杀之祸，作为国家一级保护动物的藏羚羊连续十年以每年近万只的数量锐减。在进入可可西里自然保护区之始，我们在保护区工委书记索南达杰的纪念碑前停留，注目。那是一次激烈的搏斗，在藏羚羊产崽的太阳湖畔，他与18个偷猎者厮杀时壮烈牺牲。

地处可可西里的风火山，建设者们当然也免不了要和藏羚羊相遇。只是他们想不到会以这种方式相遇。巡诊回来的医院院长、指挥部党委副书记丁守全，突然发现路的前方有一只小小的动物。他本能地放轻脚步，当他弄清是一只走失了的小藏羚羊时，一种疼惜自己的孩子般的情绪把这个河南汉子的胸膛搔抓得痒痒的。他与副院长贾建厚一同躲开，潜伏下来。他们要等，等它的妈妈来将它领走。这样小，站立都还不稳，真是叫人心疼，要是人，也就是才1岁多的孩子吧？它是到黄河源的扎陵湖还是要到鄂陵湖去？老丁知道，为了它们集体的安全迁移，青藏线的建设者们曾经停止施工，拔下彩旗，熄灭电灯，好让生性胆小的藏羚羊安全放心地通过铁路建设工地。

一直等了两个小时，他们甚至忘记了一天巡诊的疲劳。但是它的妈妈没来。怎么办？鹰隼会叼走它，高原的寒夜也会将它冻死，也许还会有暴风雪。起风了，寒气在他们的脖间乱钻，远处雪山与天空相交处乌云涌起。丁守全脱下自己身上的褂子将小藏羚羊包起，带回来，它一下子就成了大家的宝贝。给它弄吃的住的，连喂的奶粉都是名牌的。小藏羚羊不习惯奶粉，那就嘴对着嘴喂吧。等喂到好几斤了，得交给可可西里自然保护局了。大家真的都有点不舍。送走的那天，小藏羚羊比人还不舍得，风火山人给它脖子上围上红布，它里里外外追着偎着蹭着风火山人，眼睛里晃动起泪花。就为爸爸对小藏羚羊的这份心意，那个给爸爸送过 166 颗幸运星的丁星月，专门来到可可西里自然保护局，二话没说，就把兜中的钱一股脑儿全部掏出，一把放进保护可可西里自然保护局的捐款箱里。老丁说，那是孩子几年攒下的钱，也不知道是几百元。

不知是由于上天的眷顾，还是青藏高原对风火山人的一种知音般的亲近，指挥部刚刚安顿之时，一眼甜泉就被他们发现，而且是在他们最需要水源的时候。

他们先是在住地旁边发现了一个小小的冰丘。让风火山人想不到的是这个小小的冰丘不几天竟然长得房子般大小了。况成明有些兴奋地说，肯定是一眼泉！打开来，真的是一眼泉，一尝，很甜。赶紧化验，各项指标都符合饮用要求。真是踏破铁鞋无觅处，得来全不费工夫。这眼泉不知在这无人的高原空流了多少千万年的岁月，今天，竟等来了知音。施工用水，数千人用水，一下子迎刃而解。他们发现了它，更爱惜它，还派出专人看护它。况成明说，光是这眼泉，就为我们节省下了一千万元。风火山人都是重情谊的人，便为它取名风火山知音泉，还打算为它立一块碑，让来来往往的人都知道它的美名它的无私和它那清醇却又澹泊的君子的品性。风火山知音泉与发现它的风火山人，让我想起沱沱河北岸那块高大的“长江源”环保纪念碑。碑上撰有这样的文字：

江河顺，民心畅；湖海清，国运昌。感念母亲河哺育之恩，中华儿女立碑勒石，示警明志：治理长江环境，保护长江生态。玉清冰洁还诸天地，青山碧水留以子孙。

“玉清冰洁还诸天地，青山碧水留以子孙”，这不也是风火山人与风火山知音泉的写照吗？

生命：另一场风火山战役

魏军昌死了，2001 年 4 月末的晚上，死在唐古拉山。魏军昌西南交大毕业，是兰州第一勘测设计院的地质工程师，28 岁。为了赶在青藏铁路开工之前完成勘测设计任务，他累病了，因感冒而患高原急性脑水肿，死后一个月，他的女儿降生了，孩子的妈妈就请设计院院长给孩子起名，院长郑重地说，爸爸是为高原献身的，就叫她雪莲吧。

为了年轻的工程师之死，铁道部部长傅志寰对全体青藏铁路建设者有一个庄严地拜托：“6 月 29 日开工后，大批的队伍很快上来了，能不能站得住，关键要看预防高原病卫生措施是否到位。我有一个课题要拜托各位，青藏线可否做到不因高原病死一个人？”

从 20 世纪 50 年代一公里几乎要牺牲一个人的青藏、川藏公路建设，到烈士陵园与青藏铁路一起前行的六七十年代——而今，21 世纪之初，当青藏铁路再次上马之时，共和国的铁道部长发出了“不因高原病死一个人”的庄严拜托。其实，这也是面对世界的一个庄严承诺。

热爱生命，尊重生命，珍惜生命，这是时代进步的必然选择，当我们的国家走了许多弯路之后，必须要顺应人类文明进步的潮流，以人为本。我们别无他途。

而青藏线就在考验着我们。

处于青藏铁路最艰难也最危险地段的中铁二十局集团，面对从未有过的严峻考验和挑战，毫不迟疑，迅速实施多项重大措施：建立起高标准的工地医院，投资上千万元购买了包括高压氧舱、B 超、多功能治疗仪等在内的医疗设备和药品；在格尔木建立起了全青藏线独一无二的习服基地（习服是上山前的一种对于高原的适应习惯，“习服”一词，也将作为院士吴天一与风火山人共同的创造而进入汉语词典），职工上山前，必须在格尔木习服基地进行适应性休息，并进行严格的健康检查，建立个人健康档案，证实身体没有问题后方可上山工作。职工在山上一般工作 40 天左右就必须轮换下山到习服基地休整一次。在山下建立食品供应基地，每隔三天，大型集装箱式的生活供应车就会将各种新鲜肉类及蔬菜从350公里外的格尔木定时送到各工程队。光是水暖和电暖供暖系统，就投资500余万元，既符合环保要求，又很好地解决了职工的取暖问题。人均配发床上、劳保用品达3 000余元，仅一套防寒服就达千余元。尤其是在“爹亲娘亲不如氧气亲”的风火山上，他们投资1 000万元与北京科技大学研制并建造起了三座大型制氧站，完全解决了风火山施工人员的缺氧问题。之后，他们这一创造发明在青藏铁路全线推广，铁路全线相继建起了29座大型制氧站，一举解决了20万（人次）建设者的缺氧问题，真可谓一个功德无量的伟大创举。

为了风火山建设者的健康与安全，为了保证生命的万无一失，中铁二十局集团公司在仅仅一年的时间里就斥资两亿元，用于购置医疗设备、各种药品和当今世界最先进的施工机械。用远见卓识来形容二十局集团领导班子一点也不为过。面对困难与挑战，他们总是未雨绸缪、当机立断、占得先机，将“以人为本”的理念诠释得淋漓尽致。

为了风火山工地建设者的身体健康，集团公司董事长余文忠有一句让人振奋而又不敢含糊的话：以人为本，就要不惜血本，不能叶公好龙似的只挂在嘴上。指挥长况成明几乎是宣誓一样向大家承诺：同是血肉之躯，都有妻室儿女，我带上去多少员工，就要一个不少地带回来。刚到风火山，一切还在草创阶段，可是风火山的建设者并没有受到委屈。人手一册的《青藏高原风火山职工生活手册》，也是整个青藏线的首创，它让每一个风火山人上山之前就几乎成了一个小小的医疗卫生专家，从高原自然地理气候特点、高原自然环境对人体的影响，从进驻高原前后及途中的卫生防护，到高原进驻者的衣食住行，从高原反应与高原病防治、高原卫生防疫、增进健康更好适应青藏高原等，既饶有兴味又通俗易懂。他们又实行起了战争年代的“鸡毛信”：职工生活用品鸡毛信和职工家庭电话鸡毛信。凡是职工生活所需的食品蔬菜及日用品，列成清单，装入鸡毛信，急办快办。每周还要按照职工提出的电话申请，派专车送职工到110公里之外的沱沱河镇打磁卡电话，哪怕是只有几句亲热的话，只是报个平安，也要按鸡毛信的等级急办快办。

奶，抗缺氧的药，还有水果，指挥部会派专人一个房间一个房间地送。送去了，还要监督让每一个建设者都能享用到。况成明说这样的高寒缺氧地区，职工消耗得相当厉害，要尽可能多补充，来不得半点马虎。将剩下的菜倒掉是风火山实行已久的剩菜淘汰制，以保证职工都能吃到新鲜的饭菜。

那个心脏搭了五个支架的集团党委书记周玉成，曾九上风火山看望一线职工的老兵，与职工们交心，一起过节，给他们带来了后方的温暖与关怀。每一个风火山人，谁能够忘记集团公司幼儿园、机关子弟小学、技校和卫校的孩子与学生们写给风火山人的信、画给风火山人的画？这 1 300 多件信与画所产生的能量是无法衡量的，因为那上面跃动着的，是一颗又一颗滚烫的心。

“敬爱的叔叔阿姨们，在青藏线施工非常艰苦，万一皮肤受伤流血了，千万别捂着，要把白雪抹到流血的地方，过一会就好了。这个秘诀是我从电视上看到专门为你们记下来的”；“我的哥哥新婚后就上了风火山，嫂子太能干了，她每天晚上都要给奶奶洗脚，她说要把哥哥的那份孝顺也干出来。真的，不用想家，你们就放心地做事吧”……有一幅画，画了一颗心让小鸟衔着，下面就是在大山上行驶的一列火车。

工人们在青藏铁路最高点海拔 5 072 米处工作。
（觉果 / 摄，图片来源：新华社）

在这里，在 21 世纪的风火山上，青藏铁路的建设者们不仅像英雄一样被赞颂，更被当作英雄一样被珍惜疼爱。人，不再是“国家”“民族”“集体”的附庸，而成为它们有血有肉的主体。

在生命禁区创造了奇迹的风火山人是幸福的。幸福的风火山人不仅创造了令世界刮目相看的奇迹、完美地完成了傅志寰部长的拜托，还在生命的禁区获得了爱情的甜美。

前面提到的那个实诚而又心地善良的黄胜，与一个叫胡媛媛的姑娘，在高高的风火山上，培育出了纯美而又馥郁的爱情之花。

继承父志的黄胜在风火山隧道出口当救护车司机。胡媛媛则是局指工地医院的一名护士。胡媛媛第一眼就看上了黄胜的善良与敬业。一个救护车司机，竟然能够像对待亲人一样对待每一个被抢救的人。不管是高原病病人，还是遭车祸的伤员，不管是本单位的人，还是路人，黄胜都一样的尽力尽心。他甚至可以背着素不相识的伤员，透视检查治疗。在最寒冷的时候，他还会将衣服脱下裹在病人的身上。媛媛问他，他说病人不抗寒，再感冒了可不得了。聪明的媛媛知道，对陌生人都这样好的人，对自己的爱人还不得好上加好？不知是从什么时候开始，也不知是在黄胜救了多少人之后，俊俏的姑娘心中的爱就像那风火山上的知音泉一样涌流不止了。尤其是当她知道了黄胜的身世之后，这种爱里更是增添了一种深长的疼惜。流着泪的小胡会为黄胜擦拭泪水，还安慰他：咱们去乌兰扫墓吧，我要告诉爸爸，我会一生爱惜他的好儿子。

2002年底，风火山隧道贯通之后，他们来到了乌兰县烈士陵园，双双扑倒在爸爸黄永良的坟前，摆上香烟、水果，再摆上酒，已经23年不见家人的老铁道兵黄永良，终于听到了儿子的哭诉："爸爸，爸爸，儿子来了，您的儿媳妇媛媛也来了。您可知道，比您的关角隧道还高还难的风火山隧道已经打通了，青藏铁路正在日夜不停地向着拉萨进展。安息吧爸爸，请你的在天之灵多多保佑我们平安……"

战友：雪山之子吴天一

写青藏铁路，不能不写吴天一。是他倾其一生的高原病学研究，为青藏铁路五年间20万人次的建设者指示出了一条零死亡的健康之途。作为中国唯一的一个高原病学院士，他把20万青藏铁路的建设者当作自己的骨肉兄弟同胞姐妹。是他把创造了风火山奇迹的铁路建设者当作自己的知己，并亲自邀请他们的代表参加世界第六届高原病医学大会，把他们请上了世界讲坛。而风火山人，则把他视为自己最尊敬的师长与最亲密的战友。

一直打不通电话，就在以为就要错过采访他的机会之时，我竟然在西宁的大街上与他相遇。这就是他吗？这就是那个能够驾驭青海最烈的马、骑马走遍了中国所有的藏族居住区——青海、西藏、甘肃、四川、云南、新疆——发表了《高原适应的强者》的论文，得出了藏族在青藏高原的细胞携氧量是平原地区汉族的数倍甚至十几倍、是最适宜于高原生活的民族的结论，被外国顶尖高原病学专家称为“伟大的吴”的人吗？这就是那个经历过十几次车祸、自称身上已经没有一块好骨头、却还要带领中方科学试验队往海拔 6 282 米的阿尼玛卿雪山顶峰进击的中国院士吗？这就是那个摘取高原病学皇冠上的明珠，被称为中国侨界十杰和“马背上的院士”的吴天一吗？这另一个名字叫依斯玛义尔·赛里木江的从塔吉克族走出的世界级大科学家，在熙来攘往的大街上气定神闲地走着，平常宁静得犹如一潭秋水。

其实他是一座火山，在其不高大且又平和的外表下，蕴藏着巨大的能量与活力。那个叫酒井秋郎的日本松本市信州大学校长、高原病学专家，一定会对吴天一的能量与活力，有着刻骨铭心的记忆。

1985 年，吴天一与酒井秋郎共同接受了国际高原学会的一项重大科研课题，让他们分别带领各自国家的科考实验队，共同攀登阿尼玛卿雪山，对一个生活在海平面的民族与生活在青藏高原的民族，进行一项庞大的人体对高原适应性的对照综合研究。

但是，这一年吴天一出了重大车祸，一辆载重拖拉机从他身上辗过，瞬间断了七根骨头。大夫说这个人恐怕不行了。这一年他 48 岁。青海省省长闻讯赶来，沉痛而又惋惜地说:“我们省又少了一个医学专家。”不知是大学时体操运动员的强健体魄救了他，还是常年骑马奔走在高原的穷乡僻壤磨炼出了他超常的耐力，反正吴天一活过来了。才 23 天，他就急切地命令护士“剪掉石膏！”脚刚一碰地，他便痛昏在床上。106 天，他奇迹般地出院上班。150 天之后，他就带领中国科考实验队与日本的科考实验队一起，向阿尼玛卿雪山进发，搞适应性训练了。

1990 年，这项被世界广泛关注的科考实验进入最后的决战时刻，要在攀登阿尼玛卿雪山的过程当中精确而又细致地检测出生理、病理及内分泌和各种数据，来验证到底是日本低海拔民族身体适应能力强，还是中国高原民族适应能力强。赶到山下，吴天一找到乡长，请乡长将全乡最好的一匹马牵来。它纯白的毛，高昂的头，就是讨厌戴嚼子，一戴就暴烈地前腿腾空后腿挺立，谁也甭想近前。吴天一制服了它。他说没有他不敢骑的马，在青海省骑马没几个能比得过他。漂亮的马靴，帅气的牛仔夹克，吴天一骑在精神抖擞的白色骏马上，让骄傲的日本人艳羡得难受。有一个日本人提出换马，吴天一欣然接受。谁知这个日本人刚刚骑上便被重重摔下，在帐篷中躺了三天。

决战的时刻，海拔每上升50米，就对人的心跳、脉率、呼吸、细胞对氧气的利用率等，进行系统的测量。就是为了赢得这次决战，也为次年就要在日本召开的第四届世界高原病医学大会，吴天一准备下“重磅炸弹”式的论文。

酒井秋郎早在1985年就已率人来到阿尼玛卿海拔4 000米处设立了高山实验营地，进行了长达五年的适应性训练。谁知刚到海拔5 000米的营地，日本就有三人被抬下山急救，其余六人呼吸困难。此刻，酒井秋郎只好宣布全队撤离。对于吴天一好意的挽留，酒井无奈地回答：“我们还想活着回去。”吴天一所率的中国队最终登到了海拔5 620米的地方。第二年，在日本召开的第四届世界高原病医学大会上，挟东道主之利且又死要面子的日本人默默无闻，而中国的吴天一则获得了“高原医学特殊贡献奖”。

因为世界第三极青藏高原的存在，因为青藏铁路的建设者在生态环境、制氧供氧和冻土技术上所取得的巨大成功，也因了吴天一在高原病学上所取得的重大成就，2004年8月，世界第六届高原病医学大会在中国青海西宁和西藏拉萨召开。

最令人怦然心动的，还是吴天一那博大的人文情怀。是他组织编制了《青藏高原卫生健康保护手册》，第一次引用了国际上高山病标准；是他提出了青藏铁路建设者每人一个保健盒的建议，盒中配备有创可贴、眼药、感冒药、治疗拉肚子的药。他还特别提醒要每人配备一个指南针。因为至今他还忘不了青藏铁路一期工程期间，那个因为迷路而被狼吃掉的战士。还是他，在青藏铁路二期工程开始之前，就向国家提出了六项建议，第一次强调要把好进人关，要进行严格的上山前的体检，不行的绝对不允许上山；第一次提出了上高原要阶梯式上，逐步适应，并为我们的词典创造了一个新词“习服”；第一次提出在高原建立医生巡夜制度，以便及时发现病人及时抢救；第一次提出制订青藏铁路卫生保障制度等。其核心就是尽一切可能，保障建设者的生命安全与身体健康。一位家在山西的青藏铁路一期工程的建设者，因为高原病被误诊为脑瘤，术后半残，不仅丧失了劳动能力，还因为治病花去了所有的积蓄，困苦挣扎，无以为生，申诉了两年也没有着落。吴天一知道了，亲自给铁道部副部长孙永福写信，使得这名职工的医药费全部报销。那位职工太感激了，非要从山西赶到青海来看他。吴天一劝阻了他，并告诉他，你是为青藏铁路做过贡献的功臣，我们对你不能有半点怠慢更不能有丝毫亏待。

告别时分已是夜幕沉沉。望着他，我突然觉得庞大而寒冷的高原，正沁满着温暖与温柔。

雕像：风火山人物群

吴邦国副总理曾经说过：青藏铁路要出世界级顶尖人才。我下面选取的这些人物，也许还不是世界级顶尖人才，但是他们却创造出了世界级的顶尖工程风火山隧道。

况成明

作为风火山战役的组织者指挥者实施者，况成明可说是一举成名。他的眼光、他的决断、他的实干、他的科学创新以及他的真才实学，都在整个战役中得到了最好的创造性的体现。

有关他的报道已经很多，我们只从几件小事去重温他的风火山岁月——

就在人们谈风火山色变的时候，是他，力主将指挥部一竿子插到风火山工地上。本来指挥部可以设在条件好海拔也低的格尔木，但他说:“咱们的职工是在‘生命禁区’施工，指挥部必须跟职工在一起，不能拉开距离，不能靠电话指挥！”

况成明的眼睛最会“逮”事。有一次他端着碗走到工友的桌前坐下来问:“今天中午几个菜？”“四菜一汤。”况成明立即警觉起来，责问队领导:“怎么回事，指挥部明明规定‘六菜一汤’，你们为什么只做四个菜？”队领导解释说因风雪太大，采购有困难。况成明生气地放下碗筷说:“那为什么不早报告？我们的职工在‘无人区’干活，营养跟不上，要出大问题的！”就为这两个菜，况成明当场作出处罚决定：队长、书记各罚款3 000元。要求该队立即派人到格尔木采购，并责成从指挥部机关食堂调剂蔬菜，以解燃眉之急。

风枪手赵士凌在掌子面作业时不慎将防水衣挂破，泥浆水湿透了他的棉衣，又被况成明的眼睛“逮”住。他爬上台车，二话不说就脱下自己的防寒服穿在赵士凌身上。

2002年8月8日，当王耀欣将父亲王占吉的另一半骨灰也从兰州背到风火山时，是况成明想到了以中铁二十局集团的名义，为这位风火山的功臣立了一块气派的碑。他这是在为王占吉立碑，也是在向默默无闻的青藏铁路的建设者们表达一份敬意。

“有钱的傲气，当官的霸气，普通职工咱不去关心谁去关心，他们才是真正干活的。”况成明向我说着他内心深处的真实想法。他还告诉我，“都说我是名人，其实我是个苦人。”他真是苦过。风火山战役刚开始那阵子，他是最难最苦的一个人。恶劣的自然条件下有人打退堂鼓不说，就为了他的较真，远在咸阳的家还遭到了绑架孩子的恐吓；图纸到位晚及其他原因曾经一度造成工程进度缓慢，又加上一家新闻单位凭空登出了“风火山死了十几个人”的假新闻，上级领导视察也不愿意到风火山工地停留了，甚至有了要换帅的传闻。他说那个难啊，当时真的想到了死。但是他挺过来了，并与职工一起创造了奇迹，他说“大浪淘沙，金现河底”。

2003年6月8日，国务院副总理、青藏铁路领导小组组长曾培炎亲笔批示：“全体青藏铁路建设者要学习况成明同志‘不畏艰险、勇于创新，关心群众、大公无私’的精神，在世界屋脊的青藏高原上，一展新时代铁路建设者的风貌，夺取青藏铁路建设的全面胜利。”

李景超

我在格尔木见到了这个中铁二十局集团青藏铁路建设指挥部第二任指挥长李景超。

想不到他这样年轻，想不到他对中国古代文化这样熟悉，并能够大段大段地背诵孔子、老子的语录。还让我想不到的是，从格尔木到拉萨，一路尽听到上上下下各个方面对他的赞扬，赞扬他的协调能力与大局观。

其实，这个曾经入选集团公司首届十大杰出青年的指挥长，最令人难以忘怀的，是他在财务管理上的创造与发明。一到风火山，他便迅速建立起了多达166页的有关财务管理的六个办法。这六个办法被青藏铁路总指挥部树为标范。

特别是在民工工资的发放上（最多时，风火山上的民工达4 000多人），他摸索出了一条可以在全国推广的有效办法。指挥部直接面对八个作业队，要求每个施工队必须将每一名民工的工资数额列表并由每一名民工签字，由指挥部直接将民工工资扣下然后再直接发放到每一个民工手中，从而杜绝了对民工工资克扣、挪用、拖欠等现象。考虑到要从350公里以外的格尔木提款，更考虑到民工集体居住时保管的困难和有可能发生赌博、安全等问题，发放工资全部改为发放存折的办法。每次由公安、财务到场，当场宣读各人的姓名、款额，当场发放到手。几年间，按时发放了近5 000万的民工工资，没有出现一例迟发、错发、少发、欠发的现象。

李景超向我说起过一个细节。有一次，当依次念过名字，各人拿着身份证将存款单领到手时，突然一个民工高喊了一声“万岁！”这一声喊不要紧，立时就把大家都点着了，“万岁”声在风火山工地上喊成一片，把天空中滞翔的鹰都惊飞了。说到此，李景超清朗的脸上神采飞扬。

丁守全

一次，铁道部部长傅志寰来到风火山，陪同的青藏铁路总指挥长卢春房指着丁守全向部长介绍:“这就是工地职工的保护神。”

这一称号名不虚传。

他在风火山制氧工程上起到了关键作用。那本《风火山职工生活手册》就是由丁守全主编的。它为上山职工提供了正确行动指南，是青藏铁路全线的第一本。安营风火山之初，几乎所有的人都因为高原反应躺倒了。此刻，只有丁守全带着医生护士忙碌着，一个帐篷一个帐篷地检查，还辅之以鼓励、安慰。

其实老丁岂止是职工的保护神，当地藏民也与他成了莫逆之交。他为百姓看病，培养布巴力的女儿学习西医。是他深入藏民村，听取百姓因为铁路涵洞少而小、畜群无法通过的意见并及时反映上达。总指挥卢春房迅速将改变设计的方案汇报给铁道部副部长孙永福，孙副部长立即同意。现在，在炸掉的涵道处，已经建起了畜群可以顺畅通过的七孔桥。而为了这一修改，就增加投入400万元。

作为青藏铁路建设者医疗卫生的代表，丁守全有着两次堪称人生难忘的经历。一次是他以一个工地医院院长的身份，参加了院士、教授、专家云集的全国职业病标准的审定会，并在会上作了有力的发言。以前高原病的标准，仅限于高原高血压、高原心脏病、高原红细胞增多症等。他用铁道兵十师官兵们在高原14年筑路岁月中所留下的后遗症的事实，提出了高原生活对于肾脏；肝脏的影响及蛋白尿的问题，提出了潜伏期可以长达15年至30年的现象，扩大了职业病范围、降低了职业病门槛，被会议接纳，从而为青藏铁路的建设者争得了权益。

而在西宁与拉萨召开的第六届世界高原病医学大会上，在100多位世界高原病医学专家面前，丁守全更是代表青藏线的建设者，作了“青藏铁路风火山隧道医疗卫生保障措施的研究与应用”的重点发言。就这样，他从一个部队卫生员，由青藏高原走上了世界卫生大会的讲坛。

任少强与罗宗帆

任少强有着一连串职务：二十局集团公司副总工程师、科技部部长兼指挥部副指挥长、总工程师、风火山隧道出口施工队队长等。虽然风火山上的每一项创新与科研工程攻关都离不开他的组织和参与，但是采访他时，他却兴奋地推荐罗宗帆：“你们写写副队长罗宗帆吧，自学成才，实干家，也是科研活动的强有力的实施者，他的事迹比我鲜活。”接着他就向我们介绍起罗宗帆的一个故事。一天晚上12点，隧道里的挖掘机坏了，停工可是大事情，况且停工长了还有塌方的危险。没有配件，要到80公里之外的碎石场，卸下那台挖掘机上的配件才能将其修好。“半夜三更的，我们俩开上一辆皮卡就出发了。赶到碎石场，老板还不耐烦，从屋子里扔出个手电筒就不管了。11月的风火山，零下十几度，冻得人直打哆嗦。罗宗帆负责拆卸，我就负责打着手电筒照明加警卫。高原的狼多，这时又正是狼出没的时间，心里真是害怕，手脚冻麻了背上的冷汗却在一个劲地流。手电筒照明一会儿就得往周围晃晃，狼是怕光的。时间一长，电量越小光线越弱，罗宗帆要与铁疙瘩打交道，手冻僵了还得赶紧卸。那一个多小时也不知是怎样熬过来的，等到4点多卸下来再赶回来装上启动施工，已经7点多了，就这样我们为施工整整抢回来七个多小时。

罗宗帆是在风火山隧道施工最艰难的时候，从别的工地调过来的一名风火山干将。这是位真正的干将。当紧张的施工累得痔疮脱肛、坐卧不宁影响工作的时候，他竟然自已用剃须刀片咬牙割去。血流不止就蹲在洗脚盆上，直到拂晓创伤处结痂。

这个硬汉有着又热又软的心肠。穷苦出身让他对一线的工人、民工有着别一样的情感。他体恤他们，理解他们，平等地对待他们。虽然队部离隧道只有十几米远，可他一到风火山就将铺盖搬到隧道里，他说就得跟工人一个样。离隧道贯通还有两个多月的2002年8月，他遇到了两个饿倒在隧道出口的青海土族汉子。他拨开围着的人群，让炊事班给他们做上饭，又安排医生给他们检查身体，而后竟然还为他们在工地上安排了一份工作。这两个来自青海互助县的汉子是一路走来的，找了好多单位全没人管理。在出口施工的300多民工将这一切全部看在眼里，他们纷纷议论着一个话题：跟罗队长干，豁出命也值！

民工们对罗宗帆更有着一层爱。当他被五只狼围困着的危急时刻，是民工们一呼而出，舍命为他竖起了一圈人墙，其中就有那两个土族汉子。这年的11月1日，风火山的民工全都下山冬休。处理事务到11月底才回到格尔木集团公司指挥部的罗宗帆，一进院子就被那两个土族汉子抱住了，他们哭得泪人儿似的，说等他等了20多天了，就是为了道一声谢，就是为了给他们的恩人送上一点苹果。他们说是罗队长让他们挣了这一辈子也没见过的这样多的钱，两万多元哪，孩子念书的钱可不用愁了。罗宗帆也落泪了，只拿了他们一个苹果，让他们把其余的带给家中的老人与孩子。临别，细心的罗宗帆又将自己的电话号码抄给他们，还嘱咐：将来有工程，再请你们来。

这两个土族汉子，一个叫马进元，一个叫张海涛。

“还是谈谈你吧！”我们催任少强。风火山工程取得了举世瞩目的成就，但谈起自己他却淡然得很：“风火山对我们每一个参与其中的人，既是关系到生命与健康的严峻考验，又是一生也难得的机遇。我内心里就喜欢新的具有挑战性的东西，它会给人带来兴奋与创造力。要说挣钱的地方，多得是，但是在国有大型企业里干风火山这样世界关注的大工程，能给人一种荣誉感。我觉得这种精神上的丰富与满足，比当个拥有许多钱的老板快乐得多。我女儿在学校一说爸爸在青藏高原修建青藏铁路，在风火山上打世界第一高隧，同学们都羡慕得眼睛放光，你说这用钱能买得到吗？”

陈益发

中铁二十局集团公司有一位名叫陈益发的诗人。

生活的艰辛与琐屑，加之诗歌的窘迫现状，曾经使得他的歌喉喑哑。当他歇笔的时候，他甚至认为，从此再也不会踏入诗歌的河流。是青藏高原、高原上的这条铁路和修建这条铁路的劳动者，重又撞开了他激情的闸门，并让他领略到一个圣洁而汪洋恣肆的精神境界。于是身为风火山指挥部党委副书记的陈益发，重新放开了歌喉；于是第一部在世界最高处写就的诗集《青藏颂歌》诞生了。

这是真正的颂歌，和着他纯真而又沸腾的激情，向着建设者、向着高原、向着风火山上的日子，放声歌唱——

怀揣硕士帽博士帽教授帽/咀嚼着面包咸菜/感受人生的纯洁和快乐（鲜艳的藏红花：献给冻土研究人员）；向着无垠的天空眺望/心越望越远澄明如一片湛蓝（奔走的鹿群：献给测量工）；筑路工修了一辈子路/人们记不住/是因为修的路太多了/但有一条路人们能记住/这就是青藏铁路/因为这条路是世界最高的路/他永远站在了这条路之上（献给青藏线的筑路工）……

而那首发表在《诗刊》上的长诗《致昆仑》，则是他一夜辗转反侧之后的结晶。一种大爱，一种沧桑，一种人与自然的相通与和谐，像悠长的钟鸣震人心魄——

无数次经过大高原/经过你耸立云端的身姿/那条人迹罕至的路途/就成为仰望你的高度/时间在这里凝固/覆盖住鹰翅滑翔的天空/和天空预留的想象/往事散漫似轻埃/变成一束透明的银白视线/穿透昆仑不朽的精魂/伟大而崇高的意识/渐次胸中开来……

境界：董事长与党委书记

大海与大海相融，就会汇成浩瀚的大洋。山峰与山峰相接，就会组成绵延的山脉。董事长余文忠与党委书记周玉成，就是以大海一样的胸怀与山峰一样挺拔的人格，带着这支队伍闯过了一道道关隘，走上了一个国营大型企业所能达到的罕见的境界。

他们联手合作的时候，这个集团公司的流动资金已经不足30万元，处于中国铁道建筑总公司的末位。六年过去，这个集团公司实现了三次大的飞跃式发展，已经实现年揽工程200亿元、产值100亿元、利润1亿元，一下跃为中铁建总公司的排头兵。一系列在国际国内有重大影响的工程相继在他们手中诞生——获得“鲁班奖”

的苏州官渎里立交，获得“詹天佑奖”的重庆华蓥山隧道，桥面高达154米的洛川亚洲第一高桥，我国第一座不对称斜拉桥宝鸡代家湾渭河大桥……2004年到2005年，集团公司在非洲国家安哥拉先后承揽到罗安达铁路大修工程、罗安达新机场工程和1 500多公里的铁路工程建设任务，使集团公司海外工程总额超过了190亿元，开创了我国建筑业海外承揽工程的新纪录。自2003年以来，企业承揽、产值、利润等主要经济指标连年在中铁建总公司系统位居榜首，企业连续四年被中铁建总公司评为“四好班子”，生产经营、资本经营，国内市场、国外市场，硕果累累，红红火火。如今，他们正瞄准“建筑业排头兵、国际化大集团”的目标，万众一心，昂首挺进。

在青藏铁路竞标夺标最紧张的时刻，余文忠带领一班人马在京“作战”，周玉成则在后方指挥群情激昂的请战活动。周玉成在班子的民主生活会上，动感情地从领导才能、敬业精神、管理水平、精神状态等八个方面谈他向余文忠学习的心得。而我去上海采访余文忠时，他则夸奖老周是有思想敢作为的“我们的好班长”，并说是他极有创造性的思想政治工作为集团公司的全面发展提供了强大的支持与保障。六年共事，他们像兄弟一样将两颗心融成一颗心，再共同团结起14 000名职工，将二十局集团公司这艘远洋战舰驶向辉煌。

去上海采访余文忠的时候，他正生病躺在床上。谈起企业，谈起企业的职工，他的话稠得如窗外淅沥的春雨——2000年一上任我就对大家宣布，要当一个年年有余的局长，绝不当一个多余的局长，不行年底就走人，绝不占着茅坑不拉屎。人生就争一口气，就得自己跟自己较劲。一万多人的企业，加上职工的全家，再加上配属人员及其家庭，企业的兴衰几乎关系着近20万人的生活，我们当领导的如果连个决策也做不好，那就简直是失职是犯罪。市场经济走到今天，主要领导必须要站得高看得远，要以振兴企业为己任，要把职工当作自己的兄弟姊妹。他们比我们辛苦，家属又大多在农村，都是一辈子默默无闻地干，好多与我一起入伍的战友至今还在一线干，退不下来。我们领导有小车，出了成绩还有荣耀、奖金，工人呢？所以我坚决主张先个人后国家再集体，企业的利益一定要分给职工，谁克扣职工的劳动定额谁就必须下台，小河没水大河才干嘛！要知道这些成绩是全局一万多名职工拼命拼来的，不能将成绩全记在自己的功劳簿上。光上级高兴不行，光考虑个人进步有啥意思，得让职工高兴了企业才有前途。余文忠曾经在山东孔孟之乡的济宁干过，他的先职工后国家再集体的主张，其实与有着浩然之气的孟子是相通的，孟子的话是：民贵君轻社稷次之。

春雨已经将上海的夜淋湿，我看着躺着不能动的余文忠，心想，这个躺着的人要比好多站在高岗高枝上却一心只想着自己升官发财的人高大。他让我又想起了那个心脏动了两次手术、已经安装了五个支架却仍然为了职工的安全与青藏铁路的建设九上风火山的周玉成。

周玉成急着上山，职工、同事却都急着阻拦。什么法都用了，全部无效。大家见劝不住了，就想出了高招，搬出了2001年青藏铁路开工时曾负责过朱镕基总理保健工作的解放军22医院副院长杜智敏少将出面劝解，说明他这样的身体状况上山极其危险。人家是专家、将军，老周不能不给面子。谁知回到指挥部，老周依然“我行我素”，做着上山的准备。再劝，他就真的急了，这个行动大于语言的党委书记，话也难听得多了：“我知道有危险，可是职工在上面长期施工不是更危险？职工能够在上面住下，我就不能上去看一看，给大家鼓鼓劲？再想想那些长眠在青藏线上的战友们，那可是200多个曾经活蹦乱跳的战友，把命都扔这里了，我上一趟风火山就不行？是谁定的规矩只有领导的命值钱？如果我连个风火山都不敢上，我这个党委书记也就算球了！”

一次两次……九次，谁也拦不住他。暴风雪把路封了堵了，那就在格尔木等，等雪停风小了再上。再上，路上又严重堵车，他还是回到格尔木等，直等到路通车行。

谈到九上风火山，老周自己也很难用一两句话来说清楚自己复杂的内心感觉，他说这是一种情感，是一种良知，更是一种责任和义务：“从上世纪50年代我们这个群体就开始了青藏铁路建设的接力赛，一棒接一棒、一代接一代跑到今天，形式上看起来好像是一种巧合，而实际上则是历史的必然。这支队伍几代人几十年的传承，铸就了宝贵的企业精神，这种精神也可以叫作风火山精神，它是企业发展壮大的永恒动力，也是民族精神最闪光的部分。”

我想起西藏尼洋河中的那个中流砥柱。陡峭的大山夹紧着尼洋河，它于奔腾而下的雪水里稳稳地挺立着，毫不动摇，千年万年。周玉成与他的搭档余文忠，不也是这样的中流砥柱吗？他们稳稳地挺立着，毫不动摇，硬是为步履艰难的国有企业开出一条生路来。

短短的20天里，我们一步步亲历了青藏高原的雪山圣湖、蓝天白云和它的冰雹雷电、烈风暴雪，亲历了它的博大。短短的20天里，我们更一步步循着这条横贯青藏高原的钢铁“大运河”，去寻访共和国与这支队伍近半个世纪的足迹。与这些相比，头疼欲裂的不眠之夜和心脏不适的恐惧都不算什么，因为我们在这短短的20天里，走过了过去、现在与未来。

这些青藏铁路的建设者们，不仅创造着时代的奇迹，也站在时代的前端引领着时代。

从20世纪铁十师打通的世界第一高隧关角隧道，到21世纪中铁二十局集团公司打通的世界第一高隧风火山隧道，我们穿过它们也是在穿越时间的隧道。在这时间的隧道里，不仅有一条伟大的铁路正在成为中华民族强劲的动脉横空出世、浩荡西行，还有一种崇高的精神的山岳正在成为人类文明进程中新的标高崛起高原、巍然矗立。这种崇高的精神山岳，便是风火山精神和以风火山精神为代表的青藏铁路精神——以人为本，科技挂帅，挑战极限，创造奇迹，不怕苦，不畏难，不惧险，敢为世界先。

因为有了他们，在中国地图广袤的西部——那片曾是空白的地方——从此就将出现一条粗粗的红线，并与它身旁那两条由长江、黄河组成的蓝色的粗线一起，成为传承人类文明的“江河之源”。不管世事怎样变迁，不管岁月怎样弹指千年，人民永远不会忘记，历史也永远不会忘记。这支传奇般的队伍，将成功的喜悦装在心里，又背起行装，迈开大步，向前，向前，只留下隆隆的列车去开启一个又一个崭新的明天。

（选自2006年第7期《报告文学》，作者：李木生、王昌尧）

一个“馒头”引发的风暴

在2006年的春天，“馒头”这个曾经在中国流传了几千年的平平凡凡的词汇，突然一跃成为人们的新宠，如同当年“凡有井水饮处，皆能歌柳词”一样，迅速在偌大的中国蹿红起来，而且一发不可收拾。这一切都源自那个在网络上广泛流传的，恶搞了电影《无极》的视频——《一个馒头引发的血案》。

如今最热门的词汇是什么？

奥斯卡？

春晚？

金刚？

不，这些都不是。现在最热门的词汇是“馒头”！也许还要附加上“血案”“胡戈”“《无极》”“陈凯歌”等。

《一个馒头引发的血案》这个片长为20分钟左右的视频短片借用了电影《无极》中的人物、场景等，套用央视《中国法制报道》的框架，加以作者本人天才的想象力，对《无极》一片进行了彻底的“改造”和颠覆。在让无数人边看边笑的同时，也成就了它如今被众多网友奉为经典的地位。

然而相对于大部分人的推崇，为《一个馒头引发的血案》提供了“材料”的《无极》导演陈凯歌，却对此事勃然大怒，甚至当众发难，要将制造“馒头”的胡戈告上法庭。

陈导的这一举动立刻引起了轩然大波，也让“馒头”彻底地出了名，露了脸，如果说之前“馒头”还仅仅是限于网络传播的话，由陈导宣布起诉的那一刻起，它才真正引起了广大传媒的注意，各家媒体纷纷趋之若鹜，各大网站上，《一个馒头引发的血案》也成了点击率最高的专题。在短短的时间内，“馒头”来势汹汹，锐不可当，更由此引发了人们各种各样的思考和讨论，其范围也已经超越了娱乐话题的范围，发展到涵盖了法律、道德、经济等社会生活的各个层面，成为一个社会各界都津津乐道的话题。

这个结果，恐怕是被网友们戏称为“馒头之父”“馒头教主”的胡戈不曾想到的，也是冲冠一怒为“馒头”的陈凯歌导演不曾想到的。或许，就连极尽炒作之能事的媒体也不曾想到，一个小小的馒头，引发的不止是一场“惊天血案”，更是一场席卷了大江南北的八卦风暴……

“馒头”出锅了！

2005年末，号称中国电影史上最大投资、最大制作，准备代表中国“冲奥”的电影《无极》在经过陈凯歌三年磨一剑的漫长准备之后终于与观众见面。在前期宣传中被捧上云端的大片可谓是“千呼万唤始出来，犹抱琵琶半遮面”，成都点映之后众口一词的赞美更是吊足了所有人的胃口。《无极》公映当日以2 115万元刷新了2005年票房纪录，此后票房一路飙升，稳居冠军之位。

有这样的成绩当然是值得高兴的事情，但是随之而来的铺天盖地的负面评价，想必让正在数钞票的陈凯歌导演大大不快了起来。

花了大把银子才走进电影院的观众们大都是被《无极》沸沸扬扬的宣传所吸引而去一睹庐山真面目的，而且对于这样一部号称可以与《指环王》媲美的国产大片，中国人还是充满了期待和渴望的。只可惜，他们的期待和渴望却在观看影片的过程中逐渐冷却、冰冻……除了几次哄堂大笑以外，当银幕上开始出现片尾字幕的时候，许多观众是怀着一种质疑的态度离开的。

这就是被称为“魔幻史诗”的《无极》？

这就是耗资三亿打造的巨作？

这就是让人期待了整整一年的大片？

有评论称：同观众付出的人民币相比，《无极》太不值得了！如同一家新开张的饭店，外面装修得金碧辉煌，里边却是破破烂烂；菜单上的图片极为诱人，味道却不敢恭维，偏偏结账的时候，服务员拿上来的是天价的账单。

如果说当年张艺谋的《英雄》还是毁誉参半，那么从《十面埋伏》开始，到今天的《无极》，就彻底开启了中国大片的“骂战”。《无极》正可以验证中国一句古话：盛名之下，其实难副。尽管仍旧有一部分人在竭力发掘着《无极》的精彩之处，但是越来越占据了上风的，仍旧是甚嚣尘上的批评讽刺。

也就是在这一片铺天盖地的诟病声中，《一个馒头引发的血案》悄然开始流传。

“一个小小的馒头是如何引发一场血案的？本该是天真无邪的儿童，竟然因为一个馒头记仇20年，是什么使得一位儿童的心态如此扭曲？公安特警奉命抓捕罪犯，最后却与罪犯成了好朋友，这又是为什么？案情扑朔迷离，真相直到最后一刻才大白于天下。敬请收看《法制在线》周末版:《一个馒头引发的血案》。”

……

《一个馒头引发的血案》一开头就让人忍不住为之喷饭，而接下去的情节发展更让人笑到肚子痛。大将军光明成了城管小队长真田，以对付无证商贩而扬名；奴隶昆仑成了他的助手；鬼狼变成了“郎警官”，还跟昆仑发展出一段同性恋情……《无极》中每个人物都被颠覆，却颠覆得如此“合情合理”，实在不能不让人拍案叫绝。用很多评论者的话来说，《一个馒头引发的血案》弥补了《无极》所有不合理的地方，也抚慰了他们看了《无极》之后受伤害的心灵。

从情节的合理性和故事的发展逻辑来看，这种评价未尝没有道理——至少看完了《一个馒头引发的血案》之后，感觉上是看了一个完整的故事，而不是一堆华丽的碎片。虽然这个故事充满了无厘头的恶搞，但是对于已经把《大话西游》奉为经典的新新人类来说这正是让他们鼓掌喝彩之处。

随着《一个馒头引发的血案》的流行，胡戈这个名字开始为大众渐渐熟悉。

胡戈是武汉人，六年前来到上海，目前算是自由职业者，主要是做音乐器材以及剪辑方面的工作。《无极》在上海放映时，出于好奇心，他也花钱去电影院看了这部传闻中的大片。然而两个小时的影片结束以后，跟大多数人一样，走出电影院的胡戈有一种上当受骗的感觉，用他自己的话来说就是“感觉不太好”。

胡戈在大学时候玩过乐队，毕业以后从事的也一直是与音频技术有关的工作，算是一个“圈内人”。而《无极》则成为他向视频技术开刀的第一个试验品，为了好玩，也为了锻炼一下技巧，胡戈开始构思并着手制作《一个馒头引发的血案》。从写剧本到完成整个视频，大概花掉了胡戈一个多星期的时间。

看过“馒头”的人，大多对胡戈的技术能力表示佩服和欣赏，尤其是片中的角色的配音完全都是由胡戈一个人完成的，不过对于曾经在电台做过DJ的胡戈来说，这不过是小菜一碟。他自己更得意的是片中的配乐，因为音乐编辑才是他的拿手好戏，事实上，那些切合情境却又滑稽搞笑的配乐，的确也成为“馒头”恶搞的一个亮点。而那两个极为经典的“插播广告”，更是让人叫绝。胡戈的创造力和想象力之丰富，由此可见一斑。

在2005年12月28日，胡戈完成了《一个馒头引发的血案》并将其发送给了自己的几个朋友，而他的朋友又将其传播开来——“馒头”出锅了。

“我觉得人不能无耻到这个地步”

在胡戈看来，“馒头”完全是他的游戏之作，纯粹是觉得好玩才动手的。他没有想过自己的作品会流传到网络上，即使他想到了，恐怕也没有想到它会以一种大火燎原般的气势烧红了半边天。但是当这一切发生了以后，他不可避免地还是有一些窃喜的——如此多的追捧足以证明他“再创作”的成功。

“馒头”的确红了，红到远在柏林的陈凯歌导演也知道了这件事。当记者询问他对于“馒头”的看法时，陈大导演义愤填膺地抛出了一颗引爆全国媒体的炸弹——“我们已经起诉他了，我们一定要起诉而且就这一问题要解决到底……我觉得人不能无耻到这样的地步！”

一石激起千层浪。陈凯歌火头上的一句话，立刻成为媒体爆炒的新话题。

陈凯歌的愤怒可以理解——《无极》被人骂得狗血淋头，冲奥也铩羽而归，连续参加几大电影节都两手空空，现在又有人拿《无极》恶搞，简直是是可忍孰不可忍。不来一个下马威心里实在咽不下这口气!

可是他没有想到的是，说出去的话如同泼出去的水，况且他这句话不是水，是油，让正烧得旺旺的“馒头”的大火更猛更烈。也让所有对于《无极》不满的声音一下子全部转了方向，冲他来了。

从客观角度评价，陈凯歌这句话说得合情，也许合理，但绝对不合时宜——骂《无极》骂得再凶，说到底也是骂影片，即使涉及了导演，也还限制在一定范围内。

网络恶搞版《一个馒头引发的血案》海报。（图片来源：互联网）

新浪网关于“馒头血案”的专题报道。（图片来源：互联网截图）

而他这一句话，却是引火烧身，让所有的攻击都找到了合理的借口。

由此，《无极》对“馒头”，陈凯歌对胡戈，好戏正式开锣！陈导怒极之下那句“人不能无耻到这个地步”更是打破了历年来新年首句流行语出自春节联欢晚会的规律，完美地承续了“我被你感动了”，成为2006年中国第一句流行语。

事态的发展很快就脱离了当事人的控制——在得知陈凯歌这样说了之后，胡戈很快就公开道歉，因为自己的行为可能伤害到了陈凯歌导演。不过仅仅一句道歉似乎不能平息陈导的怒火，好像“秋菊打官司”中“一定要讨个说法”的秋菊一样，陈凯歌显然是下定了决心要跟胡戈斗争到底，始终都没有表示和解的意愿。反而是被恶搞的另一方——央视《中国法制报道》非常大度地表示不会跟胡戈计较，也不会起诉他，相反还很欣赏他的才气。

相对于陈凯歌的愤怒，胡戈的表现可以用“忍让”二字形容，先是通过媒体进行道歉，发现道歉并不能让陈导消气时，他表示“那我只能等着法庭的传票了”。胡

电影《无极》中陈红的经典扮相。（图片来源：视频截图）

戈承认自己没有想到陈导会这么生气，因为自己是很尊重他的，即使陈凯歌用“无耻”来形容他，胡戈仍旧觉得“他是长辈，这样说晚辈我能理解。因为我们之间存在着误会。没关系，我不生气。”但同时他也觉得委屈，因为他觉得他做这个视频完全没有恶意，只是为了好玩和锻炼技术，做完了也只是发给几个好朋友看了看，至于后来视频在网络上的传播是他完全无法控制的。

大导演以“侵权”为由苦苦相逼，小胡戈拿“学习使用”做盾牌步步退让，这官司，到底要怎么打？

不争“馒头”争口气

这些年，娱乐圈里因为“侵权”所打的官司可谓数不胜数，名誉权著作权等争得不亦乐乎。然而，堂堂一个国际知名的大导演，非要跟一个小“馒头”过不去，说起来总有点仗势欺人的感觉。因此，战火甫燃，“馒头”几乎呈压倒优势——让我们先来看一下TOM网站关于“馒头”的调查结果：在对“大家对陈凯歌起诉‘馒头’教主胡戈的事件如何看待？”这个问题的回答中，认为“陈凯歌太小气没度量”的人占了61.62%；在对“如果陈凯歌与胡戈有一天真的对簿公堂，您将支持谁？”这个问题的回答中，选择“百分之百支持胡戈”的人占到了88.21%。而在新浪“陈凯歌《无极》遭遇胡戈馒头血案”专题的调查中，支持胡戈的人的比例甚至达到了94.84%。无怪乎有媒体用“陈凯歌与网民对决”这样的标题来报道此事，甚至有人说出了“陈导告的不是胡戈是人民”。

新浪为胡戈开设的博客上，每天都可以见到几百条支持他的留言。有网友发起了“签名支持胡戈”的活动，一天内就有上万人签名支持；更有网友表示“如果陈凯歌真的赢了，法庭判决胡戈赔款的话，我们网民捐款支持他！”

而不少电影界的圈内人也对陈凯歌的做法表示异议，在他们看来，“馒头”不过是另外一种形式的对《无极》的评论，没有谁可以剥夺观众评论的权利，容许这些不同声音的存在，才有利于促进电影事业的良性发展，还有著名艺人认为这种恶搞根本就是无所谓的，有这种才华的创作人应该得到鼓励而不是批评，他甚至怀疑陈凯歌导演之所以这么做是为了炒作。

说陈凯歌用“馒头”来炒作自己未免不太贴切，因为《无极》之前的宣传已经过犹不及，而借用“馒头”这样一种恶搞的方式来炒作，不是更凸显出《无极》处处败笔吗？想来陈导不会有这种不智之举。应该说，陈凯歌坚持要“起诉”，只是想依靠法律武器给自己争一口气，找回一点被“馒头”扫得精光的面子。

况且，至少在法律意义上，陈凯歌的行为并没有什么不当之处，虽然也有一些法律界人士认为“馒头”不存在侵权行为，但更多的法学界权威们认为，从现有的法律角度讲，“馒头”不排除侵权的可能。

侵权？不侵权？

一方认为自己只是“自娱自乐，合理使用”，另一方则认为“有意传播，侵犯版权”，双方观点针锋相对，而现有法律的模糊性，也使侵权之争变得更加扑朔迷离。《中华人民共和国著作权法》第二十二条第一款规定:“为个人学习、研究或者欣赏，使用他人已经发表的作品”不属于侵犯著作权的范畴，这也正是胡戈一直强调的地方。然而，另外的观点则认为：事实上，胡戈将“馒头”发送给其好友观看的行为，已经不再是“为个人学习、研究或者欣赏”了，在客观上他的行为造成了“馒头”在网络上的流传和愈加火爆，已经超过了著作权法规定的“合理使用”的范畴。

胡戈的代理律师则认为,“馒头”应该被理解为一种合理的电影评论。这一观点也是众多支持“馒头”的法律界人士的基本观点——著作权法没有剥夺人们评论的自由。

但是反对者依然有之，他们所持的观点是:“馒头”是用《无极》的内容架构了一个新的故事，超出了影视评论的界限，反而比较接近改编。在这种情况下，以评论自由作为不侵权的理由似乎没有那么大的说服性。

对立的观点争执不下，甚至连权威的国家版权局也在这件事情上格外小心起来。在回答记者关于“馒头”是否侵权的提问时，国家版权局以“需要以民事诉讼的方式进行裁决”这一模棱两可的回答作了总结。

“馒头”做大了!

小小一个“馒头”引发的，不仅仅是法律上的大讨论，侵权之争只是“馒头”涵盖范围不断扩大的冰山一角。从娱乐事件上升到法律高度远远不是终结，“馒头”更已经渗透到了社会经济、道德、文化等各个方面。

据《潇湘晨报》报道，趁胡戈和陈凯歌的馒头纠纷被炒得沸沸扬扬之机，苏州某创意公司抓住商机，一次性注册了包括“胡戈”馒头、“胡戈”花卷、“胡戈”咖啡饮料等在内的30个类别的商标，其中“胡戈”馒头的广告语是,“馒头不能好吃到这个地步！”目前,“胡戈馒头”的商标已经被某著名餐厅拿到，第一笼“胡戈”馒头也同时在无锡和苏州正式出笼。在和名人扯上关系后，馒头价格也水涨船高，卖到三块钱一个。

说到注册“胡戈馒头”的初衷，该创意公司的徐小姐称,“胡戈馒头”既然已经成为一种流行的语言，为什么不把它变成真正的馒头呢？她表示，注册完全出自公司全体同仁对于胡戈才华的欣赏，并不担心与胡戈本人打官司。

而胡戈听到自己的名字被商家注册一事后，一开始显得很吃惊，“嘿嘿”笑了两声，他表示“这事跟我没有关系。全国有很多人叫胡戈，我不会介意的。”

中博传媒有限公司董事长、总裁陈伟明先生甚至将胡戈称为“中国本年度最NB的营销大师”，虽然是玩笑之言，但就商业角度来看也不无道理。

而由“馒头”引发的关于影视评论的现状思考，网络道德和个人自由等的争论，也早已沸沸扬扬。

“馒头”能如此走红，甚至已经开始成为一种文化现象，与其获得的不计其数的支持是密不可分的。如果没有这么多人“力挺”胡戈，恐怕早在第一个回合他就已经败下阵来，“馒头”又怎么能做得这么大呢？

“馒头”文化

将“馒头”称为文化，并非夸大事实。正因为“馒头”所代表的是叛逆精神对正统文化的挑战，是草根对贵族的挑战，这才得到了四面八方的支援。

林语堂大师曾经说过：好的幽默，都是属于合情合理，其出人意外，在于言人所不敢言。世人好说合礼的假话，因循不以为怪，至一人阐发真理，将老实话说出，遂使全堂哗笑。

很多支持“馒头”的人都表示，看过“馒头”以后，那因为看《无极》而郁结在胸中的一口闷气终于释放出来。因此才会觉得“馒头”比《无极》好看。胡戈只是把大家都想说的话，用一种最直观最巧妙的方式表达了出来。而在这样的情况下，陈凯歌导演的“起诉”和“无耻”，就成为对这种宣泄的压制和打击，无怪乎会被群起而攻之。

中国进入20世纪80年代后，随着国家政策的调整和经济形势的变化，过去处于正统地位的文化根基受到了来自外部的冲击。由“迪斯科”开始，很多曾经被视为“叛逆”代表的文化产品进入了中国市场并且迅速融入了百姓生活。言情小说、武侠小说、动漫、歌厅舞厅咖啡厅陆续登堂入室，并且逐渐改变了国人的文化视角。

当网络也进入中国后，更是以前所未有的迅雷不及掩耳的速度席卷了中国社会，也开辟了全新的网络文化时代。叛逆、个性张扬、自由不受拘束开始成为被更多人接受的文化趋向。而叛逆的最有力表现就是颠覆——颠覆传统，颠覆固有模式，开辟一个新的空间。

在这一点上，“馒头”可以说是一个经典的代表，象征着权威的《无极》在“馒头”面前黯然失色，而这，也正是“馒头”拥有强有力支持的重要原因。

当然，还有一个极其重要的不可被忽略的因素就是——双方的立场截然不同，身份地位也有着天壤之别。“馒头”与《无极》之争，更多的是观众对于故作崇高状的正统电影艺术的不满的一次发泄，是叛逆精神对正统文化的一次示威；但陈凯歌与胡戈之争，则是典型的草根挑战贵族。

作为中国电影界的领军人物，出身世家的陈凯歌无疑是精英贵族的代表，他在中国电影界举足轻重的地位使他成为既拥有文化背景又拥有资本背景的双重权威。他的地位在娱乐圈中可以说是高高在上，甚至《无极》点映时，还曾有过禁止媒体发表负面评论的新闻爆料，其真实性虽不可考，但由此可见陈凯歌其人其势。在他的时代里，他也的确用《黄土地》《霸王别姬》等树立了中国电影史的新的里程碑，但是，在21世纪，权威并不能永远权威下去。

草根，也就是大众，或者说是那些在某些方面上来说处于弱势的一方。在“馒头”这一事件中，则是草根与权威之间的对抗。曾有网友评论说：之所以现在大家骂得这么厉害，是因为对手是陈凯歌，如果不是他而是别人，可能根本就骂不起来，一是大家没这个兴致，二是他也不会说什么“无耻”的话。可谓一语道破天机。

但是权威本身是认识不到这一点的，或者说，即使他认识到了也不愿意承认，因为承认就意味着失败，就意味着从神坛跌落。但是他们却忘记了一点——如果没有了大众的支持，神坛也不过是空中飘浮的幻象。

草根文化，或者说大众文化，从产生之时起就是以与所谓精英文化对抗的态势出现的。不满权威们的霸道和独裁，草根们需要的不是豪华的空洞，而是简单的快乐。在“馒头”的支持者中，有不少人正是不满意陈凯歌导演的文化铁腕，不满意《无极》虚无飘缈的“神奇”，在他们看来，“馒头”体现的那种简单明了的幽默和滑稽反而是《无极》应该学习的地方。

草根不需要《无极》那种寓言式的深奥（当然很多人也认为根本就不是深奥而是故作姿态），草根需要的是“馒头”那样通俗的娱乐。草根并不在乎谁是权威，甚至对权威抱有一种轻视和不屑，网络给了他们最好的宣泄空间，也成就了他们的时代——让他们得到了最大的话语权并以此来和权威们对抗。

拥有地位的精英对话语权的独霸，也是他们维护自身利益的手段和表现。不允许有不同的声音出现，是确保他们的地位的最佳方式。与此相对的，则是草根阶层力图冲破障碍“自己做主”。好比落草梁山泊的英雄好汉一样，草根们的身上大多带有一种天不怕地不怕的革命精神。从胡戈制作的“馒头”来看，他在恶搞《无极》之余，也对其他很多社会现象作出了或明或暗的批评讽刺。这一点在他的后续作品《春运帝国》中体现得更为明显。而这，正是他吸引了众多草根支持者的魅力所在。

曾经有一句广告词就是“我的地盘我做主”，应该说，这已经充分反映了草根阶层越来越膨胀的实力。而近几年来，《还珠格格》《铁齿铜牙纪晓岚》等影视作品的红火也是有力的说明。二者的唯一不同是《还珠格格》中古灵精怪的小燕子与《铁齿铜牙纪晓岚》中那个叼着大烟袋的纪昀分别代表了草根阶层不同的文化需要罢了。

所以，“馒头”文化，归根到底就是大众文化。《一个馒头引发的血案》的出现，成了一条导火索，胡戈本人，也是千千万万草根中的一员。陈凯歌所代表的精英文化，与胡戈所代表的大众文化的碰撞，才是“馒头”之争的真实内容。

“馒头”背后的力量

不少评论认为，草根文化就是网络文化。对“馒头”和胡戈的支持绝大部分来自网络，似乎正是对这种说法的验证。然而如果仅仅是这样的话，那么未免也太小看草根了。

应该说，草根文化与精英文化的冲突，并不是自网络出现以后才有的，互联网不过是使这种冲突日趋激烈和明显的推动力量，而非形成原因。“馒头”背后真正的力量，是来自中国历史文化的。

一直在关注"馒头"，近日在网络上看到一篇写"馒头的起源"的文章，不禁捧腹。作者写道：发明"馒头"的人是诸葛亮，其起因在于他南征孟获得胜后，回师途中遇到大风暴雨，诸葛亮掐指一算，知道是南征中阵亡的将士冤魂作怪。因此以面包裹馅制成了"馒头"，以为祭祀之用。作者最后总结——其实"馒头"本来就跟"血案"联系在一起嘛。

作者可能只是戏说一番，然而笔者看来，却觉得此言大有深意——不仅馒头是来自中国传统文化，"馒头"与《无极》之争，其实也是中国传统文化中两种取向之争。只是因为时代的变迁，而换上了新的面孔。

中国文化中，历来存在着"俗文化"与"雅文化"之争。起源甚至可以追溯到《诗经》的时代——《风》《雅》《颂》三个部分中，《风》（各国民歌）与《雅》（宫廷乐谱）恰好代表了民间文化与宫廷文化两个不同的侧面（《颂》大部分为祭祀用，与宗教相关，故此不列入本文讨论）。也就是由那个时候起，俗文化就开始表现其旺盛的生命力——《国风》中不少诗篇，诸如《硕鼠》一类的，至今很多人都可以朗朗上口，而《雅》中的诗篇，恐怕除了专研《诗经》的人以外，只有狂热的文学爱好者才能略知一二了吧。

《诗经》之后，俗文化的发展仍旧蓬勃，经过了乐府诗、唐诗、宋词、元曲的一步步历程，在明代话本小说中达到了高潮。

而一直以宫廷文化出现的雅文化，由于有统治者的有力支持，虽然缺乏活力和变化，但仍旧在文化发展史上占了重要的一席之地。

其实，雅俗文化之争，代表了处在社会上位者与下位者之间的利益冲突和文化选择的不同。高贵与平淡，肃穆与活泼，如同体现在《西游记》中自由自在的"花果山"和阴森沉郁的"天界"一般，成为中国传统文化的两根支柱。它们之间的相互摩擦和融合，促进了中国几千年文化的进步。

自然，这种相互之间的磨合一直延续到了今天，借助日趋发展的科学技术手段，雅文化与俗文化都得到了长足的发展，并逐渐演变、渗透到社会生活的各个方面。比如，花几百元去吃哈根达斯是雅，花一半的价钱坐在大排档吃烧烤就是俗；听歌剧看芭蕾是雅，唱卡拉OK进舞厅"蹦迪"就是俗；打高尔夫球网球是雅，一群人挤在大院的旧乒乓球案子前面打乒乓球就是俗……不难看出，同过去历史上雅俗的分界一样，当今雅俗的分界仍是与经济和社会地位紧密挂钩的。

然而不同的是，如今的“雅”阶层已经失去了过去的绝对优势地位，雅文化逐渐成为小众文化，俗文化则逐渐成为占有主流空间的大众文化——近几年学术界在研讨文化雅俗时，开始用“精英文化”和“通俗文化”的划分来取代雅俗之称。这是由于随着经济、政治的布局转换，“雅”与“俗”之间的差异已经不同于以往。所谓“精英文化”，就是那些更加侧重捕捉时代性和独立自我主张，具有更多探索性质而非实践意义，有些条件下甚至脱离现有的文化基础和背景，体现超前性的文化活动。精英文化的创造者大部分来自社会知识群体中的精英们，而能够欣赏、理解和支持这种文化的受众群体也往往局限于这个阶层。

相对的，“通俗文化”则是指那些立足于市民和大众百姓的生活层次上，用他们的视角进行发掘，表现大众世俗情趣，内容往往集中于制造娱乐和趣味，在传播中追求商业效果和最广泛的支持欢迎的文化活动。也正是由于这一特性，通俗文化可以说是“土生土长”，但是它的创造主体也不仅仅局限于大众这一个群体。除了一些平民化的文人墨客以外，也有一些处于上层文化的精英们参与进来。但相对于“精英文化”通常具有的“曲高和寡”，“大众文化”在文化观念和表现手法上更多承接了传统的衣钵——然而，当时间的车轮转动到21世纪时，文化商业化已经是不可避免的趋势，“大众文化”也好，“精英文化”也罢，如果不能适应市场需要就没有生存的空间。这成为刺激两种文化迅速融合的直接原因。人们在上个世纪所认识的“通俗文化”早已抛弃形式滞后的特征，使用着过去只有“精英文化”使用的先锋性话语，结合网络科技的最新手段，表现着大众情趣。对大众生活“平视性”的切入角度和先锋性的表现形式，不再是“精英文化”的专利，而成为社会文化的共同特征。

21世纪是文化雅俗融合的时代，在市场经济产业化操作趋势的引导下，文化产品无论雅俗都必须将市场反映与消费群体接收程度和喜好作为发展的指引。实际上，在新世纪的开端，无论是复兴中的俗文化，还是反抗着的雅文化，都和传统文化中的雅俗相差甚远。或者可以说，当今“大众文化”与“精英文化”的关系，不一定是尖锐的对抗和冲突，而是在互动中彼此影响，逐渐融合。在这样一个复杂的交流过程中，精英文化必须经由市场的包装才能为消费者所普遍认识和接受，而大众文化则常常需要借用高雅的宣传来提高自己在市场上的竞争能力。而我们目前所处的时代和社会的最大特点，就是各种形式的大众传播媒介迅速发展，“百花齐放”；同时，这些迅速生长壮大的媒介无孔不入地渗透进社会生活。以商业广告为代表，媒介的传播力量来势迅猛，而以此为前提，决定了任何一种传统的雅文化，在传播过程中都将不可避免地与所有通俗文化一样追求“大众化”和“普通性”，追求一种与商品相同的展示价值和使用价值。如果仍旧坐在象牙塔里，举着艺术的大旗自欺欺人，即使可以赢得一时的商机，但最终市场会将这种从根本上违反了产品价值必须为大众认可才能实现规律的“文化”排斥掉。

说到这里，“馒头”之所以会赢得如此高的人气的原因，已经昭然若揭——这并非“馒头”有多么高明，而是它顺应了文化发展趋势。陈凯歌导演也不一定多么失败，也许他唯一的失败就是没有看清现实——不管他自认为《无极》有多么富有哲理，有多么充满寓意，既然作为商业化电影出现，就必须符合市场的要求。而市场一向是不受权威约束的，如果想在这种情况下仍旧强调自己所谓的优势地位，那么结果必然是不成功的。或者可以说《无极》作为以大众为消费对象的商品，却摆出一副“精英”的姿态，本身就是引起争议的导火线。

更何况，他的对手是一个代表了大众取向的草根文化的凝聚——“馒头”中被陈凯歌所厌弃的恶搞，正是文化发展的方向，至少是一个趋向。而更为重要的是，在“同仇敌忾”的心理作用下，凡是排斥《无极》所代表的不合乎大众理念的精英文化的人，都会站在“馒头”一方。

“馒头”背后的力量，并非只是区区几百或者几千万网民，而是中国俗文化几千年的累积发展，是文化保持新鲜活力的源泉和前进的动力。

当然，“馒头”并非绝对的代表，网络时代是一个个性化的时代，也是一个多元化的时代，“馒头”是其中一个典型的个案，我们期待它所代表的文化力量能够真正发展为一种积极的建设性的文化。

（选自2006年第4期《报告文学》，作者：王佳）

闪电基地

——七台河，一座冰雪聪明的城市

2006年，面对含笑又含泪走下领奖台的世界速滑冠军王濛，记者们问：“你的家乡是中国哪个城市？”

“七台河！”

国际大媒体的记者蒙了，国内媒体的记者也蒙了。七台河？怎么没听说过这个城市啊？在世界女子短道速滑这个竞争空前激烈的项目上，中国的两个冬奥冠军怎么都来自同一个城市？难道在冰场上像龙卷风一般绕圈疯跑的冰上项目上，是中国一个不知名的小城市七台河在同整个世界对抗？！

一、闪闪发光的红色起跑线上，站在那儿的是中国北方一座不知名的小城

空气凝固了。时间凝固了。血液凝固了。

那一刻我们瞪大眼睛，毛发耸立，毛孔张开，心跳急促，手心出汗。那一刻万籁俱寂，世界屏息。那一刻多少亿双眼睛紧盯着那几个女孩的矫健身影。她们站在蓝色预备线后，身穿细密光滑、色彩斑斓的紧身运动服，亮丽如彩虹般的赤橙黄绿青蓝紫，仿佛一排诗行——奥林匹克运动颂诗的第一行……

此刻，几亿甚至十几亿的目光，正向举行世界短道速滑比赛的场馆急速聚焦——光洁如玉、晶莹透亮的冰场上，在冰球场大小的一圈防撞墙内，我们看到左侧起点有两条闪闪发光的10公分宽的起跑线，后面一条是蓝色预备线，前面一条是红色起跑线。

2002年2月16日，杨扬在盐湖城第19届冬季奥运会短道速滑女子500米决赛中以44秒187的成绩为中国夺得冬奥会首枚金牌。这是杨扬高举奖牌庆祝胜利。（王岩/摄，图片来源：新华社）

“预备！”发令员一声号令，稳稳举起发令枪。

雄伟高阔的体育馆内，如海喧哗的人潮刹那间归于静寂。

站在蓝色线后面的那一排赤橙黄绿青蓝紫，那一排戴着流线型头盔和护目镜的女孩齐刷刷向前轻滑数步，移身到红色线前。一脚的冰刀横切、一脚的刀尖点冰，仿佛利箭在弯弓之弦，闪电在迸发之际，子弹在出膛之前，苍鹰在冲天之始……

——镜头闪进：2002年2月16日11时50分，美国盐湖城戴尔塔滑冰馆，第19届冬季奥运会。在女子500米短道速滑决赛中，中国女子短道的一代领军人物杨扬，俯身在红色起跑线上。在她身边，是来自美国、加拿大、保加利亚的几名世界顶尖级女子短道速滑选手，还有中国的王春露。

随着发令枪“砰”的一声响，杨扬如飞天长虹，似一道闪电，激射而出，令人目眩的风驰电掣，令人惊叹的战术技巧，令人胆寒的气势攻势，在全场震耳欲聋的欢呼声中，44秒187！她第一个冲过终点线……刹那间，冬季奥运会中国金牌“零”

的历史被改写了！紧接着，杨扬在女子 1 000 米比赛中又获得第二枚金牌。

——镜头闪进：时隔四年，即 2006 年 2 月 15 日 22 时，意大利，都灵帕拉维拉滑冰馆，第 20 届冬季奥运会的女子短道速滑 500 米决赛上，新一代领军人物、中国姑娘王濛俯身在红色起跑线上，在她身边，是中国的另一名运动员付天余，女子 500 米世界纪录保持者、保加利亚的拉达诺娃，以及加拿大的一位选手。

砰！紧紧伴随着发令枪的声波，王濛如惊天疾风，似雏鹰展翅，飞掠而出，那飞过冰面的轻盈动作，那舍我其谁的果敢精神，那穿云破雾的节奏速度……44 秒 345！她一马当先，率先冲过终点线，为都灵冬季奥运会的中国军团赢得了第一金！

“中国胜利了！中国胜利了！”

2006 年 2 月 15 日，王濛（右）在都灵冬奥会短道速滑女子 500 米决赛中。

（毕明明 / 摄，图片来源：新华社）

2002年的杨扬，2006年的王濛，庄严登上冠军领奖台，面带微笑，手挥鲜花，向观众致意。体育馆内，数万名观众肃立，中华人民共和国的五星红旗冉冉升起，雄壮的《义勇军进行曲》旋律响彻大厅。一时间，大江南北，长城内外，举国欢呼雀跃。世界各地的华人华侨、炎黄子孙热血沸腾，同声欢庆。对国人来说，她们的身后站着整个中国。对老外来说，她们就是中国。

二、七台河与大庆同样伟大，
它默默无闻是因为煤矿工人默默奋战在地球的肚子里

2006年7月中旬，我慕名来到地处黑龙江省东部的煤城七台河市。

解放初期，这里的山谷平野郁郁葱葱，花树繁茂，绿荫深处掩映着几个安静的小山村。老人说，那时候男耕女织，鸡鸣犬吠；夏天绿海汹涌，冬天雪野千里，风光美得醉人。1958年，在“大跃进”大炼钢铁的年代，这里发现了煤，共和国的建设大军戴着藤条头盔，带着锹镐，开着数量有限的机车，跨着雷霆般的步伐进入这片山区。随着一声震天的爆破，滚滚浓烟中，一个小小的城市诞生了。

大庆是1959年开始会战的，比七台河晚了一年，大庆经验总结得好，而且当时石油是毛泽东等国家领导人最为关注最为焦心的事情，大庆由此一炮走红，红至今天。七台河没宣传，煤矿工人都钻在深深的地层里闷头干，他们和石油工人一样艰苦奋斗但不会说。大庆王铁人有一句名言:“石油工人一声吼，地球也要抖三抖！”七台河的煤矿工人也有一句英雄式的名言叫:“跪着挖煤，站着做人！”但两地工人贡献的是同样的无比珍贵的能源，贡献也是同样的伟大和悲壮。从1958年到改革开放前，40多年的计划经济时代，七台河对全国人民来说完全没有概念。不要以为后来的深圳特区是开历史先河的，因为煤的重要，1965年七台河就被国务院定为特区，不过没有“特区政策”。几十年间，七台河工人匍匐在矿井里，以惊人的毅力坚持着，“当牛做马”辛勤劳作。七台河精神可以有许多种的归纳和总结，但是，默默无闻的无私奉献，默默无闻的执著追求，默默无闻的坚忍不拔，默默无闻的“当牛做马”，肯定是七台河精神的一个侧面。

小小的煤矿城市七台河，除了有一个漫长的冬季，其实缺少开展冰上运动的所

有基础条件，时至我去采访的 2006 年，仍然没有一个冰上运动馆。但是，他们的孩子竟然能够骄傲地站在世界起跑线上！

七台河精神！那是雕像般黑黑的煤矿工人创造出来的伟大精神！

如今的七台河，依然是一个小城市，88 万人口。但经济社会高速发展的巨大进步和强大脉动，是可以感受得到的——人均 GDP 全省第一，就是证明。走在街上，蓝天如洗，绿树成荫，作为几十年的煤城，天比北京蓝，云比北京白，树比北京绿，可见市领导的魄力、勤勉与精明。

七台河市体育局局长伊才波举止儒雅，一望而知并非体育专业出身。一问果然。青年时代，伊才波做过教师，后来做过区委组织部部长、区委副书记、市委宣传部副部长。教师的特长是循循善诱，组织部长的特长是会用人，把具备这两样经验的伊才波放到体育局局长的位置上，足以显出市委对体育局的看重。七台河体育局如同七台河的煤，是这个城市最具魅力和吸引力的两张名片。正是伊才波的邀请，把我引入七台河一部鲜为人知的悲壮历史——冰雪运动的历史。

此前，我对七台河的情况一无所知，早年虽然曾经路过，但只记得那是一个灰蒙蒙的嘈杂陈旧的小城。此番初到，伊才波局长拉我们在七台河的街市上驱车辗转而行，看看陈旧的篮球馆，看看半敞开的田径运动场——那是标准的简陋体育场，外圈是仅够 300 米的跑道，中间绿草茵茵（是自然生长的野草），南侧靠围墙一带是一排高大繁茂的杨树。伊局长说，夏天孩子们训练时，这片树荫就是他们的“休息室”。

看到这里，所有的读者朋友都会想，下面应该看看七台河的冰上运动馆了……

我们下了车，步行到一幢旧住宅楼的楼后，那是一片荒草萋萋的空场，依稀可见这片空场比周围地面低下少许。到这里，脚下已经没路了，往前望去，依然是草草草，无边的荒草。冰上运动馆在哪里啊？陪同前来的教练赵小兵是一位性格开朗、聪慧灵秀的年轻女性，她神秘地笑笑……

三、赵小兵指着这片荒草丛生的楼后空场笑着对我说：“请看大屏幕！”序幕中，是一代开拓者的身影……

这片世界上最大的长满荒草的“大屏幕”，在冬季就是七台河孩子们进行训练的冰场!

面对“大屏幕”，我们眼前首先浮现出一位开拓者的身影——孟庆余。当我全面了解了孟庆余的人生轨迹和感人事迹后，当我于7月22日采访他之后，正在写作本文之际，8月3日赵小兵突然发来短信，悲痛地通知我，孟庆余于2日上午8时30分遭遇车祸不幸突然去世，我不禁黯然泪下。

知道孟庆余的人太少了。仅仅是七台河的88万人民，仅仅是黑龙江省一部分热爱冰上运动的人们，仅仅是全国从事速滑特别是短道速滑的人们。这远远不够，我必须告诉大家，告诉亲爱的读者们——

孟庆余是七台河冰上运动一位伟大的开拓者!

2006年7月22日，我见到孟庆余，这年他55岁，中等身材，淡眉长目，方正脸膛，结实的下颚显出性格和意志的倔强，想来青年时代的孟庆余一定是很英气的小伙子。采访中，他举止沉稳，语言不多，问啥说啥，简单明了，很少看他动感情，一望而知是锤炼成钢、质朴到家的硬汉。

孟庆余回忆起自己的经历，印象最深的还是一条起跑线，一条露天的起跑线!那是1972年1月24日，黑龙江省合江地区在首府佳木斯市举办冰上运动会(非常奇怪，那时竟还有人热衷于搞体育比赛)。是临近郊区的露天冰场，四下望去，三面是灰突突的草屋破房烂楼，一边是苍茫的雪野。零下20多度的严寒，近千名观众围站在冰场周围。他们不断跺着冻僵的脚，同时不忘给自己支持的运动员叫好加油。

运动会进行一阵子了，下个项目就是男子500米，七台河市的运动员孟庆余很快就要出场。他不断在场边蹦跳，活动四肢，练习起跑冲刺。

尽管寒气逼人，呵气成霜，孟庆余还是血沸衷肠，激动万分，感觉不到一点寒意。他不能不激动。

那时他哪是什么运动员?他是个知青啊! 1951年，孟庆余出生于哈尔滨一个工人家庭，家里七个男孩一个女孩，父亲的工资只有50多元，还有爷爷奶奶那边需要照顾，去掉房租水电费，人均月生活费只有2元多一点!孟庆余回忆说，在大东北如此寒冷的冬季，家里竟然没有棉被可盖，有时母亲连买咸盐的钱都拿不出来。上学时，孟庆余经常因为交不上学费而受到批评。后来他想了个办法，放学时间就到郊外割草卖钱，或者找一些别的零活，算是自力更生把学费问题解决了。长年为学费奔波劳作，练出孟庆余一个铁打般的好身板，特别是两条腿粗壮有力。在学校体育课上跟老师学会滑冰以后，那两条强健有力的腿使他的成绩一下跃升到学校前列，这也令他深深爱上滑冰运动。但是“文革”开始了，一切梦想都破碎了……

1969年，在遍及全国的知青上山下乡热潮中，18岁的孟庆余和400多名知青被分配到七台河下井当煤矿工人。起初，他觉得自己来到矿山当工人要比那些下乡当农民的同学好得多，等下了井，才知道煤井的艰苦程度简直令人无法想象。有时，还会发生可怕的爆炸事故，昨晚还在一起有说有笑、活蹦乱跳的知青战友，可能因为一声巨响一团巨大的尘烟，今夜就去了另一个世界。

然而，青春年华毕竟是面向阳光和快乐的生命之春。无论怎样苦怎样累怎样危险，这时候的孟庆余依然充满活力，依然没有忘记他的滑冰爱好。休息日时，路过矿务局第三中学，见那里有冰场，他两眼兴奋得炯炯放光，恨不得立马找双冰鞋上去来上几圈。买不起冰鞋，庆余东跑西颠终于借到一双旧的，为了“买通”学校能允许他进去滑冰，他表示自愿帮校方浇冰场。在滴水成冰的大冬天，黎明时分从暖乎乎的被窝里爬起来浇冰场，是需要极大耐力和吃苦精神的。这以后，在常常填不饱肚子的暗淡岁月里，在七台河有限的几个简陋冰场上，在近郊几个冰封的水泡子上，在教练赵小兵指给我看的那个“大屏幕”里，常常见到年轻的孟庆余矫健的身影在那里风驰电掣。有一年，七台河市搞了一次冰上运动会，孟庆余代表矿务局参加，一举拿下好几个冠军。当时的七台河市体委主任徐继春发现了他，觉得这野小子不是等闲之辈，好好调教是能干出点名堂的，于是热心地把孟庆余等几个有成绩的小伙子拢到一起训练，准备参加地区的比赛。

时间推进到1972年1月24日，推进到在佳木斯举办的这次冰上运动会。广播中宣布:“男子500米比赛马上就要开始了，请运动员上场。他们是七台河市的孟庆余……”

孟庆余抖擞着浑身结实的腱子肉，登冰入场。站在蓝色的准备线后，他激动万分。同时他有一种隐隐的预感，也许，就因为这场比赛，就因为可能的比赛结果，他的命运可能会发生重大的变化……

凛凛寒风中，发令员高声喊道:“预备——”砰，枪响了!

孟庆余俯身急速起跑，有力地甩动双臂，闪闪冰刀在冰面上发出嚓嚓剁冰前冲的声音，然后迅速进入疾速的滑行，领先！孟庆余以明显的优势领先了！“加油!

加油！”来自七台河的运动员和观众纷纷兴奋地大叫起来！突然，就在第三个弯道处，不知是因为激动，因为紧张，因为过度兴奋，还是因为冰面不够清洁，总之，随着观众一声惊叫，孟庆余猛地滑倒，向外翻滚出去。那时的冰场没有什么保护性的围栏围障，边缘只是一道用雪堆起来的半米高的雪墙，孟庆余重重撞到雪墙上，又滚到雪墙外……

在场的七台河体委主任徐继春心里一沉，赶紧跑过去，他一是担心孟庆余摔成重伤，二是想，这次运动会七台河算是没戏了，因为孟庆余是他手中最优秀的运动员……就在这时，他看到，孟庆余在雪地上一个车轱辘把式，披着满身雪粉，龙腾虎跃地又站了起来。

接下来，在新的项目上，孟庆余又昂扬站到起跑线上。

1 500 米，冠军！ 3 000 米，冠军！ 5 000 米，冠军！而且 5 000 米打破了合江地区纪录！

孟庆余以他的雪亮冰刀，开创了七台河冰上运动的一部新历史。

体委主任徐继春雄心大增，他觉得，在生活方式、生产方式很单调的七台河，应当大力发展冰上体育运动。七台河也许少有莺歌燕舞的女子，但在十数万的“煤黑子”和更多黑乎乎的小孩子中间，绝不会缺少天不怕地不怕的“猛男”和体育冠军材料。未来七台河的冰上运动要大发展，仅仅一个孟庆余显然远远不够，特别是数年之后，孟庆余累了老了，这事业不能断了！他思来想去，要把孟庆余当一只母鸡，让他来下蛋孵雏儿带小鸡！一声令下，他把孟庆余和另一个优秀运动员李树声调到体委，让孟庆余当女队教练，李树声当男队教练，并且命令他俩挑一批有潜力有发展的孩子，带出一支叫得响的冰上运动队伍来。

历史就是这样创造的。一个有雄心、有眼光、有创新精神的领导者，他的看似简单的一个决定，很可能就为了孙后代打开一扇通向光荣与胜利的未来之门。历史将会永远记住：在七台河冰上运动的史册上，有徐继春、常义传、张惠文、衣恩志、郭铭玉、郑君桥、伊才波和孟庆余、李树声、董延海……这些奠基者和第一代开拓者的名字。

万万没想到，2006 年 7 月 22 日我对孟庆余的采访，竟是我们之间的永诀！那会儿，他匆匆地谈，谈罢就急着走，他说他带的孩子正在哈尔滨训练，他走了就没人带了，他放心不下……

四、孟庆余走了，却培育出一大批冰上之花，他和他的弟子们为七台河留下了难忘的纪录与辉煌

老孟的“犴子精神”

1973年，在井下整整挖了四年煤的孟庆余洗了洗乌黑的脸，穿上破旧的运动服，有模有样地当上了七台河速滑教练员，其时22岁。现在回想，那时风华正茂的他完全拥有向国家和世界速滑顶级选手冲击的实力，但是，那个时代不属于他，机遇不属于他。国家正处于“文革”的灾难和混乱之中，百业凋敝，民怨沸腾，生活艰难，国门紧闭，国人除了乒乓球还可以对外玩玩，其余几乎所有体育项目全然没有与世界对话的资格与实力……

孟庆余不曾拥有自己的平台。他命中注定只能为孩子们缔造平台。

这时的孟庆余悄悄谈上恋爱了。女友韩平云个子高高的，是个爽朗的姑娘，在矿务局工作，同时是矿上篮球队的主力，两人都是七台河运动场上的风云人物，当是天造地设的一对儿。哪想到，姑娘的母亲看不明白也不喜欢体育这行当，觉得那是瞎胡闹，是不务正业，听说未来女婿要当滑冰教练，叨叨咕咕说个没完，要他进矿务局学几手钳工电工技术，说那才是小伙子求发展求进取的“根本”。未来的岳父是副处级的矿长，这在七台河是很大的官了，给他安排个技术工人的活计应该不成问题。老太太一边忙家务一边叨咕。孟庆余从小就有个绰号叫“犴子”，意思是这小子浑身有使不完的蛮劲儿，二是说他有股子九头牛也拉不回的犟劲儿。那天孟庆余坐在韩平云家里，任凭未来岳母怎样念叨，他闷着脸盘子就是不吭声，岳母急了，问庆余：“你倒是吭个声，同意不同意啊？”孟庆余闷了半天，嘴里蹦出一句话：“我还是当教练！”岳母气得抓起炕笤帚就照庆余打，嘴里叫：“滚滚滚！你要是当什么破教练，以后就别进我们家门！”

果然，此后整整三个月，孟庆余没进韩平云的家门，老太太还是心疼女儿，只好让步了。1978年5月1日，孟庆余和韩平云举行了简朴的婚礼，朋友们用自行车推着小韩很少的一点嫁妆，两位新人从家里徒步走到新房。

孟庆余是那种不干则已，要干就得干出名堂的人物。上任之初，他和另一位教

练李树声就主动要求与市体委签下了“三年夺取全国少年冠军”的军令状。文中称，如果三年内在全国不出成绩，不仅扣除风险抵押金，而且可以解聘教练员一职。

这意味着，上任就是背水一战。第一批，孟庆余带了十多个男孩女孩，其中就有后来成为第二代教练的董延海、赵小兵等人。他的弟子们讲起孟教练训练时的狠劲儿，个个记忆深刻，“爱恨交加”。赵小兵说，那时恨孟教练恨得牙根儿直痒，“听他走路的声音，喘气的声音都恨”，因为孟教练“简直就是个魔鬼”！

我笑问:“现在还恨吗？”

赵小兵说:“还恨，不过变成尊敬和爱戴了。”

这个“魔鬼”传统竟然还被七台河一代接一代的教练继承下来了。现在最年轻的第三代女教练韩梅，当初是赵小兵的弟子，她被赵小兵“折磨”得“见了冰场就恶心”，“跑圈时，教练在旁边数圈，我一边跑一边在心里骂教练……”

是的，万事创业难。七台河人难忘速滑队组建之初那些艰难困苦的日子，难忘老孟百折不挠的“犴子精神”，七台河冰上运动所有的光荣与梦想，都是从一代接一代的“犴子精神”中生长出来的绚烂花朵。

七台河有一座露天灯光球场，据说当初是速滑队的创业基地，体育局局长伊才波陪我去了那里。球场是简陋的灰突突的水泥建筑，只有半边阶梯形座位，历经风雨侵蚀，乍一看就像坍塌了一半的古老的罗马斗兽场。那时，教练的办公室和队员的宿舍就安在球场看台下的“水泥房间”里，与其说那是“房间”，不如说是四面透风的鸟笼子，晚上躺在屋里能看到天上的星月。而且冬季没有取暖设备，入冬墙上、顶棚上就会结出一层厚厚的白霜，可以想见那是怎样的寒冷彻骨。为了有一个起码的生活和训练条件，孟庆余领着孩子们自己动手修房子，盘火炕，搭炉子，办食堂，浇冰场。孩子们能干什么呀，顶多打打下手，都是老孟一个人汗流浃背地忙。第一次盘炕，老孟不懂技术，点火之后，屋里炕洞冒出的烟比屋外烟筒冒的烟多。宿舍没有炊具，他就把家里的锅碗瓢盆搬来。缺少吃的，公家的补贴不够，他就拿自己的工资给队员们买粮食、肉类和蔬菜。夏季训练需要滑板，他就把家里准备打家具的红松板料扛来……

总之，训练队缺什么，他就从家里拿什么。训练队好像成了孟庆余的“家”，他的家反而成了训练队的“仓库”。

他们的训练场地在世界上独一无二，就是伊才波和赵小兵带我去看的那片荒草

金牌教练——孟庆余。（图片来源：《七台河日报》）

杨扬和王濛都是孟庆余的得意门生。（图片来源：新华社）

从生的洼地，那片“大屏幕”，还有市区或郊区的几个臭水泡子可以临时用用。为保证队员的训练时间，老孟每天凌晨2时起床浇冰场，这是冬季最冷的时刻，北风呼啸，滴水成冰，露在外面的皮肤，被刀刮似的寒风一吹，刹那间就会冻僵发白。用老百姓的话来形容，那真是“尿尿拿棍敲”的时候。老孟把头脸脖子都尽可能地围严套严，再穿上厚厚的棉大衣和放羊人穿的大毡靴，然后拉上沉重的铁爬犁，灌水，再绕着冰场一圈圈浇，浇一次冰下来，手套透湿，手冻得又红又肿，衣服袖子甚至浑身上下也都弄湿了，寒风之下冻得像套上了一层银盔甲，一走路浑身哗啦作响。

有的水泡子是臭水，浇完冰场，浑身臭得熏人，熏得自己都睡不着觉。而且水泡子的冰面不平，常有裂缝，裂缝对运动员来说是最危险的，一次严重的摔伤就可能毁掉运动员的一生！老孟每天凌晨浇冰，天亮时再检查一次冰面，见有裂缝就挑水把缝隙处补平。那些年，七台河作为煤矿城市，空气污染相当严重，每天冰面都会飘落一层煤灰，运动员训练前，老孟还要用雪把冰面仔细擦净……

冰场是速滑教练和运动员的命根子。露天的冰场伺弄好了，城里来滑冰的人也多了，人一多，就会把冰面搞得很脏，而且会造成破损，给运动员带来意外的伤害。孟庆余那种犟牛脾气，哪能容得下有人来捣乱或干扰影响他的训练？于是他又添了一个重要任务：守护冰场。为此他没少跟人“理论”争吵，甚至大打出手大动干戈。

这类事情不好详写，但我可以坦白地告诉读者，最终结果是他把黑道白道包括警察都打服了！

当然，那是“文革”后期，不算啥缺点。

青年时代的我在哈尔滨第三中学读书时，是校冰球队队员，白天也曾帮着体育老师浇过冰场。那个年代，北方各地浇冰场的工具是一样的：一架大铁爬犁上，放一个大汽油桶，桶下方安一个横向铁管，铁管钻出一排孔，桶里放满水后，人拉着爬犁走，水流就成排地浇在冰面上。最难弄的是，寒冬之夜，水管子经常冻死，那就得用火把水管子里的冰烤化，再继续浇。如今时代变了，现代的城市和高级体育馆不再用这种原始工具，而改用浇冰车。而七台河因条件所限，从老孟开始到后来的第二代、第三代教练如马庆忠、姜海、赵小兵、张长红、韩梅他们，还在继续使用这种古老的工具。

“魔鬼教练”

经过多年实践和学习，孟庆余总结出“高、精、尖、准、狠、细”一整套独特的训练方法，极大地缩短了运动员的成才周期，使运动员在较小的年龄就具备了高超娴熟的技术和强壮的体能，一大批世界级、国家级的优秀短道速滑运动员从七台河这座小城市走向全国和国际比赛的起跑线。

现在让我们看看，众多弟子为什么对孟教练又恨又爱，由恨转爱，为什么都在背后称孟庆余为“魔鬼教练”吧。

孟庆余认为，面对比赛场上高手如林、竞争激烈、观众如海、喊声如潮的场面，运动员首先要有天不怕地不怕的大无畏的精神，上场不能怯阵，两腿不能哆嗦。为了练胆，孟庆余想出各种奇招，比如带孩子走漆黑的夜路，带孩子们去跳桥。在距离河面六七米高的桥上，他让十几岁的孩子一个接一个往下跳。那么高啊，孩子们瞅着直眼晕，有的不敢跳，哇哇哭。孟庆余从小就是胆大包天、敢闯敢干的人，在他的生活词典里，根本就没有“困难”“危险”“畏惧”这类词儿。孩子哭不敢跳，他就做工作，使激将法，“你看谁谁谁都跳了，你胆子比他还小啊？”激将法不好使，急了，他就一脚把孩子踹下去！孩子水淋淋地爬上来，还不敢跳，还是一脚踹下去……

“这方法有点粗暴，不宜提倡。不过，孩子被踹过几次胆儿就大了，多高也敢跳了。”老孟不好意思地笑笑跟我说。

为了锻炼肺活量，他要孩子们把脑袋扎水里练憋气，憋的时间不够长的，他一手拿秒表，一手按住脑袋不让起来……

对所有小队员的纪律要求极为严酷，不许吃零食，不许听歌带，不许睡懒觉，不许不许不许无数的不许……有的女孩的零食被他扔出窗外，歌带被他扔进炉子里。有一次大夏天太热，后来的世界冠军小王濛偷跑出去喝了一杯冰水，硬是被孟庆余罚了500元！

为了锻炼耐力，孟庆余经常亲自骑车带孩子们长途拉练，一直到他四五十岁的时候，依然身体力行，率先垂范。他和孩子们常常带上一些自行车配件和修理工具，骑车从七台河出发，行程开始是鸡西、佳木斯市，数百公里当天来回，后来是七台河—牡丹江—哈尔滨—依兰—七台河，路途长达数千公里，行程要数天。其间不少是崎岖狭窄、不断攀升、坑坑洼洼的山路，而且经常会有各种车辆与他们擦肩而过，非常危险。可孟庆余和孩子们毫无畏惧，一路风雨无阻，速度飞快，饿了吃带去的干粮——那时经济还很落后，人们的收入也有限，渴了就喝山沟里的水——那时也没有什么瓶装的矿泉水纯净水。1987年的长途拉练，有一回大家骑着骑着，赵小兵忽然发现孟教练没影了，孩子们赶紧回头去找，结果在路边深沟里发现了晕倒在那里的孟教练，原来他因过度疲劳，不小心连人带车摔了下去，手臂摔出一尺多长的大口子，鲜血横流，骨头都露出来了。有的孩子看教练摔成这样，急得哭了起来。可他二话不说，缠上绷带后照样在队伍前面领骑。

东边日出西边雨，道是无情还有情。“恶魔教练”终于带出一批天不怕地不怕能吃苦敢拼搏的孩子。1985年1月，全国第一届少年速度滑冰锦标赛在牡丹江举行，有30多个省市地区和单位参加。这时七台河已从合江地区分出，改为省辖市，可以独立参加全国比赛了。数百名少年运动员在冰场上龙腾虎跃，如电光石火风驰电掣，广播中一次又一次地宣布七台河谁谁谁“获得第一名”！七台河？七台河在哪儿啊？过去怎么没听说过啊？

是啊，七台河本就是个不出名的小城市，以往又被合并在合江地区内，不知名是很正常的，可这次一下轰动了整个赛场，15岁的女孩张杰一人囊括了女子组五枚金牌！男孩许成录在1 500米中夺得金牌，其他许多男女选手也进入名次。

这是七台河有史以来第一次在全国速滑运动中名声大震！

两位教练员的“军令状”提前实现了，市政府为二人破格晋升两级工资。

这时在国内短道速滑还是个新事物新项目，从没人搞过。孟庆余一方面坚持对运动员进行着持久而严酷的训练，一方面将目光一直紧紧盯着世界速滑运动的发展最前沿。他被短道速滑的强大魅力吸引住了。他敏锐地意识到，这必将成为世界冰雪运动中的一朵奇葩！经过精心研究和深入思考，他向七台河体委领导建议，我们体工队应从大跑道训练转向，专攻短道速滑项目，举全队之力向这个新项目倾斜！理由：一是七台河本来就没有大跑道冰场，不如搞短道，可以因地制宜；二是新项目搞的人不多，我们可以出奇兵，早出成绩。

很多人不大懂，又缺少前瞻性，甚至省里有关部门也有人觉得没把握，纷纷表示反对，他们说黑龙江冰期长，最适于练大道……

孟庆余的“犟子”脾气又上来了，梗着粗壮的脖子，赤红着脸，力排众议，坚持己见，决不动摇！在市体委领导的支持下，七台河速滑队终于集体转向，专攻短道速滑。历史已经证明，这项具有远见卓识的重大决策，不仅奠定了七台河冰上运动激动人心的发展前景，而且为整个中国的冰雪运动，为我们国家在冬季奥运会上的突破打开了成功之门！冬季奥运会金牌“零”的突破，正是从这个项目上开始的，正是从七台河走出来的运动员杨扬开始的！

小小的七台河，终于以中国的名义，英雄般地站在世界起跑线上！

如今，在举国上下激情昂扬、才智纷涌、风云际会，努力向创新型国家发展的时候，小小的城市——“七台河”，默默无闻的教练——“孟庆余”，“大屏幕”水泡子里的艰苦攻关——短道速滑，这些词汇应当成为值得我们全民族深思的借鉴和启迪。

慈父情怀

从1973年到2006年，在长达33年的教练生涯中，孟庆余常常是年龄还小的队员们看不懂的人。训练中他板着一张冷硬的凶脸，动辄大声喝令怒声训斥，下手也很重，看起来是那么严酷无情。可是，下了训练课，孟教练又像一位慈父般给他们以无限的呵护和关爱，这让小学员们对孟教练又恨又爱。

队员赵敏，一个两眼闪闪发亮、容貌灵秀、细瘦高挑的女孩，后来成为黑龙江省速滑队成员，现在受聘为深圳速滑队教练。她从小就是双亲齐全的“孤儿”，七岁那年，父母离了婚，母亲远走他乡抛弃了她，父亲又在外地建立了新的家庭。小赵敏只能同年迈多病的奶奶相依为命。进入体工队后，队里为她免了所需费用，孟教练把她视如自己的女儿，长年用自己的工资为她交伙食费、服装费和生活费，在生活上给了她巨大的支持，为她打开了事业成功之门……

队员张杰，就是那个曾在全国少年比赛中一举夺得五枚金牌的小运动员。她的父母原是辽宁省兴城农民，因超生离开家乡，投奔七台河继续靠务农和干杂活、打短工为生，家境极为艰苦。张杰在全国比赛中拿了好成绩之后，孟庆余主动找到体委，希望为张杰家里解决生活困难，以免除她的后顾之忧。当时的副市长白景富（现为公安部副部长）素以爱惜人才知名，他大笔一挥，把张杰一家由农村户口转为城市户口……后来张杰两度参加过在日本和波兰举行的世界大学生运动会并获得金牌，退役后成为黑龙江大学学生，后东渡日本攻读法律。许多年来，她一直与敬爱的教练保持着通信联系……

七台河至今没有一个像样的现代化冰场，只能在冬季，在那个“大屏幕”上训练。为提高队员训练强度和成绩，原体委主任常义传等领导决定拿出一笔资金在哈尔滨租房，2000年现任黑龙江省体育局副局长、原七台河市体委主任郭铭玉采取借款的方式首次在哈尔滨购买了运动员宿舍。教练在每年的无冰期，带孩子到哈尔滨冰上基地训练，时间长达九到十个月。对七台河体育局来说，这种投入实在已经超出他们所能承受的限度了——而且，他们培养的都是少年选手，做的是打基础的工作。运动员成人之后，好的材料、潜质优秀的运动员就会被省队、国家队、解放军队或其他兄弟省队选走，赢得金牌也是所在队的光荣和所在队教练的光荣，似乎与少年时代的培养并无多大关系。但是，七台河仍然不惜血本，数十年来为培养少年选手付出极大努力，这只能说，七台河的领导们，七台河体育局的领导们具有全国眼光，具有民族情怀，具有令我们感佩的宏大抱负……

由于训练经费有限，孟庆余和第二代教练马庆忠在哈尔滨带领重点班训练时，只能在冰上基地附近租用最廉价的民房。前几年，他们租用的是只有16平方米的地下室，30多个孩子挤在一起，晚上睡觉，训练中累得屁滚尿流的孩子们睡得东倒西歪，腿压胳膊头碰头的，地下室简直就像塞得满满的沙丁鱼罐头。地下室十分潮湿，孩子和教练身上都长了疥疮。为节省开支，孟庆余和马庆忠既当教练员，又当采购员、炊事员、文化课辅导员，公家的每一分钱都恨不得掰成两半花，而拿自己的钱往里垫却毫不犹豫，这些年也不知垫进去多少。

入夜，孩子们都睡了，这时，白天一直带队员训练的孟庆余和马庆忠又开始另一种最为繁累的体力劳动——为小队员们磨冰刀。30多个孩子30多副刀啊，而且凡是比赛前夕，外队运动员来找他的也不少。在黑龙江省速滑界，孟庆余是有名的磨刀专家，无论哪个地方的尖子选手，如果觉得冰刀不合脚不合用，都来请教老孟……

男人泪

春去秋来，风霜雨雪，33年来，孟庆余几乎把自己的全部精力、心血和爱都献给了速滑事业和他的一代又一代的弟子们，很少有暇顾及妻儿老小，家里家外一摊子事情全都扔给了妻子韩平云。1981年妻子快要生产了，恰逢合江地区举办速滑比赛。孟庆余毫不犹豫，带上队伍就上了前线……

过去老孟家住在老市区的沉陷地带（因地下煤层被挖空，经多年风雨浸泡，地面塌陷，属于危险地带，市里已经完全停止对沉陷地带的投入和建设），是陈旧的老平房，没有自来水，妻子或儿子要出外挑水。一到冬天，屋里墙壁挂着一层白霜，水缸也结了厚厚的冰，要吃水，韩平云必须用菜刀砸开冰层。所有这些，都由韩平云默默承担着。韩平云是矿务局工程处的后勤科长，为了照顾家庭，支持老孟的工作，她提前办了退休手续。有一年，老孟正在哈尔滨带队伍训练，单位连打三次电话让他火速赶回，说有重要会议。他回来了，体委领导带他去了医院，路上，他才知道妻子和儿子因煤气中毒双双住进医院。他发疯似地跑到医院，看到昏迷不醒的妻儿，这条铁打的硬汉也控制不住自己了，一会儿抱着妻子一会抱着儿子放声大哭，不住地叫："平云，冬子，我回来了！你们快睁睁眼睛啊！"

老孟的父母已经年迈，住处离哈尔滨冰上基地不是很远，有一次弟弟打电话给他说老爸要过生日，那天让他赶回来。可到了那天，他站在冰场上大声呼喝着指导队员们训练，竟把老爸的生日忘得一干二净。儿子从小到大，也很少看到爸爸的身影，没有老爹的管教，儿子玩野了，没能考上高中，曾经飘在社会上打工，后再次上学深造被市政府破格录入事业单位工作。孟庆余同手下的队员们朝夕相处，视他们如亲生骨肉，知冷知热，嘘寒问暖，可他欠一家老小的却太多太多了！

他把自己那颗忠诚而炽热的心，完全放在了为我们国家培育速滑少年人才的事业上。有一年春节放假期间，黑龙江省体委主任刘海云去冰上基地慰问，发现孟庆余正大呼小叫地领着一帮孩子训练，他问：“各个运动队都放假了，你们怎么还训练啊？”孟庆余说：“上班期间，冰上基地有省队、青年队等好多队在这里训练，时间经常排不开，我们的孩子经常要排在上半夜或下半夜到冰上训练。放假期间没人了，我们正好可以抓紧时间做系统性训练……”

刘海云感动极了，过后他对七台河体委领导同志说：“你们七台河有这样一位视事业如生命的教练，可敬可敬！”

孟庆余出色的训练方法和忘我的敬业精神，引起了省内外冰雪运动界的广泛注意和赞赏。在市场经济条件下，一切新锐的、创新的、杰出的，从创意到人才，通过开发和包装都可能带来巨大的经济效益。悄悄的，有人打来电话，有人亲自登门，或者想出高价要买走老孟手下最优秀的运动员苗子，或者代表某个经济发达的大城市许诺给他优厚的待遇，如解决住房、配送专车、给儿子安排公务员工作，想把他从七台河挖走。还有些有模有样、干得不错的返城知青战友，见老朋友孟庆余还在偏远的七台河坚守，要帮他联系去一个外面的运动队当教练，条件开得相当优厚。面对所有这些机会，面对家里家外的生活困境，孟庆余不能不动心。多少个夜晚他辗转反侧，苦思不已。是的，对方开出的条件是相当诱人的，艰难奋斗到年过半百了，似乎也该找个好的安身之处，也给多年愧对的家人一个好的安排，这无疑是人生难得的机遇……但是，当他第二天走上冰场，看到那些生龙活虎的孩子时，当他面对周围那些合作多年、相濡以沫的领导和同事时，当他想到七台河给予他的荣誉和父老乡亲对他的期望时，最终他还是婉言谢绝了所有的邀请，他的心已经与七台河的起跑线、与这里的银色跑道紧紧连接在一起……

1997年，孟庆余参加了在上海举行的全国群众体育先进工作者表彰大会，受到时任总书记的江泽民同志的接见。会后，有关部门组织与会者赴外地参观旅游，可孟庆余惦念冰场上那些孩子，他在北京滑冰用具专卖店买了20多块磨冰刀的油石，背回来分发给小运动员们。

2005年8月，小运动员们不知从哪儿知道了孟教练的生日，那是孟庆余的五十大寿啊。孩子们你一元我一元，偷偷为教练定做了一个大蛋糕，上面写着：“教练辛苦了！”晚饭时，当几个孩子突然捧着大蛋糕步入房门，当所有孩子全体起立，点燃生日蜡烛，围拢他齐声唱起“祝你生日快乐”时，一向把自己的感情藏得很深很深的老孟，终于无法抑制奔涌心头的激动，任泪水成串地流淌……

五、辉煌与欢呼也许不属于七台河，但它同样伟大，因为它是基石

当杨扬、王濛、张杰等优秀速滑运动员高高跃上世界冠军的领奖台，当国歌奏响、国旗升起、万众欢呼、举国欢庆的时刻，世界想到的是“中国”！所有的炎黄子孙想到的是“中国”！中外媒体记者的笔下是“中国”！

几乎没什么人会想起在中国东北边陲那个遥远的小城七台河……

在那些国际大赛的现场，在欢声如潮的时刻，世界和中国通过卫星电视的镜头，能看到中国运动员胸挂金牌，神采奕奕，摇动着手中花束向人们致意，能看到此刻站在场外的国家队教练或挥拳欢呼，或喜极而泣，或与其他运动员击掌相庆！

几乎没什么人会想起这几位世界冠军和许多中国冠军，曾经是七台河那些默默无闻的教练，把她们或他们从大群的“鼻涕孩儿”中选拔出来的，在凌晨4时，带她们或他们战战兢兢第一次上冰，手扶着她们或他们滑出摇摇晃晃的第一步……

是的，世界级的辉煌照耀和胜利欢呼从来不属于七台河。七台河从它诞生那一天开始，就习惯于默默无闻地在地球的肚子里挥汗劳作。但是，七台河与世界级的冠军同样伟大，因为它是那些冠军走上世界领奖台的第一块基石！因为七台河就是“煤”，七台河人就是“煤”，七台河体育工作者和速滑教练们就是“煤”，七台河的精神就是“煤”，它深藏于地下，埋名于青山，却为人们提供着源源不绝的热能！当它化为光芒四射、辉煌耀眼的火焰时，就意味着它已经悄然离去——仿佛就是那位已经离我们远去的、平凡而伟大的七台河速滑运动的开拓者、创始人孟庆余……写到这里，我不能不黯然泪下！我知道，我也相信，那些从七台河走出去的世界冠军，从未忘记她们还是“鼻涕孩儿”的那些日子，从未忘记扶着她们第一次上冰的那双冻僵，却又给了她们无限温暖的手……

让我们在荒草萋萋的“大屏幕”上重温那一幕幕感人肺腑的镜头吧——

镜头一：杨扬的留影

那是1985年8月的一天，在七台河市体校一间简陋的办公室，教练董延海正在写训练计划，一位穿公安制服的男人领着两个小女孩敲门进屋。他说："我叫杨启文，刚从汤原县搬家到七台河。"他指指稍大的女孩，"这是我的大女儿，叫杨扬，今年10岁，特别喜欢滑冰，想送到你队里……"

董延海测了测杨扬的身体情况：身高1.27米，体重24.5千克。

杨扬在汤原县上学时曾上过冰，不过那是初学，刚刚10岁的孩子谈不上技术。在七台河，董教练带她和小伙伴们第一次上冰，是在城市边缘的倭肯河。凌晨4时，冬天最冷的时分，董延海叫醒孩子们，集体跑步到河边，等于热身，然后趁热登上冰凉的冰刀。杨扬战战兢兢滑了没几步就摔了一个"大屁墩儿"，逗得其他孩子哈哈大笑……

为提高教练员的水平，有一次黑龙江省体委冰雪运动处请来体育学院的教授为教练们作系列辅导报告，没想到在一群虎背熊腰的大男人中间，在会场的一个角落，会出现一个豆芽菜似的小女孩认真听讲的身影，她就是杨扬。教授特别走过来问她："你能听得懂吗？"杨扬说："听不太懂，但挺有意思的。"当时晚上，杨扬在日记中写下这样一句话："不想当世界冠军的运动员不是好运动员，虽然世界冠军只有一个，可我一定要拿下世界冠军！"

1986年12月8日，七台河市中小学生冰上运动会是杨扬人生道路上参加的第一场速滑比赛，那年她11岁。第一项500米，张长红获得第一名，杨扬获第三名。1988年，在全省青少年速滑比赛中，13岁的杨扬以她出色的耐力和顽强的拼劲崭露头角。赛后，不仅省体校的著名教练金美玉登门向董延海索要杨扬，哈尔滨、佳木斯、牡丹江、鹤岗等城市的教练员都来电来信，希望董延海"高抬贵手"，把杨扬输送给他们，并许诺给董延海一笔可观的输送费。

为了杨扬的前途和发展，董延海毅然决定，把杨扬送到没有输送费的省体校！听到这个消息，杨扬的父母激动得热泪横流。1987年春天，董教练和他的小队员们依依不舍地送别了杨扬。临行前，杨扬孩子气地问董教练："我要是不适应外面的环境，还想再回来……"

董教练严肃地说："你要记住，开弓没有回头箭！出去了就不许再回来，怎么难也要走下去！”这话让杨扬牢记到今天。

这里再讲一个有趣的故事。1997年3月29日，在世界短道速滑锦标赛上，杨扬横空出世，一举拿下500米金牌。两天比赛下来，她的全能积分排在第二名，距离冠军只有一步之遥。在所有的比赛项目中，全能的金牌自然是分量最重的，杨扬对这块金牌是多么渴望啊——倘若如愿，她将成为中国短道速滑项目中第一个世界全能冠军。但是，这并不容易，杨扬的对手——韩国名将权利卿极其强大，已经连续获得两届世界冠军。

3月30日，1 000米决赛中，杨扬、韩国的权利卿及另一名韩国选手，还有加拿大一名选手，四人出场了。形势对杨扬显然十分不利，两名韩国选手一定会进行战术配合，对杨扬形成夹击之势。发令枪一响，杨扬和韩国两名运动员果然相互斗智斗勇，轮番领先，积极争夺冲刺的有利位置。只剩下最后两圈半的时候，两名韩国选手又突然冲到杨扬的前面，并以并排、高速滑行的方式严密封杀里外道，企图对杨扬形成阻隔之势。赛场内风驰电掣，观众席山呼海啸，加油声此伏彼起，只剩下最后一个弯道了……突然，杨扬如离弦之箭，猛地改变滑行路线，从外道一冲，仅仅几步加速，就以迅雷不及掩耳之势进入里道，并同时与权利卿到达终点！

一个历史性的瞬间，一个电光石火般稍纵即逝的机会，被杨扬抓住了！

冰场上，红地毯铺下了，颁奖台摆好了，怎么迟迟不见运动员的身影？原来幕后正在进行一场“外交战”。杨扬和权利卿并列冠军，可是在颁奖仪式上先奏哪国国歌？电子屏幕上谁的名字在前？中国和韩国有关人员发生了激烈的争执，韩方的理由是，权利卿已经连续获得两届世界冠军，韩方排在前面理所当然。中方的理由是，按照国际惯例，中国英文名称第一个字母“C”，排在韩国“K”的前面，中国当然在前。

大会组委会采纳了中国的意见。

杨扬创造了历史并且在继续创造历史。2002年2月16日，在美国盐湖城第19届冬奥会上，她终于获得冬奥会历史上中国的第一块金牌！

镜头二：王濛的留影

我去王家采访时，她父母脸上洋溢着的那种幸福感、骄傲感放射着掩抑不住的光芒。

1985 年 4 月 10 日，王濛出生在七台河一个普通工人家庭，生下来就是个小精灵，每天天一亮就醒，醒了就爬起来胡闹胡玩个没完。稍大后，出门就找小男孩疯淘，从不跟小女孩玩。在学校里，王濛也是出了名的淘气包、“假小子”，每到课休时间就在操场上跑来飞去，好像脚没沾地的时候。1993 年被教练马庆忠选入速滑基础班以后，她的运动天赋、强烈自信和顽强意志力迅速显露出来，很快成为全市少年组无可争议的第一。13 岁时，王濛有一阵子发胖了，影响了她的运动速度。为了减肥，大夏天，教练要求她每天穿上厚厚的衣服和不透气的胶皮裤，绕体育场跑 20 至 25 圈，王濛没二话，跑得像水洗过一样，胶皮裤一脱下来，里面的汗水哗哗倒出来！

有一年，王濛曾穿坏了 17 双运动鞋。

1998 年，王濛进入黑龙江省冰雪运动训练中心，开始了她的职业训练生涯，经过著名教练伊敏的精心培养，三年后她进入国家集训队，并迅速成为国家短道速滑队的正式队员，与家乡大姐杨扬同队训练。

2002 年，在韩国举行的世界青年速滑锦标赛上，王濛获 500 米第一和全能亚军，这是她人生历程中获得的第一块国际比赛的金牌和银牌。2006 年 2 月 15 日，在意大利都灵举行的第 20 届冬奥会上，王濛战胜保加利亚名将，获得 500 米金牌，成为继杨扬之后，又一位中国女子短道速滑的领军人物。

镜头三：张杰的留影

1972 年 2 月 22 日，张杰出生在七台河一个农民家庭。1981 年，张杰被孟庆余选入速滑队训练。那时，训练队条件很差，买不起冰鞋，张杰只能穿老队员剩下的又大又肥的旧冰鞋，必须用鞋带儿绕上五六圈，才能把脚勉强固定在鞋里，常把双脚磨得出血不止。孟教练下令让她休息，倔强的张杰咬紧牙关，仍然一课不落地参加训练。1985 年，她参加全国青少年速滑锦标赛，在全国有 22 个专业代表队参加的情况下，张杰一举包揽了少年组五枚金牌，引起极大的轰动。

1989 年，张杰从七台河被直接选入国家短道速滑队。1991 年参加在日本举行的第 15 届世界大学生冬季运动会，张杰在最有希望夺冠的 500 米项目中，被美国运动员撞倒，这让她闷了一口气！在最后的 3 000 米接力比赛中，张杰和队友们通力合作，顽强拼搏，一路领先冲过终点，获得金牌！后来，张杰两次与队友合作，在国际比赛中打破这个项目的世界纪录！在她的运动生涯中，获国际奖牌十多枚、国内大赛奖牌200多枚。

1989年，速滑健将张杰从七台河市短道速滑队直接被选入国家短道速滑队。(图片来源:《七台河日报》)

现在，我们可以做一个不完全的统计了。从1986年七台河正式组建体工队之日起，漫漫30年来，以孟庆余为首的三代教练员向省体校、省体工队、国家队及各地体工队输送了数百名优秀的成年、特别是少年运动员，仅2003年就输送出28名人才。这些七台河出身的运动员经过后来的教练精心培养后，共获得世界级金牌110余枚，省级、国家级金牌300多枚（银牌和铜牌尚未计算在内），十次打破世界纪录。

2005年6月，七台河体育局局长伊才波和一班人又作出雄心勃勃的重大决策：从我国短道速滑“阴盛阳衰”的现实出发，他们决定在继续巩固发展女队的同时，组建男队，力争数年内为国家输送一批优秀的少年男运动员。现在哈尔滨冰上基地参加训练的七台河少年速滑队已达70人，男孩占一半以上。为加强和改善训练条件，体育局投入40万元购买了运动员住宿房屋，投入近10万元购买了三台电脑和一辆客货两用车，以方便运动员的生活和学习……

七台河坚持30多年不动摇，充分发挥自己地处北方、冬季较长的地域特色，倾尽全力发展冰上运动特别是短道速滑，这才是真正的创新同时又求真务实、脚踏实地，既扬国家之威，又扬地方之名，让人们生出深深的敬意。

小小的七台河，不知名的七台河，地处东北边陲的七台河，就这样以杰出的奉献精神、拼搏精神和创新精神，光芒四射地昂然登上中国冰上运动特别是短道速滑的历史巅峰。今天，在世界短道速滑群星灿烂的赛场上，不能没有中国，不能没有中国七台河。七台河犹如东北大平原深处的闪电基地，在那里，正在疾射出一道道耀眼的闪电，那是七台河培育的、有着勃勃雄心和远大前程的少年运动员们。他们已经创造了奇迹。他们会继续创造奇迹！

（选自2007年第1期《中国作家·纪实》，有删节，作者：蒋巍）

天使在作战

当医疗腐败的“雪球”从高山上滚下，越来越大，呼啸着砸向病人时，一位女医生挺身而出。她一次次勇敢地向有关部门举报。为了取证，她让自己柔弱的身体遭受一次次戕害。她知道自己的对手是一个强大的利益联盟——有钱的造假厂商、有权力的官员、有名望的专家，还有那些谋财害命的医务人员。可是她却顽强地坚守阵地，对医疗腐败的死穴，发起一次次猛烈的进攻……

2006年3月，人民的总理温家宝在记者招待会上说，他最觉得痛心的问题是“还没能够把人民最关心的医疗、上学、住房、安全等各方面问题解决得更好”。

住房、教育和医疗，这是中国百姓最关注的三大焦点。

住房关系着人们生活的质量，教育关系着人们未来的生存状态，医疗关系着人们的生命和健康。

人，在医院降生，回到医院辞世。医院是生命的始点，也是终点。

佛家认为，人生有四苦——生老病死。这“四苦”都需要医生帮忙解弭。医生在病人的眼里是神圣的，西方将医生誉为白衣天使，东方则将医生视为菩萨。

俗话说，吃五谷杂粮哪有不生病的？在生命的苦旅上，医院是驿站，谁都免不了要跟医生“亲密地接触”。张洁在《世界上最疼我的那个人去了》中写道，母亲在开刀手术前，拉着医生的手说：“从今以后，你就是我的亲人了。”在病人的眼里，医生是最亲的亲人。他托付给医生的是生命。生命是一切的平台，失去了生命，权力、金钱、爱情、事业、未来，还有家人的幸福都要归零。因此，不论什么人站在医生的面前都要虔诚、敬服和信赖。不想信赖也要信赖，你别无选择。生命都交人家去打理了，再掖点藏点还有什么意思？

亲人，是需要双方承认才能确定的。不论希波克拉底誓言、《赫尔辛基宣言》，还是中国唐代著名医学家孙思邈都认为，对医生而言，病人的健康高于一切。医生要对得起病人的那份信赖。孙思邈在《大医精诚》中说，医生首先要有慈悲同情之心，决心解救百姓疾苦。若有人求医，不要看他的贵贱贫富，老少美丑，恩怨亲疏，同胞老外，智商高低，都要像对待自己的亲人一样；也不能瞻前顾后，先考虑自己的利弊和生命。

“这些医生究竟是上帝派来的天使，还是撒旦派来的魔鬼？”

在20世纪末，几千年来的信赖动摇了，从没有过的疑惑出现了。病人将医生一分为二,一类是救死扶伤的“白衣天使”；另一类是劫财害命的“白衣魔鬼”。在“白衣魔鬼”的眼里，疾病就是他的钱口袋和来钱道儿。他们要跟疾病狼狈为奸，密切勾搭。落在他们手里，小病会搞得你倾家荡产，大病让你家破人亡，健全的让你缺少“部件”，残缺的让你支离破碎……

老百姓愤愤地说:“十个劫道的，不如一个卖药的。”卖药的并不可怕，只要捏紧钱包死活不撒手，他就干没辙。最可怕的是医生，他说你有病，你没勇气否认；他要你服这药，你不能买那药。有时，你明知那种药药价虚高，医生会得到回扣，还得咬牙买。破财免灾，这是中国人的思维逻辑。可是，“白衣魔鬼”的逻辑却是破财招灾。他们将谋财害命的游戏已玩到了极致。俗话说:“倒霉上卦摊。”那是自找挨骗。如今是倒霉上医院，那是无奈，有病拽着，不去不成，明知被宰，也要拎着钱袋子自己送上门儿。

Who（谁）？“白衣天使”还是“白衣魔鬼”？当病人在医生的对面坐下，心里难免要打鼓。

有的医生委屈地说，医生倒霉就倒在媒体上了。其实绝大多数医生是好的，败类只是少数。也有医生很客观地说，现有的医疗体制就这样，我们不宰病人，医院就要宰我们，不仅让我们拿不到工资和奖金，甚至要“炒”我们。谁不想当孙思邈、希波克拉底、白求恩，可那样在医院混得下去吗?

天使和魔鬼是势不两立、不共戴天的，就像李逵容不得李鬼。

这是一场残酷的战争，你死我活、惊心动魄的较量。

正义终归要战胜邪恶，世界不可能划归魔鬼，中国的医疗界也不可能让“百年魔怪舞蹁跹”。可是，人们要记住天使在战争中付出的代价！

为什么要把光量子说成激光？医院怎么可以骗病人？从医28年，陈晓兰从来没有像今天这么困惑，这么迷茫，这么痛苦。

1997年7月24日，这本来是个寻常的日子。寻常的日子就像从树上飘落溪流的树叶，打个漩儿就冲走了。可是，这片树叶却滞留在陈晓兰的心里，漂不走了。

早晨6点，她就上班了。上海市虹口区广中地段医院的办公区内还沉浸在梦境中。理疗科位于办公区，距院长和书记的办公室仅几步之遥。她打开门，来苏儿味扑面而来，理疗器械和理疗床像一群乖孩子似的迎接着她。她将它们一一看过后，换上白大褂。在所有的衣服中，她最喜欢穿的就是这白大褂，几十年来怎么都穿不够。女儿说过，妈妈穿白大褂最好看，最像医生。

医生不是演员，不是演出来的，是做出来的。为做好医生，她坚持提前一小时上班，拖后一小时下班。在给病人治病前，医生需要一个心理缓和，来净化心绪。不是所有病人都能在工作时间出来的，晚下班一小时，一些病人就可以在下班后来看病了。

"陈医生，××科的医生非让我扎激光针不可，我不扎他就不给我开药。"开诊后，一位老病人上来对陈晓兰说，"光扎一针激光针就要40元，再加上药费就得100多元。激光针扎上后不仅很痛，还浑身颤抖……"病人信赖她，看病时遇到问题都会找她商量。

"激光针，什么激光针，我怎么不知道？"陈晓兰疑惑地问。这时，理疗床躺满了病人，她脱不开身，只好让护士到注射室取一份说明书来看看。

陈晓兰将说明书读了一遍，没发现什么问题。据说明书介绍，这种疗法能够降低血黏度，增加血氧饱和度，适用于治疗脑血栓、脑动脉硬化等症，是一种先进的医疗器械。

"那激光针一扎，人就抖起来。"旁边的两位病人说道。

一个病人抖，两个病人抖，怎么病人都抖呢？是输液反应，还是器械的问题？这是性命攸关的事情。她给病人处置好，下楼去了注射室。

狭小的注射室弥漫着浓重的臭氧味儿，输液的病人一个挨一个地挤坐着。陈晓兰说，她想看一下"激光针"。手忙脚乱的护士抬手指了指："这就是。"她走过去，弯下腰，仔细地打量着那个像月饼盒似的器械，那上面有"光量子氧透射液体治疗仪”几个字，与之配套的是“石英玻璃输液器”。在输液前，先对药液进行充氧，然后让含氧的药液流经治疗仪，经激光照射后输入病人的静脉。

蓦然，她见那盒子上印有“ZWG-B2 型”一行字。一年前，在晋升医师职称时，她想申报内科、外科或者儿科医师，可是医院却非让她申报医技类医师。申报医技类医师是要考医用物理学的，这对 1968 年中学毕业，没有学过物理的陈晓兰来说是不可能通过的。她知道，自己得罪了院长，院长在刁难她。她想去找区卫生局讨个公道。“如果你有本事就考出来，没本事就别丢人现眼。怎么那么没骨气，像是跟人家讨饶似的。”爸爸生气地说，“真不像是我的女儿！”说完，爸爸妈妈就不再搭理她了。她只好硬着头皮申报考了医技类医师。参加辅导班学习时，她每次都早早去，坐在第一排。老师在上面画，她在下面画。可是，老师讲的是什么，画的是什么，她都不明白。好在课后爸爸给她辅导，妈妈托人帮忙找一位大学的副校长给她补习。结果，有许多读过医用物理学的医生都没考及格，她却考了 86 分。

陈晓兰直起身子，当着病人的面对护士说：“这哪里是激光？回家查查字典吧。”说完，转身回理疗科了。

金钱的能量往往是无法估量的，它可以把冷僻变成火热，也可以让火热变成冰冷。如果你是医生，只要在处方上写“激光针”三个字就可以赚钱，在“激光针”的后边写 1 就可以拿到 7 元钱，如果写 7，就可以将 49 元畅畅快快地收入囊中，你会怎么样？会不会感觉天上掉下一只钱口袋？对，那些汲汲于捞钱的医生可能就是这种感觉，他们拼命地向病人推荐“激光针”，甚至逼病人就范。阿基米德说：“给我一个支点，我就能够撬动地球。”钞票改变了医生的支点，“激光针”在广中地段医院流行起来，在狭小的注射室外病人排着长队等候扎“激光针”。

“你昨天是不是讲了一句影响医院经济效益的话？”第二天早晨一上班，院长悻悻然过来问罪。

“没有呀！”陈晓兰莫名其妙地看着院长。

“你是不是讲过光量子不是激光？”

“是啊。”她恍然大悟，“光量子确实不是激光，那上面不是写着‘ZWG’吗？那是‘紫外光’三个字的汉语拼音缩写。”说着，她拿出书来，跟院长解释道：“激光和紫外光，一种是受激辐射发出的光，一种是自发辐射发出的光，二者的物理性能是不一样的。”

她抬头，发现院长已气呼呼地走了。她望着院长的背影，百思不解，不明白医院为什么非要把紫外光说成激光。难道激光就等于高科技？近年来，激光在普外、心脑血管、泌尿、口腔、妇科、耳鼻喉、眼科、肛肠科都被广泛应用。将“光量子”说成激光，病人容易接受，觉得多花40元钱值得，如果说是紫外光，病人就会觉得物无所值。

可是，紫外光不是激光。医院怎么能欺骗病人，医生怎么能说谎？苦恼会让人思索，思索在不经意间就会推开意想不到的柴扉。药液经紫外光照射后会不会发生药性变化？她疑惑了。“药物可以用紫外光照射吗？”她打电话问老师和上海有名望的医生，多数医生都认为不行。

“光量子”像光阴冲不走的淤泥滞留在她的心头，堵得难受。她是一位行医严谨、恪守规范的医生，为此深受病人的欢迎，写给她的表扬信像春风中飘飘洒洒的花瓣。按医院的规定，医生上交一封表扬信奖励2元钱。她却把表扬信锁在抽屉里，拒不上交。她认为，医生就应该为病人治好病，就应该像对亲人那样来对待病人；不论医生待病人怎么好，只有不够，没有过分。医生给病人看好了病就要受到表扬，那就像赞扬裁缝“非常会做短裤”一样，让人耻笑。

陈晓兰性格内向，不善交际。每天上班后，她除上厕所之外，从来不离开诊室。可是，同事却非常喜欢在她那儿坐坐，她那儿不仅有几张舒适的理疗床，还有她这位乐于助人的医生。她心灵手巧，不仅理疗室的一些器械是她自己做的，而且同事的雨伞、拉链等东西坏了，她都会一声不吭地给修好。她淡泊名利，在医院，人们往往会为半级工资打破头，她却把两次涨工资的机会让给了别人。她从来不主动讨好领导，也不跟别人拉关系，却在医院口碑极好，每次选先进，她都全票通过。

可是，她却感到自己在医院越来越“水土不服”了。从医28年，她从来没有这么困惑过，这么迷茫过，这么痛苦过。

一位病人死了，不是死于疾病，而是死于医生给她开的那瓶药——过期失效的药。面对这种图财害命的医疗腐败，她怎么能够保持沉默？

28年前的上海北站，知青们在跟亲人告别，月台上泪雨纷纷。爸爸、妈妈、奶奶，还有一些亲属簇拥着身高只有1.48米、梳着两只小抓鬏的陈晓兰。大家目光依依，泪水滚落。她刚满16周岁，从来没有一个人出过门。她感到很新奇，欢欣雀跃，喜笑颜开，好似不是去江西安福县插队落户，而是去北京大串联。

“呜——”的一声，知青专列呼啸着驶离上海，车窗外的爸爸、妈妈还有奶奶的慈爱面容不见了，小弟跟着火车跑动的身影也像一片落叶似的刮走了。陈晓兰“哇”地咧开嘴——哭了，蹦着跳着喊着要下车。带队的老师哄了一阵子，才把她哄住。

车厢愔愔，沉沉闷闷，知青满脸黯然。陈晓兰在厕所里，像个孩子似的跳高去摸上面的一根管子。一下，两下，三下，她摸着了，开心地笑了。她出生于上海滩家道从容的读书人家，父母都毕业于圣约翰大学，家里有50多位亲属遍及海外，其中不乏社会名流。“文革”前，她家不仅拥有一幢三层小楼，还有两个保姆和自己的裁缝、医生。那时，她看弄堂里的小朋友踢毽子，就跑回家把奶奶的金戒指拿出去当毽子踢。

有人吃饭了。吃饭也会传染，本来没什么感觉，突然看见别人吃东西就饿得抓心挠肝了。知青们纷纷从行囊里取出吃的，摆放在茶几上，摆出与这些吃的决战的架势。陈晓兰的行李很沉，可是里边没多少能吃能穿的，有的是榔头、锯子、刨子，规格不同的凿子，什么七分凿、五分凿、三分凿；有青霉素、链霉素、土霉素等药物，还有听诊器、止血钳和一个布娃娃。

她从小就想像表姨那样身穿白大褂，做一位医生。她最大的理想是做外科医生。爸爸说，当外科医生要心灵手巧，不仅能缝缝补补，还要有木工、钳工的手艺。为此，她买了一些木工工具，在家里“吱嘎吱嘎”地锯木头，“乒乒乓乓”地做凳子、椅子。

陈晓兰天真地望着车窗之外，想象着自己背着药箱，行走在田间小路上。她笑了，笑得很甜……

火车终于到站了，她跳下车，就像只欢快的黄鹂跑去逮蚂蚱去了。咦，蚂蚱都是绿的，这里的却是黄的，太好玩了，逮几只拿回去给弟弟。老师终于把她喊了回来，见她小脸上蹭着红色的泥土，便掏出手帕给她擦。擦着擦着，几滴泪水滴落在她的脸上，老师哭了。来接他们的贫下中农挑着知识青年的行李，像背孩子似地背起陈晓兰，沿着山上的羊肠小路向山村走去……

陈晓兰以为插队的地方肯定缺医少药，没想到那里不仅不缺医，居然还有两位权威。一位姓廖，是华侨，在德国学成后，不远万里回来报效祖国，结果被“造反派”打成了特务，流放到乡村；另一位姓朱，曾是江西省人民医院药剂科主任，他出身不好。下乡后，陈晓兰当上了赤脚医生，师从那两位“反动学术权威”，开始了医务生涯。老师是监督改造对象，在她面前却很严厉，要求她一招一式都要符合规范，不得有半点偏差。是啊，医生是跟生命打交道的，哪能容得半点粗心和马虎？

20年后，在上海一家大医院的手术室里，没有剪刀、止血钳、托盘的尖锐的碰撞声，无影灯也关了。在一个僻静的角落，传出手术刀在肌体上划动的声音。陈晓兰捧着一条腿，按廖老师当初教的姿势在解剖。这条腿刚刚从病人身上截下来，还没僵硬。老师让拿包扎和填单，她却用它来温习老师讲过的人体结构。表皮剖开了，肌肉剥下了，血管却怎么也剥不下来，像豆腐渣似的没有弹性和韧性，一碰就断。她执著地剥着，时间悄然而过。“这是德派！”突然，老师站在她的后面，望着她的姿势和动作惊讶地说。

廖老师教给她的不仅是标准的“德派”，还有作为医生应有的医德医风。简陋的公社卫生院，一位蓬头垢面的患有肺炎的病人蜷曲在病床上。突然，病人呕吐起来，陈晓兰本能地躲开了，廖医生却迎面冲过去，将病人抱坐起来。呕吐物一股股喷射在廖医生的身上，弥漫着难闻的气味儿。病人吐完了，望着廖医生衣襟上的秽物，难为情了。廖医生却安慰道，“没关系，没关系，吐了就好了。”她劝廖医生赶紧把脏衣服脱掉。廖医生却摆摆手，直到把病人安置好了才去换衣服。廖医生语重心长地对她说，当病人躺着呕吐时，要马上把他扶起来，这样当他吐完第一口后吸气时，才不至于把呕吐物吸入气管，造成窒息。否则的话，不仅病人很痛苦，医生抢救起来也很费事。不要当着病人的面就把吐脏的衣服脱下来，那会加重病人的心理负担。医生是属于病人的，要时时刻刻为病人着想。

爸爸对她说，在英语中，医生和博士是同一单词。你要经常想想，凭你的医德医术配得上这个称呼吗？做医生的，心里应该装着病人，哪能唯利是图？

可是，这几年医院一切向钱看了，“以物代药”盛行，医生开的治疗单像商场的提货单，可以在医院领到按摩仪、袜子、短裤；医院对医生采取奖金与病人的支出直接挂钩的管理政策，出现了“大处方”；医生越来越依赖于仪器，可是对仪器的性能却了解得越来越少；医生越来越缺乏诚实、认真细致和应有的责任感，让病人越来越感到没有安全感……

1996年，医院调整诊室，把理疗科从二楼调到三楼。调整，是一个很敏感的字眼，或显或隐地泄露出调整者的倾向、态度和被调整者的价值与地位的变化，甚至牵涉利益的重新分配。陈晓兰跟院长提意见，理疗科的病人多数七老八十，还有些病人患有半身不遂，走路腿脚画圈，趔趔趄趄，上楼非常不方便，这么一调，他们很可能就不做理疗了。诊室的调整是根据创收决定的，就像街头书报摊，看上去五花八门的报刊一种挨一种地摆着，无章可循，其实赚钱多的、畅销的都放在抢眼的位置；赚钱少的、不大畅销的被冷落在边上。科室的调整表明理疗科边缘化了。过去，那是黄金科室，病人多，收入高。由于陈晓兰拒绝开大处方，病人虽然没有减少，可是收入却不如其他科室了。

出乎陈晓兰意料的是，调整后理疗科的病人并没有减少，病人艰难地跟着她爬上来了，甚至本该看内科、外科等科的病，病人也要挂理疗科，还有的病人在其他科看完病，像走亲戚似的爬上来看看她。

“陈医生，我家离这儿很远，倒三趟车才到你这儿……”一位年逾古稀的老奶奶坐下来，气喘吁吁地对她说。

“您这么大年纪了，为什么不在家附近的医院看呢？”她惊异地问。

“我们那儿的医生看病很贵，我都不敢去医院哪。听说你陈医生这儿不宰病人，我就来了。”老人这话说得陈晓兰脸一阵阵发热，心里很不是滋味。不宰病人就是好医生，病人对医生的要求是多么的低啊。

她给老人看完病，开了药，老人满意地走了。

过一会儿，老人却哭着回来了：“陈医生，人家都说你不宰病人，可是你给我开的药咋这么贵呢？”

“不贵啊，心痛定片 2.40 元 100 片，每片 10 毫克，那是很便宜的药啊。”陈晓兰望着老人，疑惑不解地说。突然，她发现老人手里拿的不是心痛定片，而是心痛定缓释胶囊。这种药 17.60 元 6 片，每片 5 毫克，100 片就是 281.6 元，那是很贵的。

她激愤地匆匆下楼，径直去药房。她让药剂员出来，把她开的处方念一遍。然后，她问药剂员，你能不能搞清片剂和缓释胶囊的区别？对方委屈地说，陈医生，你的处方量是其他医生的几倍，提成却还不到他们的零头。这事儿，陈晓兰早就听说过，据说院里提成最高的医生每天只看 16 个病人，什么药最贵给病人开什么，每月提成几千元。陈晓兰却和他们相反，尽量给病人开便宜药，她每月的提成只有几元钱。有一个月，她拿了 2.60 元，同事都笑她。她比其他医生更需要钱，她是单亲母亲，要供养女儿。为多赚点儿钱，她下班后给裁缝店缝纽扣、锁扣眼，给厂家拆纱，跟别人去修空调。可是，她情愿挣那些辛苦钱，也不愿拿药品提成。病人绝大多数都不是有钱人，因为有病不得不将血汗钱拿出来治病。如果医生多拿几元的回扣，病人就得多付几十元钱的药费。当病人用虔诚的、信赖的目光望着你，你怎么狠得下心去宰他呢？

性情耿直的陈晓兰不买账地对药剂员说："我是医生，你没资格改我的处方。今后，我给病人开什么药，你就要给病人拿什么药。"她平日从不跟护士或药剂员摆资格，这次却不这样了。

药换了，钱退给了病人，她跟老人道了歉。老人走了。

"陈医生，我老伴去世了，死于心梗。她每天都按时服用阿斯匹林，怎么会心梗呢？"陈晓兰回到诊室，一位多日不见的老病人悲戚满面、恍惚无神地坐在她的面前。

不会吧，阿斯匹林是预防心梗的药啊，她会不会吃错药了？陈晓兰感到蹊跷，让病人把药拿给她看看。

"她什么时候开的药？"第二天，老病人把药拿来了，陈晓兰看后惊诧地问道。那是过期药，早已失去疗效。

"她死前在你们医院开的，24.80元一瓶。"老病人说。

医院怎么能给病人开过期药，怎么能坑害病人？另外，这药在药店只卖6.20元，医院怎么加价这么高？6.20元，一位病人失去了性命。院长啊，你为什么就不想一想，如果这位病人是你的父母、妻儿、兄弟，你能让他服用这种过期失效的药吗？

"陈晓兰掉进化粪池了。"消息像风似的传遍医院的角落。那是一个严冬的上午，天出奇的冷，陈晓兰给一位80多岁的老病人开完处方后，匆忙跑到另一幢楼去帮她付款。理疗科迁到三楼后，凡是年过古稀或腿脚不好的病人，陈晓兰都要帮他们去交医疗费。那天医院的下水道堵塞了，门诊的一楼粪水横溢，陈晓兰小心翼翼地踩着污水里的砖头走了出去。回来时，她一掀门帘就跨了进来，"扑通"一声掉进了门口的窨井。反应机敏的她用双手撑住了井沿，下半身没在粪水里。粪水淋漓的她爬了上来，一头钻进消毒室，脱去衣服，用冰凉刺骨的自来水冲洗身体。寒冬腊月，消毒室里没有空调，她冻得身抖牙颤。事后，院领导脸无愧色地对她说，医院赔偿你损失，你开个价吧，上不封顶。她气愤极了，这哪里是"开价"的事儿？你开的是医院哪！如果哪位年迈的病人或者是孕妇掉下去，被夺了生命，你怎么赔？

痛苦和失望像结石一般折磨着陈晓兰，夜晚闭上眼睛，那位流着泪的老奶奶，那瓶失效的阿斯匹林，还有候诊室里那口敞开的窨井就浮现在眼前。当医院偏离救死扶伤，把行医当成牟取私利的工具时，医院还是医院吗？她想找领导谈谈，一想医院情况领导不比她更清楚吗？她想给虹口区有关部门写封信，一想还是不行，那样不仅自己与院长的关系会恶化，还会得罪许多同事。院长平素待她不错，信任她，器重她。当年她进医院时还是院长亲自拍的板，院长领着她去领的白大褂，把她安排在了人人争着去的理疗科……

可是，作为医生她怎么可以面对医疗腐败保持沉默，怎么能眼睁睁地看着病人遭受戕害而不管？这不符合她陈晓兰做医生的原则啊。经过一番痛苦的思想斗争，她将一封检举信交给虹口区纪委。他们说她反映的问题很严重，表示要查处，结果却把信转给区卫生局的领导，区卫生局的领导又转给广中地段医院的院长。从此，院长和一些同事对她的态度发生了变化。

倔强的陈晓兰又写了一封检举信，连同那瓶过期失效的阿斯匹林一起交给上海市卫生局的纠风办。她对纠风办主任说，医生吃的是蛋炒饭，病人喝的是稀粥。可是当今的一些医生却将匙子伸到病人的碗里捞米粒。他们不是因为贫穷而宰病人，而是私欲的膨胀。

“你讲得太可怕了，我汗毛都竖起来了，不至于吧？”主任说。

“那么请你到下面去看看。”陈晓兰说。

结果，还是没有查处。她失望极了，痛苦极了。她只不过是一名普通医生，不想升官，不想发财，也不想轰轰烈烈。她本来性格内向，从不抛头露面。从小到大，如果家里来了父母的客人，她就躲在自己的房间里看书，直到客人走了才出来。客人一天不走，她就闷在里边一天不出来。她爱幽静，一杯香茗一本书。读累了，拉一会儿小提琴。她想洁身自好，不再操心医院里的事。不过，每次给病人开完药后，她都会叮嘱他们取完药后给她看看，以保证病人不服用过期失效的药，不被医院宰。她再也不把自己的病人介绍给其他医生，怕他们被自己的同事宰。

可是，一年后，偏偏又冒出了“光量子”，她哪里沉默得下去！如果她保持沉默了，她还是那个对病人满腔热血的陈晓兰吗？她对得起那些培养她的老师吗？

陈晓兰不断地讲紫外光不是激光，“光量子”是个骗局。院领导恼羞成怒地斥责：“谁再提紫外光不是激光，谁就下岗！”

陈晓兰是一个眼睛里容不得沙子的人，“光量子”成了她一块心病。下班回家后，她跟父母讲了。学化学的母亲十分肯定地说，生理盐水充氧后会变成酸性溶液。说着，妈妈给她写出化学反应式。学土木工程的父亲说，氧微溶于水，把氧充入药液是不可能的。

夜晚，她躺在床上，辗转反侧，不能入寐。给药液充氧？不对！氧气中不仅存有颗粒和有机微粒，还存有细菌，其中的一些细菌紫外线是无法杀除的，如枯草菌和芽孢，它们会污染血液。另外，那些无法溶解吸收的微粒会形成各种异物栓子随血流动，对器官和脏器形成威胁。用紫外光照射药液？也不对，紫外线能使葡萄糖分子的空间结构破坏，产生氧化反应。丹参、黄芪、鱼腥草、头孢拉定等药物本身就要求“避光保存”，怎么能光照呢？药品经过这一系列理化作用后，原有的药理活性会发生变化，除被激活或者灭活之外，还会有其他物质的生成。世界上没有医生会让病人把药品放进微波炉转一转，放在太阳下晒一晒，然后再服用。可是，光量子就是要把药液用紫外光照射，然后再注入病人血液的。

药物是把双刃剑，既是生命的卫士，也是生命的杀手。据世界卫生组织调查，世界上有三分之一的病人不是死于疾病，而是死于药物中毒。医生怎么可以随心所欲地给病人用药？病人找你看病的，不是花钱来送命的！

想到这，她不由打了个寒噤，感到有点儿心惊胆战了。每天那么多病人接受“光量子”治疗，万一出现问题，那将危及多少病人的生命和健康？不行，必须把这事弄清楚。

周六值班，她买了两瓶盐水和丹参，从注射室借来一套“光量子”。她先将丹参注入盐水，然后给药液充氧，经“光量子”的紫外光照射后，输入一个代表人体的干净的密封药瓶里。下班时，试验做完了，凭肉眼没有发现什么变化。她把“光量子”还了回去，匆忙赶去上课了。那时，她正在读医科大专自考，每周六晚上都去上课。

周一早晨上班，陈晓兰目瞪口呆地望着那瓶经过“光量子”处理过的药液，它不仅变得混浊了，而且里边还悬浮着絮状物。如果把这种药液输入人体，那将会成为栓塞，还会造成免疫系统机制紊乱，产生各种各样的免疫疾病。“光量子”不仅谋财，而且是害命！

她想，这回院长该让“光量子”停下来了吧？结果，院长还没等她把话说完就恼羞成怒地说，光量子是专家发现的，你算什么东西！

“我不算什么东西。我是医生。医生要为生命和健康负责！”陈晓兰气愤地说。

最可怕的就是法官失去了良心，医生丧失了医德。金钱可以是一笔财富，也可以成为万恶之源。它不仅能改变一个人的地位，也可以改变一个人的智力和是非观念。院长连“ZWG”是紫外光都拒绝承认，怎么会承认“光量子”对病人有害？退一万步说，就是对病人有伤害，她院长大人又有何责任？“光量子”是厂家生产的，又不是从她家厨房搬来的。出了问题，倒霉的是病人，医院顶多被罚点钱。

中国对造假的行为太宽容了，宽容到了近乎纵容！赚一百万，罚三五千，这还

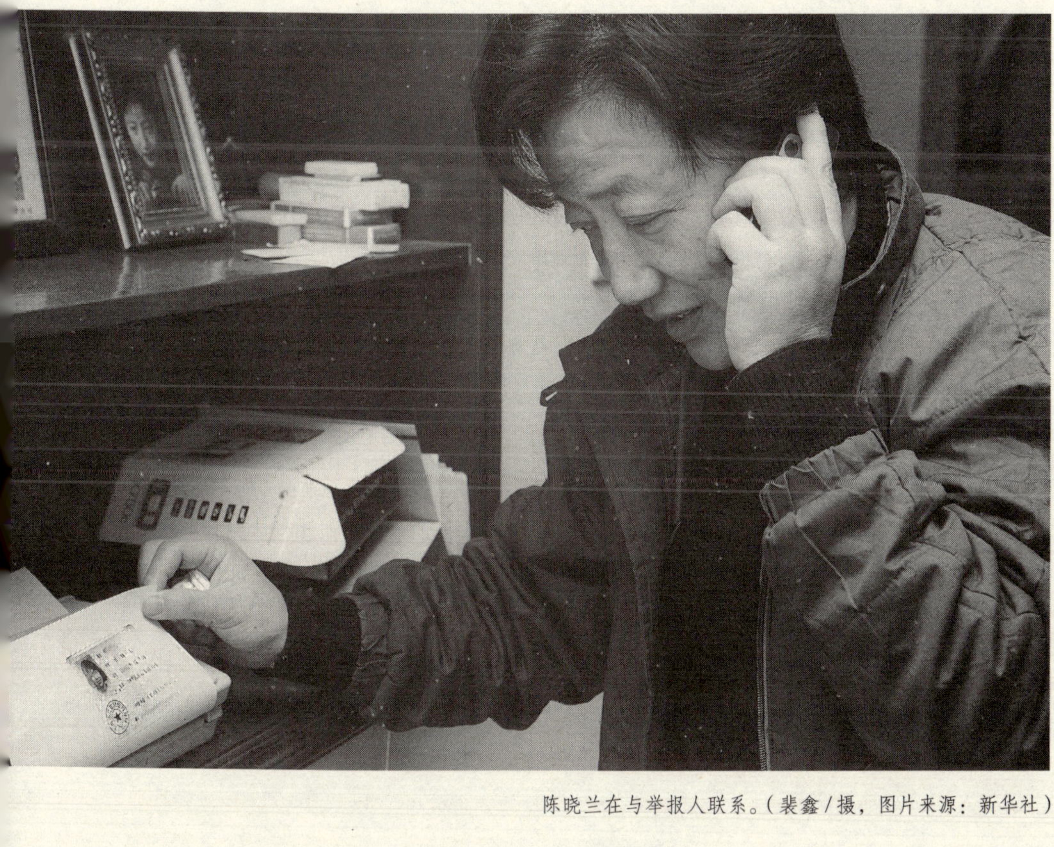

陈晓兰在与举报人联系。（裴鑫/摄，图片来源：新华社）

能算是罚款吗？而且罚的不是责任人，而是单位。倘若医院故意使用假冒伪劣医疗器械，不仅要对院长本人进行罚款，而且视后果轻重追究其刑事责任，那么院长不仅要对陈晓兰感恩戴德，甚至早已被吓得屁滚尿流了。

院长的态度像把钝刃戳在陈晓兰的心上。下班后，她把那瓶药水拿回了家。爸爸看后，拍案而起："病人的血管不是下水道，把这种东西输进去后，让它怎么出来？"妈妈取出试纸，测试一下絮状物的PH值，果然呈弱酸性。他们都是理想主义者，具有同一种基因——疾恶如仇。

"光量子"说明书说，这种"治疗理论"是上海医科大学陆应石教授发明的。一位医学教授怎么会犯如此低级的错误？

"我已经给上医的一位同学打电话了，她说上医没有叫'陆应石'的教授。"一天，妈妈对陈晓兰说。

"妈妈，您的同学都年近古稀了，可能对本校的年轻人不熟悉。"她不相信地说。

妈妈又打电话问一位同学的弟弟，他也说上医没有这么个人。这怎么可能呢！陈晓兰亲自跑到上海医科大学人事处去查询。工作人员把"陆应石"三个字输入电脑，结果出来了：上海医科大学根本就没有叫陆应石的教工。

造假者可谓胆识非凡，居然发明了一个陆应石教授，而且还是上海医科大学的。可能他认为在上海就不会有像陈晓兰这样的医生。这到底是对上海医生尊严和责任心的蔑视，还是对上海医生现状的一种把握？

治疗理论发明人是假的，那么"光量子"会是真的吗？如果是假的，这是一件多么恐怖的事情？仅广中地段医院，一年就有四万多人次接受"光量子"治疗；那么全上海呢，起码有百万人次；那么全国呢，将是数千万人次！这是多么触目惊心的数字，在这个数字的背后，将是震惊人寰的灾难！

陈晓兰再次跟院长汇报。院长还是置之不理。她跟同事们说，也没几人理睬，甚至有人用异样的目光看着她，似乎她在那儿说谎，在嫉妒别人拿回扣。可是，用药怎么能当儿戏？这将会带来多么大的灾难？

28年前的一个夜晚，天若泼墨，寥落疏星挣扎地眨动着眼睛。17岁的陈晓兰背着药箱深一脚浅一脚地出诊归来，在路过一个村庄时，蓦然，不远之处飘来时断时续的凄厉哭声，阴森可怖，让她毛骨悚然。为什么会这么哭呢？是家里发生不幸，还是有人生病？她循声而去。

在一间低矮的农舍，门开一道缝。昏暗的灯光似乎为逃避瘆人的哭声，从缝里挤了出来。她走进去，见狭窄的地上摆放着一口新做的薄皮棺材，里面躺着一个小男孩。一位农妇趴在棺材边哭着。陈晓兰摸了摸那孩子的脉搏，没摸出来。她取出脱脂棉球，拽出棉丝放在孩子的鼻孔前，棉丝被吹动了，这孩子还没死！她急忙把他抱出来。怎么抢救呢？她有点不知所措了。突然，她想起药剂老师曾给休克病人注射过阿托品，她取出一支阿托品，用针管吸了小半支，注入小男孩的臀部。听孩子妈妈说，小孩是拉肚子死的。她冲些淡盐水，给他灌了下去，他肚子渐渐鼓了起来。她又给孩子针灸和按摩足底。四五个小时过去了，天放亮时，她已累得腰酸背疼，两手麻木。突然，一线尿液喷射在她的脸上，接着孩子又排出了粪便。孩子被救活了，她笑着抹去脸上的汗水和尿液。

那年，她回上海探亲时，放下行囊就跑到上海市第四人民医院。“我在乡下救活了一个小孩儿。”她把抢救小男孩的过程声情并茂地讲给表姨的同事听。开始时大家听得津津有味，当听她说给孩子注射了小半针阿托品时，一位医生跳起来：“你怎么给他用阿托品？你们看这个赤脚医生，她给拉肚子的孩子用阿托品！”接着，那位医生把她从二楼拽到四楼，拖到表姨的跟前。表姨听说那件事后，瞪大了眼睛：“啊？昏了头了，你？”表姨让那位医生把陈晓兰拽到药房，交给药房主任开导。

药剂科主任严肃地对她说，在20世纪50年代欧洲流行给孕妇用“反应停”。一年后，许多欧洲妇女生下了海豹胎——婴儿像海豹一样没有胳膊和腿。后来发现这是“反应停”引起的，这时欧洲已经出生了一万多个海豹胎，而且大部分存活，给这些残疾人和家庭带来了无尽的苦恼。

三年后，陈晓兰回上海探亲时，听了一场专家的讲座，当听说阿托品可以治疗中毒性痢疾时，她差点跳起来。她跑到上海第四人民医院，得意洋洋地把这事告诉了表姨。没料到，表姨却冷下脸质问道：“你用的时候知道吗？你说你给孩子注射小半支阿托品，小半支是什么概念？用完后，你跟踪调查了吗，做记录了吗？他后来有没有不良反应，有没有并发症？你还想为自己平反昭雪？做梦去吧。作为医生，你怎么能够胡乱用药？”

怎么能胡乱用药？“光量子”倘若出现后遗症，将危及多少病人和他们的家庭？“光量子”在广中地段医院已成为主打疗法，不论大病、小病，医生都要病人接受“光量子”治疗；“光量子”成为一种医疗的高消费，治疗费加药费平均150元/

人次。

“光量子”是一座金矿，它使得医院的收入直线上升，渐渐占到整个医院收益的65% ~ 70%，医生的奖金如遇牛市，一个劲儿地往上蹿，连小护士的奖金都飙升为每月1 200元了。这么好的东西，院长怎么会放弃，医生怎么会放弃？哪怕它是假的，可是用它赚来的钱却是地地道道的真金白银。这些钱能使医院富足，让院长、医生和护士的腰包变得鼓鼓的。病人有不良反应又怎么样？在市场经济下，做任何事都需要成本，“光量子”治疗的成本是病人付出的，医院只管弯腰捡钱就是了。出了事故怕什么？既不会有人丢官，也不会有人坐牢。

作为一个医生，必须维护生命的价值和尊严！陈晓兰不放弃，不断地宣讲紫外光不是激光，“光量子”是个骗局。这样必然要遭人骂，可是不这样，她要骂自己一辈子。人际关系陡然紧张起来，她与同事间的和谐融洽不见了，许多人对她恨之入骨。在医院的大会上，院领导恼羞成怒地讲：“谁再提紫外光不是激光，谁就下岗！”年底，医院给她的评语不再是以往的优了，而是寒气逼人：“不服从组织的统一决定，反对把光量子说成激光。”

独裁会让人忘乎所以，权力会让人变得弱智。

医院作出“关于陈晓兰同志自动离职的处理决定”，她下岗了。“光量子”却没有“下岗”。

20世纪80年代初，安静的考场，分分秒秒都似拉圆的弓，只能听到笔和试卷的轻微摩擦声和考生的清清浊浊的呼吸声。时间过半，有人满面焦灼，有人一脸平静，也有人满脸畅快。陈晓兰左手捂着嘴，右手在不停地写着。“叭”又一滴殷红的鲜血落在试卷上，像绽开一朵红梅。她掏出手帕，小心翼翼地将它拭去，接着答题。哦，她的脸挂彩了，嘴唇在流血。

陈晓兰在农村当了七年的赤脚医生之后，终于返城了。下乡的第二年，她得了风湿性心脏病，按政策可以返城，不过返城后就不能当医生。她放弃了返城的机会，让妈妈托人将她从江西转迁到生活条件较好、离家较近的安徽农村。可是，她的病情越来越重，最后还是返回到上海。她进了一家小集体企业，当了工人。接着，她完成了女人一生中最重要的两件大事——结婚和生子。

生活中没有来苏味，没有病人，听诊器寂寞地守着抽屉，陈晓兰感到郁闷，心里没着没落。她的病不仅没有减轻，反而更加病病歪歪的了，一年要休半年的病假。突然听说局里要举办招贤考试，给当过教师、会计和医生的返城知青一个重返原来岗位的机会，她跑到厂部报了名。可是，她要生火烧饭，照看刚刚两岁的女儿，哪有时间复习功课。她心急如焚。在考试的那天早晨，夫妻发生了冲突，她被丈夫打了一顿。她顾不得脸面，捂着伤口进入了考场。

伤口在一跳跳的痛，血流不止，她清楚这伤势很重，需要缝合。她不能管它，这是返回医疗岗位的难得机会，如果失去了，也许今生今世就无缘了。她埋头答着，渐渐忘记了脸上的伤，忘记了挨打的委屈，卷面上的字像一个个痊愈的病人，笑脸盈盈地向她走来。铃声响了，考试结束了，她从卷面收回目光，交卷了。伤口好似醒了过来，疼痛难忍了，她急忙赶到医院，缝了四针。

成绩公布了，陈晓兰取得96.5分的优异成绩，被安置到厂里的医务室，终于返回医疗岗位。

1981年，她爬出了痛苦婚姻的僵壳。当初结婚时，父母反对；离婚时，父母还是反对。在老人的眼里，离婚是件很丢人的事，她应该“嫁鸡随鸡，嫁狗随狗，嫁根扁担抱着走”。可是，那不符合她的性格，她宁肯死，也不愿跟他过了。离婚后，她没有搬回娘家，领着3岁的女儿搬进老式弄堂的一间旧房子。那居室位于二楼，只有11.4平方米，没有煤气和卫生间，厨房在一楼，6平方米，四户人家共用。她自己动手，在居室搭一层阁楼，上面当卧室，下面做书房，在苦难中营造出一缕温馨。

下班了，她匆匆离开医务室，跑去接上小学的女儿。路上买点吃的，让女儿填饱肚子。然后，她领着女儿赶到另一学校。她安顿好女儿，在教室坐下，从自己的书包掏出课本，跟一群没有学历的医务人员听老师讲课。厂里的领导本来不同意她报名参加医科的中专自考。他们认为，陈医生的医术已经很厉害了，外科、内科、妇科都能治，还读什么自考？干吗要拖家带口地跑去混那张轻飘飘的文凭？可是，对陈晓兰来说，她为的不是那张文凭，而是渴望学习，渴望提高自己的医术。最后，领导被她感动了，在她的报名申请表上盖了章。

下课了，女儿手里还拿着没吃完的食物，趴在课桌上睡着了。女儿那么小的年纪，上一天的学已经够累的了，晚上还要陪妈妈读书，想到这儿，陈晓兰心酸酸的。

她心疼地背起女儿，左肩挎着女儿的书包，右肩背着自己的书包，迎着一盏盏昏黄的街灯向家走。为省几角钱，陈晓兰要饿着肚子背着女儿走五六站路。没办法啊，每月只有42元的薪水，她要买油盐酱醋，要支付水电柴煤的开支，要供女儿读书，自己还要学习。到家了，总算到家了，她疲惫地把女儿放到床上，给女儿脱去衣服。她真想爬上床，舒展开僵硬的四肢，可是不行，还要生火烧饭，慰藉辘辘饥肠。

经济拮据，她常常为买不起一本医学书而苦恼。在中专毕业前，她交不出那笔不菲的实习费，只好狠心卖掉奶奶的遗物——一套金首饰。她身体本来不好，加上营养不良，走路就像踩在海绵上似的飘飘悠悠的。在实习中，她昏倒在手术室里。她就是这样完成了学业。

工厂还没挺到她中专毕业就倒闭了，36岁的她下岗了。工厂倒闭的原因除经营不善之外，还有医疗的负担过重。在改革初期，许多机构千方百计地将改革的成本划给别人，自己坐享其成果。那时，医院已有了医疗腐败的萌芽，出现了“以物代药”——药品用饭盒、暖瓶来包装，诱使不自觉的职工跑到医院大开猛开药物，然后把药倒掉，将精美的包装盒拿回家。医院的这种做法无疑使不景气的企业雪上加霜。陈晓兰对此非常痛恨，在职工报销医药费时，卡得很紧，不该做的检查坚决不让做，不该报销的绝对不签字。尽管如此，医药费还是像管涌洪水从工厂流向医院，每年的医疗费数额大得惊人。企业倒闭了，好占小便宜的职工傻了，后悔去吧。

一个冬日的傍晚，陈家灯火辉煌，高朋满座。这天是陈晓兰父亲七十大寿，天南海北的亲戚纷纷赶来祝寿。夜巷深处，一叶剪影独自徘徊。夜寒袭来，剪影若冬日的柳枝瑟瑟缩缩，那是陈晓兰。两年来，她疲于奔命地四处寻找工作，耗尽了自信和勇气。医院是全民的事业单位，而她是集体的编制，进不了全民；她又是企业编制，进不去事业单位。难道只有一条路——放弃做医生吗？她不甘哪，这份职业已融入她的生命，她就是为当医生而活着，怎么可能放弃？夜深人静，席散客去，她踽踽踏入家门，含泪祝福父亲。凌晨，她房间里的灯还亮着，她饱蘸泪水给虹口区委书记写信。

那封信改变了她的命运，她被破格调入上海市虹口区同心地段医院，被安置在理疗科当医生。那是医院最好的科室，工作环境舒适，不值夜班，还拥有内科、外科、儿科等科室的处方权。六年后，她随同同心地段医院合并到广中地段医院。

陈晓兰啊，你已经46岁了，倘若为“光量子”下岗了，你该怎么办？你为何就不能变通一下，别那么较真，同事们给病人开“光量子”，你不好也开吗？别跟钱过不去，一针赚 9 元（后来回扣调至 9 元），一个月下来轻轻松松入账三四千元，何必下班回家守灯熬油地一边读书一边拆纱，搞得满屋灰土飞扬，让妈妈家的保姆都不高兴。你要想洁身自好，也可以呀，只要对医疗腐败视而不见，充耳不闻，装聋作哑，就可以求得生活的安稳平静。下班后，你可以继续给人家缝纽扣，拆纱，写稿子，赚干净钱。你跟“光量子”过不去，就等于跟院长过不去；跟院长过不去，就等于跟自己过不去。你的饭碗掌握在院长的手里。

可是，医生是跟生命打交道的，是为病人而活着的，看病人受戕害怎么能不管？

“光量子”的不良后果出现了，一些接受过十次“光量子”治疗的病人出现了重度感染，用一般的抗生素无效，只有用“新型”的三线抗生素。一位叫施洪兴的病人因咽痛咳嗽而接受“光量子”加先锋 6 号治疗，第一天不仅出现了输液反应，而且牙龈和鼻腔出血。由于医院不予退款，他选择了继续接受“光量子”治疗，十来分钟后，再次出现牙龈和鼻腔流血。连续治疗两天，病人出现了血尿和昏迷。送进海军 411 医院抢救，人救过来了，病情转为慢性尿毒症。他能够活下来还算幸运，在陈晓兰调查的 23 位接受过“光量子”治疗的病人中，有 9 位死于肾功能衰竭和肺栓塞。

陈晓兰将“光量子”事件举报到上海医药管理局。举报材料递上去了，烦恼和麻烦接踵而至。院方先是通知她理疗科取消，接着雇人把理疗科的门撬开，将所有的理疗器械和陈晓兰的私人物品搬走。然后，院方让她去某二甲医院进修。她在院方的眼里已是眼中钉、肉中刺，害群之马。她把学习上的那股刻苦劲头用在调查医疗腐败上了，她溜进电脑室，破译了医院药品的虚高；她在医院除了工作就是搜集证据。有她在医院，什么猫腻能遮掩住？没有猫腻，哪有暴利？那么，最好的办法就是让她离开医院。

“请你告诉我，让我去进修什么？是让他们跟我进修，还是我跟他们进修？如果是让我跟他们进修，你最好去打听一下，他们的业务水平是否比我高？”陈晓兰理直气壮地对领导说道。

院方黔驴技穷了，给陈晓兰找个进修的地方还真不容易。最后，院方决定让她回家“全脱产自学”，工资和奖金照发。让医生离开临床，这是惩罚。她哭着回到家，把医院的决定跟父母说了。爸爸没说话，去书店买回一本《孙子兵法》。爸爸说，你的唯一目的不就是让“光量子”停下来，不再坑害病人吗？那么，你可以同意在家脱产自学，利用这段时间去跟有关部门反映问题。最后她听从了爸爸的劝说。

对于老病人来说，陈晓兰的理疗科就是一个温馨的家园，在那里不仅可以疗治肌体的病痛，还可以得到心灵的慰藉。理疗科突然变成一间冷冷落落、空空荡荡的屋子，亲人般的陈医生也不见了，病人们愤怒了。他们不能没有理疗科，更不能没有陈医生！几十位病人坐在医院里不走，他们坚持：“陈医生不在，我们就不看病。”

医院会在意他们看不看病吗？他们大多数是中老年病人，是边缘化的消费者，他们不吃医院里虚高的药品，也不做“光量子”治疗。可是，几十号病人待在医院不走，他们不像候诊室的凳子一声不吱，他们有头脑，有嘴巴，要说话，要讲述陈医生多么多么的好，要宣传“光量子”是如何的骗人，这会影响医院收入的。医院里有人提议拨打 110，让警察把他们带走。一位在某检察院当检察长的病人说：“你们拨吧，不过请你们告诉 110，最少要来三辆警车，少了坐不下。”医院束手无策了。

一位病人给有关部门写了一封信，其他病人争相签名。信中写道：“陈晓兰医生医德高尚，她急病人所急，想病人所想，所有经过她治疗的病人都会异口同声地称赞她：‘当今社会像这样的医生确实难找！’她（对病人）态度好，医术高，技术上精益求精，对病人提出的问题从来都是耐心解答。我们唯一的要求就是：保证陈晓兰医生仍旧能以她的精湛医术为我们广大的患者服务。”在那封信的天头、地脚、两侧白边签下了 68 位病人的姓名、住址和电话号码。这哪里是密密麻麻的签名啊，这是病人们对陈晓兰的肯定、信任和厚爱。现今的医生，有几人能享受到这样的厚爱？

上海化工研究院的退休职工应先生也写了一封信。他在信中讲述了自己的所见所闻：“从 80 多岁的老人到七八岁的小孩，都一致认为她（陈晓兰）是一位罕见的好医生。每天来她理疗室的病人有 50 多人次，甚至经常高达 80 多人次。由于她的医术高明，有的病人远在仁济医院也专程赶来找她看病。有的小孩脚跌伤了，流着血，按理应该去看伤科或外科，但也来找陈医生。可见她对病人的吸引力……陈医生不怕脏，不怕臭。有的病人呕吐，不仅吐一地，还吐在她身上，她一把一把揩洗干净。她对老人特别照顾，经常帮助他们下楼去付款和配药……她经常（为病人）选用药价便宜、疗效好的几元钱的药，代替那些几十元药价的昂贵药，来减轻病人的经济负担。她对来理疗的各种病人经常讲吃药用药的学问、理疗的知识，病人不仅受益匪浅，而且如同到家里一样温暖。陈医生把温暖带给病人，病人把心交给了陈医生……尤其可贵的是她疾恶如仇，对那些只要赚钱不讲医德的同仁同事，不讲情面，毫不护短，有力揭露。因此，她得罪了一些人，所以有些人伺机打击报复……对这样的好医生，尊敬的领导请给予大大的表扬，并准许陈医生留下来，（让她继续）为我们这一大批病人治病，赐准为祈，谢谢！再谢谢！！”

还有的病人在信中愤怒地写道：“目前，医院借改革之名，把价格低、疗效好的科室解散，让我们这些患者去光顾那些昂贵的治疗手段，这简直是与改革的宗旨背道而驰……”

陈晓兰听说后赶过去，劝他们回去。病人一见到她就像久别的亲人，一拥而上，这个拉着她的手，那个抚着她的背，满眼的亲情与泪花。病人非常信赖她，对她的话就像医嘱一样听从。临别，她对病人依依不舍，一一叮嘱，如何继续治疗，服什么药，多食哪些食物，要注意什么，还把自己家里的电话告诉了他们，让他们有事就给她打电话。离开了病人，她的心一下子变得空空落落，泪水潸然而下。此时，她只有默默地为他们祈祷，祝他们健康。

经调查，“光量子”的真实情况浮出水面，它是上海市某三甲医院的实业有限公司盗用河南的“光子氧透射液体治疗仪”的生产许可证号非法生产的，配套用的“一次性石英玻璃输液器”也是非法生产的。1998 年 6 月，河南省药监局在来函中明确指出：“在（使用“光子氧透射液体治疗仪”）治疗的过程中，不得擅自加入任何药物输入人体”，“该产品的使用说明书中若有加入药物输入人体的内容，可按伪劣产品予以查处”。6 月，上海市医药管理局责令广中地段医院停止使用“光量子”，并罚款一万余元。这家医院使用“光量子”长达 23 个月，已赚得数百万元真金白银。失得相比，九牛一毛。这哪里称得上罚款，只不过是跟用假者讨点儿小费而已！

医疗腐败是一张庞大的密实的网，从上到下，从里到外，从卫生局到医院，从院长到医生护士，从厂商到销售、到设备科主任，有多少人像贪婪的蜘蛛蜷伏在网上？陈晓兰这样做，无异于划破了网，阻了他们的财路，他们怎会不对她恨之入骨？于是，院方一边通知陈晓兰中止自学，回医院上班；一边背地组织三名职工和一名家属充当打手，想将她打昏后送进精神病院。幸亏四人中有一位有正义感的人怕陈晓兰吃亏，悄悄地告诉了她。怀疑陈晓兰精神有问题的又何止是医院，甚至区卫生局的一位局长（后来其因涉嫌经济犯罪而被捕）在跟她谈话时，特意安排精神病院的一位副院长对她进行诊查。

在他们的眼里，陈晓兰确实有病，她百读不厌的书竟是《医学伦理学》，不仅仅是看，而且按照书上说的去做；她掉进窨井后，医院的赔偿她不要，反而写检举信。院里的医生们为躲避献血服用阿托品，使得心动过速，体检不合格，她明明患有心脏病，反而主动去献血；医院为献血者提供的出租车她不坐，却带着女儿骑自行车去血站；医院给献血者一周假，她第二天就上班了。别人利用“光量子”捞钱，她却不顾一切地去反对。别人没把选举区人大代表当回事，她看得很神圣，在投票前特意烫了头，穿得漂漂亮亮。她拒绝投组织者推荐的人物，而是认真地读一遍候选人的介绍，将票庄重地投进选举箱。离开时，有人告诉她，中午医院招待大家一顿饭，她却说：“选举是我的权利和义务，吃饭是你们的事情。”转身走了。他们认为，在这个世道，哪有不为自己着想、哪有不想捞钱的人；哪还有“毫不为己，专门为人”的白求恩？陈晓兰有病，确实有病，而且病得不轻。

时代变了，过去私心过重被唾弃；如今没有私心或私心太少被认为是不正常。这到底是陈晓兰不正常，还是社会的不正常呢？

科学可以为权力服务，可是不会随权力的意识而改变。那位精神病医院的副院长说，陈晓兰的精神没有问题，她看问题是立体的，全面的，客观的。陈晓兰有精神病之说破灭了。

1999年1月31日晚上，陈晓兰躺在床上，辗转反侧。明天，她要去医院接受“光量子”的“治疗”，让那经紫外光照后会产生絮状物的药液输入自己的静脉，随着血液流入心肺肝肾。这有可能导致她隐性感染和栓塞、溶血、败血症、弥散性血管内凝血功能障碍（DIC），甚至诱发红斑狼疮……妈妈就是红斑狼疮的患者，在陈晓兰体内可能潜藏着红斑狼疮基因。她也许会像那位姓施的病人由此而患上尿毒症，也许会因此而不幸地死去。父母年迈体弱，女儿正值豆蔻，他们都离不开她。她犹如面对千仞悬崖，拍天海啸，转过身便可重拾安乐。可是，她不能转过去，转过去就会看见一批批的病人前仆后继地去遭受“光量子”迫害。医生，难道你的责任只是手持听诊器为病人断病祛疾吗？天降你大任是救死扶伤，你要像战士一样去保护病人的生命与健康，不论对手是病毒、细菌，还是“白衣魔鬼”。

可是，1998年11月，她在那场较量中已失败一次了——广中地段医院作出“关于陈晓兰同志自动离职的处理决定”。她下岗了，失去了工作，离开了医院。

可是，“光量子”却没有完全“下岗”，在其他医院仍然火爆，它像外来的有害生物快速蔓延，在金钱的支撑下表现出旺盛的生命力。广中地段医院的要好同事也开始抱怨陈晓兰了：“你呀，胳膊肘尽往外拐，现在我们医院的‘光量子’停下来了，其他医院还都在用。过去，我们医院每天收入20 000多元，‘光量子’一停，连6 000元都不到了。”

险途　图/谢正军 新华社发

陈晓兰不相信，骑着自行车跑遍了虹口区各个医院。她越跑腿越软，越跑头皮越麻，“光量子”果真在其他医院盛行。难道这“光量子”像《晏子春秋》中所说的：“橘生淮南则为橘，生于淮北则为枳，叶徒相似，其实味不同。所以然者何？水土异也。”在广中地段医院是假劣器械，是非法的、害人的，在其他医院就会变为合法的、有医疗价值的吗？否则，为何只查禁广中地段医院一家？陈晓兰再次去上海市医药管理局反映。她得到的答复是：人家那些医院没人举报，所以我们就不能查处。

这是什么道理？执法部门明知假冒医疗器械在那些医院泛滥，只因为没有人举报就允许它存在？如果警察看见有人抢劫杀人，是否因没有人举报就视若无睹？这到底是病人的悲哀，还是百姓的悲哀？执法官员看得下去，陈晓兰却看不下去。

“那么我来举报好了。”她说。

“你不是那些医院的职工，举报无效。”官员说。

“那么，除了医院的职工之外，谁举报有效？”她不甘地追问道。

“患者，病人是受害者。”

执法的官员啊，你明知道病人是受害者，为什么就不能保护他们？为什么非要等有资格的人来举报？在中国，有多少医生会像陈晓兰这样冒着下岗的风险去举报呢？对于病人，有谁能知道医院给自己用的医疗器械是假的，是对身体有伤害的？如果五年没有病人举报，你们就让它泛滥五年；十年没人举报，你们就让它泛滥十年？坑害的是谁？是病人，是百姓，是养活你们的人民！百姓对政府部门的最大不满不是生活的艰苦，而是他们用自己血汗养活的官员不把他们当人！

只有先当受害者，才有资格当举报者。陈晓兰只有冒险接受“光量子”的戕害。

“受害”前，她找上海市药品检测所的工程师咨询，如何避免“光量子”的伤害，发生意外怎么处理。工程师们纷纷劝她不要去做这个受害者，等大家想办法来解决“光量子”的事情。可是，“光量子”每天都要戕害成百上千的病人，怎么等得了呢？

从2月1日起，陈晓兰在朋友的陪伴下，在三天内接受四次“光量子治疗”，取得了有力的证据。她到上海市医药管理局举报，没有立案；到上海虹口区人民法院起诉，也没有立案。她走出那些机构的大门，心里弥漫着悲哀和凄苦，难道在这么大个上海就没有机构让病人免遭“光量子”的戕害？最后，她只好去北京，向国务院、卫生部、医药管理局、工商总局等部门反映情况。

1999年4月15日，上海市卫生局会同医疗保险局、医药管理局终于作出了在全市医院禁止使用“光量子”的决定。在上海为害长达三年之久的“光量子”终于寿终正寝。据上海市医疗保险局的一位负责人讲，上海市有1 000台“光量子”，以平均每台每天治疗10人次计，那么一天至少要用掉医保费用40万元！

上海是幸运的，幸运的是出现了陈晓兰。几乎全国各地都把“光量子”列入了医保项目，直到2005年卫生部下文取缔“光量子”。六年，它骗去全国百姓多少钱，有多少人被它害得家破人亡？

“我在1997年就反映假冒医疗器械的问题，到现在一没有立法，二对造假用假的机构没有制裁。我不能再相信你们了。”一次次的较量，已把她打造成战士。

在第一次下岗时，许多海外的亲友劝她出国，别跟医疗腐败抗争了，甚至还帮她找好了工作，到妈妈一位同学的诊所里当医生。她执著地说，出国容易，海外有那么多亲戚，随时都可以走。可是，中国不强大的话，你跑到天堂又怎么样，还不是受人欺辱？20世纪50年代，华侨在印尼受到了惨无人性的迫害，一位华侨不是只穿着一只鞋子跑回祖国的吗？

中国要想强大，想要建设一个和谐的社会，医疗腐败不解决怎么行？

医疗腐败那不是某个人的问题，那是整个医疗体系和制度的问题。她清楚地意识到：“医疗器械企业制假，医院用假，医生为病人做假治疗，这已成为一种潜规则。

在医疗系统中，这个过程几乎就是各方牟取利益的流程图。”对手太强大了，那不是某个医院，某些医生，而是一个庞大的利益联盟，是有钱的造假厂商、有名望的专家、有权力的官员，还有那些借用假器械捞钱的医院领导和医务人员。她一个没权、没钱、没地位、没了工作的医生，一位跟女儿相依为命的弱女子，何以能与之抗争？

通过一次次的上访，她总结出了上访的要件：上访要具备专家的头脑，无赖的脸皮，运动员的体魄，还需要有足够的财力。对于她而言，除了清醒的头脑之外，其他都不具备。

有人说，这是陈晓兰一个人的战争；有人称她是中国的唐·吉诃德。在海外的弟弟很体贴姐姐，出钱给她请了一位保姆。那位从农村来的保姆在她家干了不长时间，知道了陈晓兰在做什么之后，说，陈医生那是拿石头砸天……

在一次上访中，一位官员很直率地问她，现在像你这样的医生还多不多？

“我从来没有孤独过。”她坦率地回答。是啊，她凭着一个医生的良心，为全国老百姓做事，怎么会孤独？

陈晓兰说：“我得到过不少人的支持和帮助，其中有医生、记者、亲戚、朋友，是他们给了我勇气和力量。”在她要去上海市医药管理局举报“光量子”时，跟一位医药管理局的离休干部打听路，老人先是劝她不要管，那事很复杂。她坚持要去，老人就摇着头把医药管理局的地址写给了她。当她走出很远时，老人托人追上她，捎话说，让她去找某处长，这个人还比较正直。一次上访时，接待室门前排着长龙，很多人都是前一天就来排队。听说她是为老百姓反映医疗腐败问题的医生，人群中让出了一条路，大家纷纷把她让到前面。在北京，一位陌生的老板听说她的事后，不仅帮她找了一家便宜旅店，而且还叮嘱旅店老板，她是一个好医生，你要保护好她。中专和大专自考班的同学，还有同学的家人、朋友和病人都帮她搜集各医院的医疗腐败的证据。一位博士生导师、医疗器械专家对她说：“你咬咬牙再顶一下，我们大家支持你。看病的事儿，我们替你做，举报医疗的黑幕没人能取代你啊！”一位朋友帮她在网上建了一个主页：“一个有良心的医生——陈晓兰医生主页”。一进入这个主页，你就会发现她感动了多少人。许多人在网上留言，说她是英雄，真正的医生，对她敬佩得五体投地；有人坚决支持她，愿意为她提供帮助……

可是，在这个世界上，有多少人会相信陈晓兰能赢得这场战争？

可是，她是一位医生，一位真正的医生。在医疗腐败面前，她是没有任何退路的，要像《英雄儿女》中的王成一样与阵地共存亡。“你是医生，患者不懂，你懂，你要保护他们的权利。”妈妈的遗嘱，她不能辜负。

“第一，我不能放弃，我放弃了就没人替病人说话了；第二，我不能输，我输了，全国的老百姓就都跟着输了，那些假的医疗器械、假的治疗就要在医院存在下去，全国的病人就要被其盘剥和戕害。”她把反医疗腐败的重点放在假冒器械上。

那些造假的厂商对她恨之入骨，有人嚣张地说，如果不是有人在前边挡着，几个陈晓兰都让她闭口。有些官员对陈晓兰怕得要命，他们无法预料她能把他们的“天”砸出多大的窟窿。某区卫生局要求下属的各医院要像解放初期全民“防奸防特”那样严加防范陈晓兰，许多医院还向医生护士介绍陈晓兰的长相和身高。上海市卫生局一位领导在写给上海市委、市政府的信中说：“建议有关部门对原虹口区广中地段医院陈晓兰医生扭曲事实真相，混淆视听的行为予以训诫。”上海市药监局的某位官员对采访、报道过陈晓兰的记者说，“陈晓兰里通外国，她找外国记者反映……”还有一位官员呼吁，对陈晓兰要进行政治定性。那些有医术没良知的医生，甚至于既没医术又没良知的医护人员，对她怨恨不已，称她是医疗界的“叛徒”，一时间各种势力黑云压城似的袭向陈晓兰。

“我的原则是中国人的事情，中国人自己解决，不可能找外国记者的。”她说。可是，这声音太弱了，弱得远远不如妈妈当年站在楼下，腰弯成 90 度的呼唤声。有谁能听得见呢？

那些人会不会找什么借口对我进行迫害？她跑去找妈妈的同学、解放前曾是中共上海地下党、解放后曾担任过领导干部的王伯伯。王伯伯劝她，你要把所有证据存放到外滩的银行里去，或者放到我家。否则，他们把你抓起来，搜查你的家，把所有证据收走了，最后顶多给你赔礼道歉，赔偿你点儿钱。你要避开这场灾难……

我又没干坏事，为什么要躲起来？她心情灰暗地回到家，挥笔给主管医疗的市长写了一封信，要求市领导安排人直接跟她谈话。

主管医疗的市长安排市长办公室主任、信访办主任接待了她。他们告诉她，市里始终在关注她的情况……

尽管那些人不能把她怎么样，可是在这场实力悬殊的较量中，她怎么能够胜出？从反抗医疗腐败那天起，她的处境极其被动，历经 11 个月的检举揭发，“光量子”被禁止了，可是它的替代产品——“鼻激光”和“光纤针”出现了；她把“鼻激光”举报停了，“静舒氧”“伤骨愈膜”又出现了，假冒器械层出不穷……表面看，陈晓兰获胜了，实质上却败了，病人不受这个骗了，就受那个害，病人的权益根本没法得到保护。在这么一种适合医疗腐败滋生的环境里，别说中国只有一个陈晓兰，就是有十个、百个陈晓兰也无济于事啊！

在斗争中，她渐渐明白一个道理，假冒医疗器械之所以能够在医院猖獗，其根本原因是：在中国买卖假币、假烟、假酒、假药都是犯罪，而制造和使用假劣的医疗器械却不是犯罪。她决计进京，向卫生部、国家药监局反映，呼吁为医疗器械立法。有人劝她不要外出，劝她要注意人身安全，以防那些人狗急跳墙，对她下毒手……

2003年的一天，陈晓兰登上了开往北京的列车。她刚爬到上铺，整理好自己的铺位，一位陌生男子敲着她的铺位，用一种不容商量的口吻让她下来。

“下来干吗？”她以为对方找错了铺位，“你把你的票仔细看看呀，这是我的铺位啊。”

他仍然坚持让她下来。他身材高大，可以平视上铺的她。接着又过来三四个男子，要取下她的旅行包，让她下来。

她制止他们动她的东西，并要他们出示车票。他们说，X在下面等她。

“我也不找X，我下车干什么？”她明白了，他们是怕她进京上访，想把她拦下。

“就是她，就是她！”又有许多人跑了过来。周围的旅客也聚拢过来，有人让那些男子出示证件。他们拒不出示，只是让她下车。正相持不下之际，她认识的官员X跑过来。

“陈医生啊，我们可找到你了。好好，回去吧，回去吧。”X说。

“我又不找你，跟你回去干什么？我是医生，我要把所发现的有关医疗器械方面的腐败向国家药监局反映情况。”1999年4月，“光量子”在上海被禁用后，上海市药监局没有向国家药监局反映，“光量子”在其他地方仍然泛滥。她给国家药监局写过信，发过传真，可是一直没有答复。

“回去吧，上海能解决。”他说。

“我在1997年就反映假冒医疗器械的问题，到现在一没有立法，二对造假用假的机构没有制裁。我不能再相信你们了。”一次次的较量，已把她打造成战士。

“走开，走开，不要影响我的工作。”列车员走过来说。那些人很无奈地下车了，列车员悄悄地拉一下她的衣角。

那些人不甘心地站在月台威胁道：“陈晓兰，你到不了北京！”

“我一定能够到北京，而且还能到国家药监局！”她回应道。

列车驶离了上海，滑入了夜幕，蓦然，莫名的恐惧袭上她的心头，父母去世了，亲属大部分在海外，万一自己出了意外，谁来接替自己？那些历经千辛万苦收集的证据交给谁？还有，女儿托付给谁？近来，经常有素不相识的人问她：“你女儿好吗？”她很惊异，也很敏感，他们怎么知道她有个女儿？女儿过去很支持她，觉得她很伟大，为她而自豪。一次，女儿在公交车上读到一篇关于她的报道，当读到她为了取证竟然“以身试针”时，女儿放声大哭起来。回到家，女儿搂着她哭着说：“妈妈，假冒伪劣的医疗器械层出不穷，你是抵挡不住的。妈妈，你不要再管了……”

陈晓兰打电话给一直支持她的同学倪平：“如果我有不测，你一定要接替我干下去。”倪平是全国“五一劳动奖章”获得者，安徽省“三八红旗手”，她非常爽快地答应了。陈晓兰就把证据存放在哪儿都一一交代清楚了。接着，她又给王伯伯打电话，如果她回不了上海，请王伯伯帮忙做几件事。这位可爱的老人多次为她的事去找市长，他曾经跟市长说：“我用党性担保，陈晓兰是没有私心的。”当老人听完陈晓兰的话后，坚定地说：“晓兰，放心吧，你做的事，我老头子一定会接着做下去的……”那夜，老人几乎未眠，一会儿打一个电话过来，他劝她说：“晓兰，下车吧，你的爸爸妈妈都不在了，你要听伯伯的话，伯伯不想让你发生任何意外……”他说，他有责任替她的父母保护好她，要她赶快下车，换一列车进京。陈晓兰被说服了，去找列车员索票下车。这时，列车上的人知道了她就是那位同医疗腐败决一死战的医生。列车员劝她不要下车，乘警对她说，陈医生，你在我们列车上是绝对安全的。周围铺位的旅客都爬起来了，要保护她的安全……

列车驶入北京站，还没停稳，乘警就护送她下了车。当她走出车站时，身后的旅客还都没跟上来。

第二天，倪平赶到北京，特意来保护陈晓兰。在第三天，当她们要去国家药监局时，发现了跟踪者，那是一个男子。倪平乱了方寸，她们身带重要证据，万一被劫，那么就无法去药监局举报。最后，她们分开，几经周折，甩掉跟踪者，分别赶到国家食品药品监督局（SFDA）。那天是局长接待日，一位副局长接待了她们……

打假应该是政府的行为，是你们的不作为才导致假劣医疗器械泛滥成灾，才逼迫她这位医生下岗失业，耗七八年的宝贵时间去举报啊！

“陈医生，您又来反映问题了。”在SFDA的电梯里，官员们跟陈晓兰打招呼。她已经进京34次，SFDA的门槛已被她踏平了，跟这里的人也都混熟了。有时，她需要复印资料，不用像那些上访者满大街找复印社，在他们的办公室就复印了。

“来了。”她回答道。不来怎么办？问题没解决，伪劣医疗器械还在全国各地泛滥。

“在医疗器械领域，唯一执行的法律依据是《医疗器械监督管理条例》，可是，在这一条例中却没有对假冒伪劣医疗器械进行定义，也没有相关的处罚条款。生产医疗器械的企业应该对其产品负责、承担后果，不能只取利润，不承担风险，一边行贿，一边造假。另外，应该把在医疗机构内通过医疗服务达到欺诈目的的案件，从普通的医疗纠纷、医疗事故中剥离出来，追究其刑法责任……”这种话，她不知在SFDA说过多少遍。

“陈医生，这些问题你最好到卫生部反映，让他们解决。”一位SFDA的官员对她说。他是球技精湛的“足球守门员”，不论什么问题都能挡在球门之外，或把它踢回，或传给他人。

“不，不。到卫生部只能反映医风医德的问题，医疗器械的注册、销售、使用都归你们药监局管。你们的权力很大，连医疗器械的说明书都归你们管。可是，你们连说明书都没管好。几乎所有医疗器械的说明书上都写着‘或遵医嘱’。遵医嘱意味着什么？那就是医生想给病人怎么用就怎么用。这样，说明书还有什么用？”她可不是一般的中锋，不仅进攻性极强，而且对各部门的职责了如指掌。

她来到11层01办公室门口，轻叩两下，随即推门而入。一位胖胖的、脸色黧黑的官员坐在一张大大的办公桌前。他衣着朴素，看上去有几分憨厚质朴，身后耸立一面共和国国旗，桌上插着袖珍国旗。他就是SFDA的医疗器械司司长郝和平。自SFDA成立，他就出任这个司的司长，在医疗器械领域是位呼风唤雨的人物。前不久，他还荣获“中央国家机关防治非典型肺炎工作优秀共产党员”的称号，是中央国家机关工委表彰的58名共产党员之一。这位司长并没有因为她的贸然闯入而表现出不快，而是热情地让她坐下。她在他的对面坐下，再次向他反映情况。他似乎在听，可是对她既不反驳，也不首肯。她讲累了，口干舌燥了，停下来，望他一眼就把目光转向了他身后的国旗。郝和平啊，你怎么也应该对得起这面国旗吧！

郝和平这人很平易近人，不论陈晓兰说什么或怎么说，都不愠不恼。不过，她是不说白不说，说了也白说，这位执掌医疗器械行政审批大权的官员这耳听那耳冒。他可不像那些手下的小官吏去挡你的球，而是敞开球门让你猛劲儿踢。当你踢完之后，汗流浃背地坐在地，再看一眼球门，立马就傻掉了，里边空空如也，踢进去的球早已没了踪影。你还会爬起来继续踢吗？陈晓兰却踢了下去，她是一位百折不挠、执著不已的中锋，一次次去攻郝和平的球门。

“司长的办公室，你怎么可以随便乱闯？”SFDA有人不满了，指责她道。

“我反映的是人命关天的问题，应该他管他没有管好，我怎么就不能进去跟他说？再说，我已经象征性地敲两下门了。”她理直气壮地说。

在SFDA，陈晓兰不仅只找郝和平，还先后跟四位副局长反映了八次问题。一次，一位副局长听完她反映的情况后，让身边的郝和平和另一位司长把手机号码告诉她，以便联系。这有何用？当面反映都解决不了，在电话里谈能解决吗？尽管如此，她还是很感激那位副局长。

卫生部下文了，在全国范围内取缔光量子。可是，厂家还在成批生产，一箱箱光量子销售到全国各地，在一些医院它还是主打治疗。陈晓兰专程去北京，要求SFDA撤销“光量子”的注册证号。郝和平不作为，他手下的官员说：“既然卫生部已经取缔了，那么就让它自生自灭吧。”

“你们不撤销它的注册证号，它就是合法的医疗器械，生产厂家就要继续生产，医院要继续使用！”陈晓兰说。

可是，她人微言轻，球踢进去了，算不算数，官员们说了算。他们想管就管，不想管她又奈何？

在一次SFDA局长接待日，一位副局长端坐在会议圆桌的上首，身边围坐着郝和平和其他司的司长，陈晓兰坐在圆桌的下首。当副局长听完她所反映的“光量子”等医疗器械的情况后，当即给郝和平布置了五项任务。

“以医疗器械司为主，以市场司为辅，根据陈医生提供的证据，召开专家论证会。专家由SFDA和陈医生分头请，双方数量相等。”副局长说。

“我不是专家，只不过是名临床医生。”陈晓兰说。

“不，你就是这方面的专家。”副局长肯定地说。

陈晓兰长长喘口气，这次没有白来，问题终于得到了解决。没想到，郝和平一出门就把五项变成了两项，到了下边的处室两项变成了一项半，副局长的指示还没出SFDA就流失了70%。

专家论证会终于召开了。郝和平没有让陈晓兰去请跟她观点一致的专家，而是在开会的前三天才通知她参加会。她打的是一个人的战争，要孤军对付那些专家和官员。为备战，她连续三天带着黄瓜和馒头，跑北京紫竹院的图书馆去苦读，去收集资料。

论证会开始时，在专家们面前，陈晓兰不敢讲话。听北京的一位专家讲某种医疗器械如何好，她憋不住了，对那位专家说：“您先等一下，不要说它好或是不好，如果您是中医请告诉我，用这种器械治疗半小时后，在望、闻、问、切上有什么变化，比方一小时后脉搏有什么变化，病人的舌苔是什么样的；如果您是西医，请您告诉我，治疗后血液的黏稠度是多少，列出伯努力方程式，把整个过程告诉我……”她说完，那位专家马上坐下了，没再发言。他并没有因此而记恨陈晓兰，在一次陈晓兰没有出席的论证会上，上海的某位专家攻击陈晓兰，说她是工人。这位专家拍案而起：“如果有像陈晓兰这样的工人，那么我们这些专家就不必坐在这里论证了！”

在讨论光量子时，G官员不准陈晓兰提石英玻璃输液器，因为它是药监局注册产品。陈晓兰只好讲氧加入生理盐水或葡萄糖溶液中会有化学反应。G官员马上对生产厂家说：“陈医生对你们在盐水和葡萄糖溶液中加氧有意见，你们能不能在说明书上不加那些文字？不加就不加了。”似乎他是他们的老板。

陈晓兰接着说，用紫外光照也不对。

“那么把紫外光照射那部分的文字也改了。”G官员说。

“G官员，你这样讲就不对了。光量子就是由这些组成的。这就像一幢三层楼房，你不要一楼，也不要三楼，那么那幢三层楼房还存在吗？”陈晓兰不快地说。气氛顿时紧张了。

“陈医生，你打这个比方我听不懂。”G官员瞪着她说。气氛有点儿剑拔弩张了。

“是啊，你现在听不懂，回去琢磨琢磨就明白了。”她毫不让步地说。全场寂然，时光似乎凝固，不再流淌。那毕竟是高层的论证会，与会者见过的世面多了，沉寂很快就被划破。

“你不是有乳腺癌吗？为什么不用‘光量子’来治疗一下？你说它好，你自己不用让别人用，你只能诓人家，诓不了自己。”当一位专家大谈特谈光量子好时，陈晓兰忍不住质问道，流淌的时光又停顿了。

“她那癌症跟别人的不一样。”有人打圆场说。

“有什么不一样？癌就是癌，跟癌不一样那就是瘤了？”陈晓兰想，你不要耍花样，以为别人低能！

当论证光纤针时，G官员又喋喋不休地大讲光纤针效果如何好。

“你不是有糖尿病么？光纤针不是能治糖尿病么？你为什么就不试试呢？”陈晓兰质问道。

“哦哦，我不试，我不试。”G官员把脑袋摇得跟拨浪鼓似的，在场的人都忍俊不禁了。

“你明知道那东西根本就没有疗效。你自己不用，却让全国的病人用！”陈晓兰一针见血地指出。G官员尴尬地闭上了他的嘴巴。

她对国家药监局越来越不满，对郝和平这种欺上瞒下的作为越来越深恶痛绝。医疗器械司的职责是起草有关国家标准，拟订和修订医疗器械、卫生材料产品的行业标准、生产质量管理规范并监督实施；负责医疗器械产品的注册和监督管理；负责医疗器械生产企业许可的管理；负责医疗器械不良事件监测和再评价；认可医疗器械临床试验基地、检测机构、质量管理规范评审机构的资格；负责医疗器械审评专家库的管理；负责对医疗器械注册和质量相关问题的核实并提出处理意见等。陈晓兰怀疑郝和平等SFDA官员与医疗器械生产厂家、药品生产厂家有着千丝万缕的联系，甚至在某种程度上已形成利益的共同体。他们是故意不作为，利用相关条例的漏洞牟利。

一次，她对SFDA的一位副局长说，郝和平阳奉阴违，在监管上不作为。事后，SFDA的一位官员说，“你老告郝司长的状，说他的坏话，这不对。要知道郝司长多次帮你的忙，开第二次光纤针的论证会时，你们上海的专家都攻击你，有人说你是工人。郝司长用手指叩着桌面说，你们不要这样评价陈晓兰，我们是用纳税人的钱请你们到北京来开会，要论证的就是陈晓兰提出来的问题。我接待过许多上访者，只有陈晓兰不是为自己，她没有私心，为的是病人利益。”

难道郝和平说她好，她就得说郝和平好吗？中国医疗改革20年，“光量子”泛滥了15年，老百姓的数以百亿的救命钱被它吞噬掉了，无数家庭被害得倾家荡产，家破人亡，这能说跟郝和平这位SFDA的审批大员、医疗器械司的司长没有关系吗?

“绝对的权力导致绝对的腐败。”陈晓兰的总结是，SFDA有100%的权力，却没有任何责任；卫生监督管理局有95%的权力，只有5%的责任；医疗保险局只有权力，而没有责任。这样怎么会不导致医疗腐败，医疗改革又怎么可能成功?

一次，陈晓兰去SFDA，经常接待她的官员大都不在。

“那几位去哪了？”她问一位熟悉的官员。

“有出国的，有去献血的。”那位年轻的官员说。

“那你怎么没去？”她奇怪地问。

“我才不去呢，那么脏。”官员说。

这句话犹如搬起石头砸在她的心，你们是监管医疗器械的权力机构啊，知道那些医疗器械脏，自己不去用，可是你们却眼睁睁地看着全国的病人用。我的爸爸妈妈用的就是这些脏的医疗器械啊。她的心碎了，泪流满面地走出SFDA的大楼。

她顶着寒冷的西北风，泪流满面地走在街上。从SFDA到旅馆只需十分钟的路程，她却转悠了两个来小时。她伤心啊，委屈啊，打假应该是政府的行为，是你们SFDA的职责，是你们的不作为才导致假劣医疗器械泛滥成灾，才逼迫她这位医生下岗失业，耗七八年的宝贵时间去举报！她在没有工资，没有医保的情况下，为举报假劣医疗器械花去了近10万元钱。为节省几个钱，往返于京沪她尽量坐慢车，一次从北京回上海，她站到济南，脚肿得站不住了，狠狠心补了一张上铺，仅仅因为上铺便宜那么几元钱，年过半百的她要爬上爬下。她喜欢清洁和安静，刚进京上访时，她住的是280元的宾馆标准间，后来降到100元的普间，后来降为30元的地下室。

这次，她原打算在京待三天，没料到要找的官员出国了，她只好等了十天。带的盘缠越花越少，她只好天天啃馒头喝开水，甚至连3元钱的澡都不洗了。最后，只剩下买一张返程硬座票的钱了。可是，她一次次地跑北京，有多少次是有效的、是对那些官老爷那麻木、冷漠的心灵有所触动的？有多少次是无效的，是劳民伤财的呢？她的泪越流越多，脸颊沙得难受。她感到自己无法面对死去的父母和支持她的女儿，也无法面对自己，还有那些病人。眼泪哭干了，她回到旅馆。她不愿意让旅馆的老板知道自己哭了。那位老板听说她是为举报医疗腐败而进京的，对她非常照顾，30元宿费只收她20元。

她举报的那些伪劣医疗器械，多数都是在药监局注册的，在产品鉴定书上有专家签名的。难道那些专家不学无术，还是药监局的官员被蒙骗了？

2005年6月，SFDA的局长被免职。7月的一天，陈晓兰去SFDA时，一位官员欢欣地告诉她：郝和平因涉嫌商业受贿被刑拘。陈晓兰没有感到大快人心，而是感到了沉重。2001年至2004年，经SFDA注册的境内医疗器械产品平均每年高达7 370种。2004年，美国食品和药品管理局仅批准了52种使用新技术的新医疗器械，公布了3 365种使用现有技术的医疗器械。在每年注册的7 300多种医疗器械中，哪怕其中仅有一两个伪劣产品，她就是一辈子也举报不完！

六个月后，SFDA的药品注册司司长曹文庄等官员被“双规”，随即被正式批捕。医疗器械注册和药品注册是SFDA的两大“主业”，随着两位行政审批大员的被捕，引发了一场地震。陈晓兰对北京市西城区检察院的检察官说，郝和平等贪官不仅是经济犯罪，更重要的是渎职！他们放弃国家和人民的利益，坑害了全国的百姓！

2005年9月5日，SFDA局长接待日，这次只接待陈晓兰一个人。一位副局长绕过长长的会议桌走过来，跟她握手，真诚地说：“感谢你这八年来的坚持！”这是陈晓兰第九次参加SFDA局长接待日，也是她第三十二次赴北京反映医疗器械问题。这次她反映的是“静舒氧”的问题。

“静舒氧”这东西太有诱惑力了，就像一条传送带，这边放上它，那边就传过来一捆一捆的百元现钞。陈晓兰却把传送带割断，将“静舒氧”打入地狱。她冒着生命危险来到Y省。

她被一些人围困在医院……

陈晓兰第一次见到被称为“静舒氧”的东西，是在上海一家医院的高干病房。那是一个绿色的塑料小瓶，与之配套的是一根长长的针。据说这种东西很神，可以在呼吸系统之外，为病人“再架一条给氧通道”，“在病人输液的同时使氧气直接溶解到液体中，以溶解氧的形式直接供给组织利用，减轻组织缺氧，即内给氧，再配合吸氧，从而达到治疗各种缺血缺氧性疾病的目的。”

陈晓兰的同学L的父亲接受的就是“静舒氧”治疗，在那次的2 600多元治疗费中，有2 100多元被它吃掉了。他是具有相当级别的离休干部，这些开销由国家埋单。

L和母亲都是医生，她们对“静舒氧”表示怀疑，请陈晓兰去看看。

“这肯定是个骗局。按生理学原理，氧气吸入人体与红细胞化学结合后，通过动脉和人体组织进行气体交换。氧气直接输入静脉怎么能提高血氧饱和度？高氧血在静脉里是否会引起血管壁氧化脆性？”陈晓兰说。

于是，L跟护士长说，不要再给父亲使用‘静舒氧’了。

“没事的，反正也不要你们出钱，给他用用也没关系。”护士长坚持要用。

“我去买瓶敌敌畏请你吃，你吃吗？我也不要你付钱。你肯定不吃，你知道有毒。可是，这种器械可能会对人体有害，你却非要给人家用。”陈晓兰气愤地说。

可是，“静舒氧”是经过上海医学会临床试用准入论证的，五位专家均同意准入，无一人不同意。陈晓兰在“静舒氧”的说明书上发现，那绿色塑料瓶子里充的根本不是什么氧气，而是洁净空气。可是，这洁净空气却比氧气还昂贵，一小瓶37元。

陈晓兰一次次赴京向SFDA反映，在她的不懈努力之下，2005年，SFDA终于下文严肃查处“静舒氧”。她以为这下“静舒氧”可以寿终正寝了，不会再坑骗病人了，没想到这时，她接到了Y省的医疗器械销售主管S的电话。

S说:“如果不是你举报，在2006年全国每个病人在输液时都会挂上一瓶‘静舒氧’。你截断了那些人的财路，他们恨死你了。不过，我却认为你很伟大。”

“我没有你们想象的那么伟大，我是一个很平凡的人，在不知深浅的时候，觉得是对的就跨了一步，没有去想跨出去的那只脚能不能站住，所以每一步都跨得挺艰辛。”她实事求是地说。

S说，他们给省里的两位主管官员20万元。可是，在论证会上，七位专家却没有一人同意准入。他们原以为用20万元搞定那两个官员，让那官员把专家搞定。没想到，官员没把钱分给专家。专家也不过是聋子的耳朵——摆设。他们不签字“静舒氧”照样进入了Y省。他说，Y省的“静舒氧”除了七台之外，都是经他的手卖出去的，总共600多台。

他说，他早就知道“静舒氧”是骗人的。一次，他到下边给当地的官员和医院的头头送回扣，在那里见到一对年迈的村民。老太太患有心脏病，老汉好不容易凑了百八十元钱，陪着她去看病。结果，医生就给老太太开了两针“静舒氧”。老汉满怀悲凄地说:“70多元钱就扎这么两针，还不知道能不能治好，这针咋就这么金贵呢。”老头说着说着就老泪横流。老人的话像巴掌似的打在他的脸上，S转过脸去，哭了。这哪里是推销器械，这是在做伤天害理的勾当啊！他决心洗手不干了。

可是，“静舒氧”太具诱惑力，就像一条传送带，这边把它放上去，那边就传过来一捆一捆的百元现钞。厂家以每针 6 元钱的价格卖给他们，他们以每针 23.17 元的价格卖给医院。他想，我不推销“静舒氧”别人也会推销。对那些病人来说，又会有什么不同呢？再说，我们这些人不从这些病人身上赚钱，从谁身上赚呢？于是，他又做了下去。

一天，在外地的母亲来电话说，她病了，在医院扎了几针，很贵。他问妈妈，那针是什么样的？妈妈说，有一个绿色的塑料瓶，还有一根长长的针……他立马明白了，那就是“静舒氧”。他叮嘱妈妈千万不要再扎那种针了。放下电话，他一拍大腿，真是报应！他推销的“静舒氧”用在了他妈妈的身上。后来，“静舒氧”给央视曝光了，他也就从医疗器械公司辞职了。

“Y 省的一些地方还在用‘静舒氧’，尤其是 C 地区。不过，你千万不要来，他们跟黑社会有联系。”

可是，不去就没有证据，没证据就不能举报，不举报“静舒氧”就要继续坑害那里的病人！

2006 年 3 月，陈晓兰来到 Y 省的省会，随同她前往的是央视的三位记者。

在宾馆入住后，她就给 S 打电话。他很快就过去了。她说，还有两位朋友，想一起聊聊。他说，不是两位，而是三位，你们一起来了四人，一位住在外边，两位跟你住在宾馆。入住后，你们调过一次房间。陈晓兰惊呆了，突然感到有点毛骨悚然。

“在这里，你不能出去，否则会有生命危险的。你在央视是露过脸，网上还有你的照片，他们会认出你来的。”

“可是，我又没伤害谁，我只想让病人不遭受伤害。我又不想得到任何好处……”她望着 S 说。

“谁拦了他们的财路，他们就要干掉谁。你千万不要去 C 地。”

可是，陈晓兰他们还是去了远离省城的 C 地区。他们昼伏夜出，一天，晚上出来吃饭时，突然陈晓兰心酸地说：“怎么那些造假、售假、用假的人变得光明正大，我却变得鬼头鬼脑的。”

在要回来的那天上午，他们去了一家医院。听说，他们在使用“静舒氧”，可是在医院转了好几圈儿也没见到。陈晓兰只好故意弄脏手，然后跟护士借肥皂，趁机查看护士的工作间。几个楼层都看过了，没有发现。在准备撤离时，她提出去跟医生打听一下。记者连忙阻拦，那样太危险了。她说，我们不能白来。

“我是从上海来的，想了解一下‘静舒氧’的情况，听说你们一直在用。”她走进医生的办公室，对一位医生说。

“我们医院这个月没有用。不过，上个月还在用。”那位医生很诚实地说。

“那么器械放到哪去了？”她问。

他带他们去找护士长，护士长又把他们带到办公室，从工作台下边取出三台“静舒氧”。央视的记者急忙进行拍照。

“你是哪的，销售公司的？”突然，护士长觉得有点不对头了，问陈晓兰。

“不是……”陈晓兰本可以哼哼哈哈搪塞过去的，可是她不会撒谎。

“那你们是干什么的？把拍完的带子都给我留下来！”护士长变脸了，说着掏出手机拨打了一通。片刻，从四面八方跑来很多人，把他们团团围住了。

“你们不交出带子就别想出去！”他们凶狠地说。

这时，一位个头很高、穿着黑衣服的男子走进来，一眼盯住了陈晓兰。原来他是这所医院的设备科主任。

“我在前天的电视上见到过你。我已经通知供货商了，他们马上就到了……”

供货商来了，这意味着什么？

“你知道造假是违法行为，你通知他们来是什么目的？那样的话，我不仅要打110报警，还要给你们当地的药监局和卫生局打电话报案！”陈晓兰气愤地说。

那位主任有点害怕了，因为他们用的“静舒氧”不是从医疗器械采购部门购的，而是厂家直接送进医院的。这是违规的。

“到这里来的不是我们三个，外边还有一帮记者。我们事先约定，如果11点钟我们不出去，他们就要进来。”记者吓唬说。

最后，那些人无奈地让开一条路，陈晓兰他们终于逃离医院，当天带着证据乘飞机返回上海。

尾声

傍晚，上海嘉定公墓，碑碣如林，万籁俱寂，光阴恍若辍止。

陈晓兰坐在墓前，沉浸在手捧的书中。夕阳轻抚她憔悴而苍老的面容，在风儿的撩拨下，花白发根钻出来。夕阳带走了最后一道光线，她站起来，深情地望着眼前那两座墓：一座是爸爸的，一座是妈妈的。这里是她心灵的家园，每当心情烦躁时，她就来陪父母坐一会儿，跟他们唠唠，在墓前读一会儿书。

她从来不给父母烧纸，只给他们读报读刊，将医疗领域的反腐败情况告诉他们，甚至将一些文章烧给他们。她知道他们最关心的是医疗界能否清除污染，让病人有一个安全的放心的医疗环境。

2006年，她获得央视“3·15质量先锋奖”。九年来，在她的举报下，七种伪劣医疗器械被禁用。可是，她也为此付出很大的代价。抗击医疗腐败，她呕心沥血，饱经风霜。过去她不仅比实际年龄年轻许多，而且长得也漂亮；如今她比实际年龄老许多，脸上过早地出现了老年斑，她越来越害怕照相和上镜头，自己看了都心酸。她经常夜以继日地写举报材料。一次，她想从电脑桌前站起来，突然感到心慌气短，绵软无力，摔倒在地，怎么也爬不起来。她打电话给一位同学。同学不在家，同学的丈夫焦急不安地说：“你千万不能去医院啊，有些医院和医生都恨死你了，别让他们再对你下黑手……”

“放心吧，我不会去医院的。如果我生病了，我就挺；挺不过去，我就死。我绝不能带着一身的药去西天，让女儿背下一身的债务……”

三年前，女儿在她的催促下结婚了。了却了她一块心病，不用再为女儿的安全担忧了。

“妈妈，你的话女儿一直铭记在心：‘晓兰，病人不懂，你懂，你是医生，你要保护病人的权利。’女儿不遗余力去做了。爸爸妈妈，你们活着的时候女儿没有陪好你们，没有尽到女儿的孝心，总有一天女儿会来陪伴你们的，一直到地老天荒。”

她对女儿说，等妈妈死后，一定要让妈妈穿着白大褂离去，另外，把妈妈的执业医师证放在妈妈的身边。哪怕到另一个世界，她还想做个医生，一个真正的医生！

医疗腐败还存在，魔鬼还猖獗，天使还要战斗下去。

（选自2006年第6期《北京文学（精彩阅读）》，有删节，作者：朱晓军）

易中天：公鸡中的战斗机

央视《百家讲坛》栏目将许多雪藏在象牙塔的专家、学者推向荧屏，推到老百姓身边。易中天就是其中一名。2006年2月12日易中天在《百家讲坛》开讲《易中天品三国》，一举成名，并获得了“学术超男”的称号。易中天的名字，现在已不限于学术圈了，有点明星的味道。

“幸亏易中天不姓黑”

2006年暑假我从哈尔滨国际小说讨论会转道北京参加中央电视台《百家讲坛》的拍照活动，到影视之家恰值早饭，司机送我到房间，听说与易中天两墙之隔，可早餐未看到他，他肯定在餐后喝茶？我丢下提包，先去敲易中天的门。敲了三四下，才有个呜呜噜噜的声音，带点儿恼怒和无奈，拖了长腔问：“谁——呀？”

“大——老——虎！”我忍住笑回答。显然，易中天睡得正香，据我的经验，早上能睡到红日三竿，是数十日难遇一次的美事。我居然把好不容易睡个大懒觉的可怜小老弟从美梦中揪出来啦。

门很快打开，披着睡衣、眼布血丝的易中天把脑袋斜伸出来，尽量把身子缩在门后，可怜巴巴，半醒半睡地问：“你来啦？几点了？”

“八点半。你还没吃饭？你要是想继续睡，我去餐厅替你拿一份饭，先在我这儿放着，你睡够了再吃。”我说。心想，因为我刚从“东北人都是活雷锋”那儿过来，多跑趟餐厅，算救助智障儿童吧。

“我还是——起来吃饭去吧。”易中天嘟哝着，语气像革命义士慷慨赴难。后来他说，数月以来，他最向往两个字：“枕头”。

半小时后，我正接编导魏学来的电话，有人敲门，我问：“哪位？”

易中天在《百家讲坛》中“品三国”。
（图片来源：视频截图）

“小——老——虎！”易中天的声音。我打开门，请他进来先坐下，待结束了通话，我问易中天：“要喝龙井吗？正宗的。”他高兴地说：“来一杯！”看看我的茶杯，又说，“比你的少放些茶叶。待会儿我把这杯茶端走，把我房间的杯子还给你。”

哈哈，被媒体称为“一身匪气，笑傲江湖”的教授，还蛮细心，知道他把茶杯端走，就给服务员添麻烦了。

“知道刚才吃饭时姚淦铭跟我说什么？他说：咱们这些人现在叫个‘易帮’。”我一边说，一边瞅着啜茶的易中天乐。易中天睁圆着眼睛等下文。我笑道，“我对姚老师说啦，‘幸亏易中天不姓黑。’”

易中天应声说：“幸亏易中天不姓盖。”

如果易中天姓“盖”，“易帮”就变“丐（盖）帮”。其实读“盖”为“丐”，是习惯读音，正确读音应为“gě”。

“满嘴跑火车”

2004年冬天，我和易中天被组合到《百家讲坛》同一编导组，茶余饭后，神聊漫话。易中天思路活跃，机智风趣，作为临时组合里的大姐，我对他多一些理解，存一份欣赏。

2005年秋天，易中天“品三国”题目刚确定，《百家讲坛》总策划解如光老师告诉我：“易中天有很多‘易迷’。”“易迷”也叫“乙醚”。

“我也做个‘乙醚’，听他怎么品。”我说。上世纪80年代我给本科生讲明清文学史，第一章《三国志通俗演义》要讲陈寿的《三国志》及裴松之的注。我很想看看易中天如何处理史书和小说的关系。

“品三国”前几集，我都看过，且给易中天发短信，建议他看哪本书，参考哪种说法，希望他“讲出才气和霸气”。我认为他不是戏说，不是“水煮”“麻辣烫”，是正说，且是尽量趣味化正说，没多少硬伤，但有学者难以想象的另类陈述。我发过一条短信：“诸葛亮牛鼻子老道在城头上唱卡拉OK？袁绍的将领不务正业，整天打电子游戏？关羽该做婚姻之神？好玩儿！真敢讲！”

我注意到，当易中天让三国人物说“粉丝”类话语时，观众笑得“咯咯”的。录制现场的气氛非常活跃。

另一条短信：“我想请8岁的阿牛一起看《品三国》。她说‘我对曹操、诸葛亮不感兴趣。’问她对什么感兴趣。回答是‘果冻’。易中天教授不敌果冻！哈哈。”易中天回个短信“哈哈”。有天中午，我在厨房包饺子，一扭头，看到我家的小美孩儿正在客厅津津有味地“品三国”。不知易中天使用什么神术又战胜了果冻？

我猜想，易中天这位某大学名嘴，上了中央电视台来劲儿了。他比《百家讲坛》其他教授懂得观众心理，知道自己面对的不再是拿学分的大学生、研究生，听不下去也必须硬着头皮听，而是拿遥控器、稍不顺心就换台的观众。他聪明地不再做导师状，而像旧友新知，促膝而谈，他对现代话语和年轻观众的亲和力使得他人气蹿升。

有人对易中天如此讲历史不以为然，加个形容词：“满嘴跑火车”。

这次一见面，我好奇地问易中天：“最近又有什么异端邪说、发明创造？”

易中天说，他讲三顾茅庐时说，如果诸葛亮不出山，就留到隆中“建设社会主义新农村”了，编导居然没删；还有：诸葛亮归刘备后，张飞对关羽说，哥哥爱诸葛亮，像老鼠爱大米。

说实话，“建设社会主义新农村”的调侃有点儿过了。但也仅仅是无伤大雅的调侃。哪个不知道，孔明草堂高卧时，隆中距“社会主义”还有千余年之遥？如果胶柱鼓瑟，说易中天篡改历史，岂非太没幽默感？至于叫张飞说“老鼠爱大米”确实欠斟酌，不管你易中天如何喜欢调侃，喜欢搞笑，也不能把哪怕很精彩的现代话安到历史人物的嘴里，我认为，这是一条底线。但话又说回来，如果不把这些看作是易中天讲史添的作料，岂不也太老实忒没趣？

易中天又说，他刚拍完“荀彧之死”，在讲到荀彧对曹操的认识时唱了起来：“千万里我追寻着你，你对我却毫不在意……我一生注定要独行，生命中你是我的唯一。”接着滔滔不绝分析这歌词如何适合定位曹操和荀彧的关系……

用流行歌词分析历史人物，适合青年听众胃口。但大学教授在中央台讲课，张口就唱，匪夷所思！我只有佩服的份儿，想都不敢想。

我问易中天：“你这些信口开河，是预先想好还是临场发挥？”

“脱口而出。”易中天回答，“还有一些更出格，硬忍住没说。”

我相信他的话。“品三国”像他讲汉代风云人物一样，经过周密严谨准备，这是面对亿万听众的中央电视台，哪位学者也不敢不认真准备，跑到台上张嘴就来，即使他是易中天。何况，《百家讲坛》每个节目，都得经过和编导反复沟通，最后还得过编导的剪刀。但易中天又像崔永元的同门师叔，越是面对镜头，面对观众，越来劲，俏皮话如泉涌，不择地而出。我觉得，用现代语汇表述已见、解读历史，以风趣吸引听众，用谐语活跃气氛，未尝不可。不会有人因易中天说刘备是“绩优股”、袁绍是“垃圾股”，就傻呵呵地相信三国时已有股市。但如果让曹操、张飞说出《三国志》《三国演义》都没说的话，就令比较熟悉这段历史的学人不舒服，至少不习惯。易中天需要稍加收敛。

据说易中天受到某些历史学家批评，说他“混嚼”。易中天讲《三国志》时利用一些《三国演义》的情节，恐怕不能叫“混嚼”而只能叫“旁征博引”吧。易中天品三国，本来就没划定仅品《三国志》不提《三国演义》，他乐意以历史书为经，以小说为纬，在历史和小说之间游弋，用现代视角观照人生，品出况味，品出哲理，听众又乐意接受，有何不可？学院派历史学家尽可对“电视知识分子”高傲漠视，在象牙塔继续自己的高头讲章，何必管易中天“满嘴跑火车”？

对易中天的讲座不以为然的，其实只是极个别学者。我的好朋友黑龙江大学刘敬圻教授是研究《三国演义》的著名专家，她看了《易中天品三国》之后表示：易中天讲得很生动，她很喜欢。她认为把《三国志》和《三国演义》放到一块对比着讲，是很好的讲法。

其实，历史和文学两千年前就被在名家嘴里“混嚼”过。《左传》写钼麑受命刺杀赵盾，因不忍下手而自杀，死前有段心理活动。钼麑已死，他的心理活动，史学鼻祖左丘明从哪儿知道？这不仅是“混嚼”，简直就是虚构了。

“你不如你的狐狸犬”

我跟易中天话语投机，都爱小动物是个重要因素。

日前，我看到《大众日报》周末版登的易中天的照片，他在逗心爱的小狗，据说它的学名叫“博美”，我却把它叫“狐狸犬”。那尖喙红毛美丽极了的狐狸犬歪着头脉脉含情地看着易中天。我马上发条短信：“易中天红透半边天，作品印50万（册），都不令人眼红，狐狸犬那样看你，让我嫉妒得发疯。”我还告诉他，我的女儿曾说：“妈妈真不像话，我到荷兰留学，她送到首都机场，又说又笑，一滴泪不掉；哥哥的小狗‘狗笨’丢了，她哭好几天！”我回答女儿：“你留学是奔锦绣前程，‘狗笨’丢了，成饥寒交迫的流浪狗了。”

易中天是性情中人，说起他的“博美”，眉飞色舞，激情洋溢。而且，他也叫它是“狐狸犬”。

“我每次出发，我的狐狸犬都趴在我换下的鞋子边，把嘴放在上边，一天不吃饭。”易中天伤感地说，一边说，一边伸出两只手并起来，把脸贴上去，表演狐狸犬趴在鞋子边抬眼看人的动作，像个孩子。

“我太太出去休假。我在家做饭，得先做好狐狸犬的饭，晾在那儿，再做我自己的饭。它的饭晾凉，我的饭正热，一起吃。”易中天又说。我估计，是人在桌上吃，狗在桌下吃，不会同桌共餐吧？

“我在外边待几天回到家，狐狸犬就跳到我腿上，用两只前爪在胸前敲。”易中天一边说，一边用两手做轮番敲击动作，并想象出狐狸犬的话语，“你怎么才回来呀？你到哪里去了？”说完这话，年近一甲子的易中天，居然眼泪夺眶而出！

狐狸犬甚至成了易中天发毒誓的最重砝码，他告诫我别带电脑上台，我不以为然，说：“你就不用电脑啦？！我看你也免不了常常朝讲桌台面瞟几眼。”

“我那是看几个写在纸上的关键词！”易中天马上叫起屈来，“你现在就到我房间搜查！搜出一根电脑毛，我把狐狸犬送给你！”

说话间，易中天录像时间到了，他提个小纸袋动身，我在他身后老气横秋地说：“好好讲。别总惦记着自己了不起，你不如你的狐狸犬可爱。”

我很想对他说，红透半边天，稿酬上百万，固然不错，可这都会过去的，千万别昏了头。生活中还有似乎微不足道却更值得珍爱的东西，比如，和“领导”（易中天对妻子的称呼）一起悠闲地看看落日，还有，狐狸犬充满爱意的目光。

“易帮乎？万帮乎？”

《百家讲坛》平时排出拍摄计划，再把有录像任务的专家招到中央台，多名专家同时露面的机会根本没有。这次，却把多位已在《百家讲坛》亮相的专家聚到一起：讲清十二帝的阎崇年；讲明十七帝的毛佩琦；讲经典爱情的刘扬体；讲吕后的王立群；讲老子的姚淦铭；讲金庸的孔庆东；讲李白的康震；讲纪晓岚的纪连海……

拍摄方要专家穿他们的服装，对襟唐装，大家都不适应，不大自在。毛佩琦说：“咱们穿这个，不像是地主吗？”

我笑道：“你们穿这个衣服像地主；阎崇年穿上么，像大地主；易中天穿上呢，像恶霸地主。”众人大乐。

与其把《百家讲坛》专家群叫“易帮”，不如叫“阎帮”。《百家讲坛》本是不温不火的“铁锡节目”，阎崇年的清十二帝一讲，收视率节节攀升。

而“阎帮”又不如“万帮”准确。《百家讲坛》制片人万卫，这位被易中天称作“可爱的奸雄”的山东帅哥儿，追求让学术服务大众，让专家走出校园。他和总策划解如光将专家拉到他们的“魔鬼床”上，长了裁短，短了拉长。这“魔鬼床”的尺寸，我认为是八个字：“深入浅出，雅俗共赏”。很多专家被他们洗过脑，经过痛苦磨合。我的“说聊斋”录制两组十四讲后，计划再录制一组聊斋人物。解如光和魏学来跑到济南找我，探讨如何讲得更好。解如光对我如何把聊斋讲好，出了很好的主意。易中天也被万卫和解如光“拨乱反正”过，他本想讲水浒，解如光跑到四川，说服并帮他琢磨“品三国”。结果，一炮打响。

万卫把观众定位在“中学程度”。我以为并非划定观众仅是中学生，大学以上不顾及，他们也不会喜欢。《百家讲坛》近年主要讲文史，隔行如隔山，你就是工程院士，文史知识也多是中学期间接受的。其实喜欢《百家讲坛》的高级专家不少。前不久在山东大学一次会上，一个个大名鼎鼎的数学家、物理学家，还有位院士跑来问我：你认识阎崇年吗？认识易中天吗？

能把讲座讲得一般听众不觉深，专家学者不觉浅，民众认为知识丰富，同行认为新颖扎实，方是高手。

拍照没完没了，万卫忽然说：给易教授和马教授合照一张。

摄影师端把太师椅让我坐下，让易中天拿把折扇站在椅子右边。我得意地对央视青年人说："我最高兴的是，叫易中天给我站在一边！"

十几分钟前，我站在他身边。易中天老弟现在成签名专业户啦，《品三国》合同订55万册，印到75万册，他在昆明签名售书，八个警察站在红地毯旁向他敬礼。此次到央视拍照片，编导也抱了《品三国》忙里偷闲找他签名。我站在易中天身后看他龙飞凤舞，心想：哪位教授不希望自己多年心血结晶的著作像畅销小说不胫而走？易中天真给书斋蠹虫闯出了一条新路！看着看着，我对央视的俊男靓女笑道："我真想拿根大棒子朝易中天头上'嘭'地给他一下！为什么《品三国》的作者不是我？"

"公鸡下蛋"讽刺的就是你

仍然是价值15元的自助餐，仍然是就餐者签字、制片吴林埋单。易中天知道我的饮食禁忌，看看那些菜，悲天悯人地对我说："没多少你可以吃的！"我说："我喂兔子。"捡了几筷青菜、一个花卷儿，端到桌上。

哟，这顿饭，《百家讲坛》的人凑了不少：热播《史记》的王立群，讲《李斯》的孙立群，西单签售《说慈禧》、读者从一楼排到七楼的隋丽娟。丽娟曾和我一起就餐，论年龄，她该跟康震学着点儿喊我"阿姨"。天津卫孙立群第一次见。

"孙老师，隋老师，把你们各自的隐私告诉我点儿，写篇文章蒙几个稿费。"我对孙立群、隋丽娟笑嘻嘻地说。孙、隋二位不约而同地，矜持而谦恭地笑了笑。这二位，真老实孩子，还是充老实孩子？

我歪过头对正往嘴里扒拉米饭的易中天说："我怎么觉得，赵本山演'公鸡下蛋'，讽刺的就是你？"

易中天一边迅速地把米饭吞下去，一边应声回答:“不错。春节一早就有人打电话‘恭喜你上春晚了’。我说:‘我就是那只下蛋公鸡。正一只爪子接你电话，一只爪子练习签名呢。’”易中天说着，右手继续用筷子往嘴里塞土豆鸡丁，左手伸出来画圈儿。我乐不可遏：跟鸡爪子刨土找虫有相当可比性啊！

无巧不成书。赵本山排练“公鸡下蛋”时，易中天跟他在同一餐厅就餐。

那天我们给易中天祝贺“狗长尾巴尖儿”，我和王立群进了包间，发现易中天没来。他跟万卫、于丹去领奖了。2006 年易中天在电视、新闻、网络界大红大紫，好像除巾帼建功奖、智障儿童奖，他都划拉到手了。这回又要抱回个郭德纲形容的“号称水晶的玻璃奖杯”。

忽然，从餐厅传来高亢的京剧老生唱腔:“一马离了哇，西凉界！”

我套用《红楼梦》林妹妹的话说:“什么人这样放诞无礼？”

一位小编导说:“肯定是赵本山！”

我好奇地出包间往旁边一瞧，恰好看到头戴鸭舌帽的赵本山讪讪地被服务员从对面包间请出来:“对不起，有人预订了。”赵本山继续唱着，领着宋丹丹和牛群到大厅去了。影视中心就有这点儿好处：甭管你多大“腕儿”，别人预订的包间你无权占用。

易中天来了，神情暧昧地把个纸包放到墙角椅子上。怎么，这会儿领奖领回个真家伙？易中天像《死魂灵》讽刺的罗士特莱夫，跟我揖让哪个坐首位。耳边厢，赵本山在大厅唱着京剧等上菜……

我家乡青州有句土话“桑树上打一棍，柳树上去了皮”。“小品大王”演个“公鸡下蛋”怎么就和《百家讲坛》第一名嘴扯拉上了呢?

而易中天居然照单全收！大概是时代新风尚？母鸡不管下多少蛋、下多大蛋都不稀罕，公鸡下蛋才时髦光荣！？

易大佬出门都戴黑眼镜

“百家讲坛”的自助餐继续进行。易中天大概怕吃一盘不够本，又捅了半盘，边吃边说:“只有我和王立群是中文系的说历史。”他指指隋丽娟:“你研究清史说慈禧。”

指指孙立群："你研究秦汉史说吕不韦。"指指我："你本来就研究聊斋。"

会说不如会听。易中天是在暗示他品三国和王立群讲《史记》的艰巨性呀！我暗想：易大佬你少在这儿得了便宜卖乖！易中天品三国，一只脚站《三国演义》上；王立群讲《史记》虽是"史家之绝唱"，却也是"无韵之离骚"，是最好的文学作品。在阎老爷子以清十二帝打下江山、"讲史"吃香喝辣的大环境下，你们脚踩文学讲历史，两面抹光墙，讲不好才算见了鬼！你们俩讲史，根本不具备"公鸡下蛋"的创造性，顶多算青州人说的"歪腚母鸡下了个圆圆蛋"！你易中天给对号入座"公鸡下蛋"，肯定另有他因。那么，是什么原因呢？

我这样想着，还没来得及开腔挖苦易中天，孙立群已在问易中天和王立群："待会儿二位对话，是现场发挥，还是先对好词？"

"当然现场发挥。"易中天毫不犹豫地说。

孙立群这样问，脑瓜进水了？当然是现场发挥才好玩儿。退一万步说，即使先对好词，你不上夹板，哪个傻瓜招供？

真想现场看看易中天怎样像炒于丹那样把王立群炒起来！看看这两个家伙怎样曲线救国般互相吹捧！可我不得不赶火车。

易中天替我提起包，我对大家说："易中天牛皮哄哄，有人问起他来，我就说，'不就是那个给我拎包的？'"

走到大门口，易中天站住了，哭丧着脸问："难道我还得送你去地铁吗？"

我偏不接他手里的包！抄着手瞅那四个人乐。"混进"《百家讲坛》之后，观察其他学校的教授如何行事，成了我的乐趣之一。

我放了吴林一马，不要他送站，自己坐地铁。易中天何等样人？人怕出名猪怕壮，现在易大佬出门都戴黑眼镜，他随随便便进地铁，争睹"学术超男"风采者把他挤到铁轨上谁埋单？

隋丽娟带着黄继光堵枪眼的神情说："我送马老师！"

两位立群都解（音 xiè）不开易中天为何不肯上地铁！俩男子汉呆呆发愣，眼瞅着哈尔滨"美女主讲"从易中天手里接过我的包。

嘿！这对"立群"笨出花来啦！不是一类人，不叫一个名哪。

隋丽娟亲热地送我，我做贼心虚地想，这位该喊我"阿姨"的隋家小妹，知不知道我信口开河，说过王立群、隋丽娟模仿易中天？

易中天和隋丽娟的“私房话”

易中天的生日聚会上，我对坐我左边的易中天说：“你流毒甚广。你油嘴滑舌，康震那老实孩子也跟你学，叫苏轼判案来句‘搞什么搞’，苏东坡能这样说话？你用四个字做题目，王立群和隋丽娟都四个字；你是‘请看下集’，王立群和隋丽娟也‘请看下集’。”我一边说笑，一边瞄一眼坐我右边的王立群。嗬，一脸憨笑，雅量啊。我继续朝易中天指手画脚，“你用流行歌曲形容曹操和他谋士的关系，隋丽娟说慈禧最后也来句流行歌曲：‘想说爱你不容易’。中国人对慈禧恨都恨不过来，用这样的歌词说慈禧，这是哪儿和哪儿？！”

易中天的手机响了，一听他接电话怜香惜玉的腔调，我对王立群说：“女的！”

来电话的是隋丽娟。世上的事就这么邪。说曹操曹操就到。

易中天拿捏着殷勤的绅士腔，举着手机往外走，饭桌上一片起哄声：“噢——讲私房话啦。”易中天立即踅回座上，老气横秋地说：“隋老师，也祝你生日快乐。”

“哎呀，说错啦！得说‘丽娟哪，生日快乐！’”我故意大声说，好叫丽娟听到，“知道同一天生的人，《红楼梦》说是怎么回事？”

王立群也起哄：“哎呀，你得说‘娟娟哪，生日快乐！’”

隋丽娟今天签名售书N千本，又恰逢她生日，中华书局摆宴。她的书开印九万，当天加印。隋丽娟即使听到“老前辈”如此恶作剧，大概也因为乐得找不到北而顾不上生气了。

易中天继续老腔老调：“隋老师，谢谢你来电话。”

我是教授我怕谁

易中天把电话扣上，我继续数落他：“易大佬你红透半边天，《百家讲坛》给你搞成一个模式啦。你成了魔鬼的床，好像每个主讲都得上你这张床上，长了裁短，短了拉长！‘小妮子’（于丹）不跟你学，才红透半边天。我也决不上你这张床！”

易中天一脸坏笑：“谁让姐姐上弟弟的床啊？”

我和易中天自称大小“老虎”，他再也不叫“马老师”而叫“老虎姐姐”。王立群也跟风叫“马姐”。本人原来兄妹七人，唯独缺弟弟，上了次《百家讲坛》倒白捡回两个！

我躺在卧铺上琢磨:《百家讲坛》不少人讲史，阎老爷子、两位立群，“娟娟”……为何偏偏易中天成了“公鸡下蛋”？

原因A：易中天颠覆传统。

易中天颠覆了教授“非礼勿言，非礼勿动”的传统，敢说“出格”的话，敢用“出格”的词儿。易中天讲空城计:“司马懿看着城头上的诸葛亮想：这哥们儿干什么呀？”“我上去卡拉，你把我OK了？”稍有点儿历史常识的，谁不知道是故意调侃？但很多“易粉”偏偏就爱听这个。我家易粉听不到易中天的新节目，就拿出光盘复习“卡拉OK”，还感叹:“易大佬现在没过去好玩了。”

易中天颠覆了讲史传统，用讲佚史的方法讲正史，讲趣闻的方式讲历史……过去只有赵本山们演小品时观众乐不可支。现在专家讲史也令大家边听边乐。这不是“公鸡下蛋”？我家易粉甚至说:“易大佬不演曹操，瞎了材料！”

原因B：易中天颠覆了校园知识分子循规蹈矩、唯唯诺诺的传统，敢在主流媒体“腕儿”级主持人跟前，挺直腰杆。易中天PK央视名嘴王志:“诸葛亮一米八四的个儿，容貌甚伟，不叫帅哥，难道叫伟哥？”把王志说得一愣一愣的。屏幕上匪气十足的易中天改变了大学教授的刻板形象，让天下人知道，原来大学教授也可以如此风趣，如此幽默，如此机锋迭出，如此笑口常开，活得如此潇洒自在。过去有这样的话“我是流氓我怕谁”？易中天说:“我是大学教授我怕谁？”

其实，“易中天式”大学教授在欧美即使不能说如过河之鲫，车载斗量，至少不稀罕。中国人喜欢大惊小怪。出个易中天，就算踩着什么人的尾巴啦，成公鸡下蛋啦。照我看来，有些大学男教授真该按聊斋狐仙马介甫的药方，每日三服“丈夫再造散”……

公鸡中的战斗机

四小时后到济南，我拿出易中天刚送的书。哦，《美国宪法的诞生和我们的反思》。文字轻松漂亮，用随笔把深奥枯燥的历史写活了。

美国宪法对中国文艺美学专业博导易中天，干汝何事？

这不又是公鸡下蛋？而且是下了个西洋母鸡才下的蛋！

我在火车上琢磨“公鸡下洋蛋”时，易中天正在《百家讲坛》录制现场跟王立群说“公鸡下鸭蛋”。

我早就怀疑：易中天贼鬼，王立群学究，两人对话，会不会像头天晚上于丹讲的笑话：某弱智者鼓掌，两手交叉朝相反方向拍？

我后来听说，访谈前半小时，两人对话果然有点儿像弱智者鼓掌。一说到“公鸡下蛋”，王立群突然一飞冲天。

易中天问：“你学中文的讲历史，不觉得是公鸡下蛋吗？”

“那是你先下的呀。”王立群说。观众笑倒！

王立群肯定想到中午易中天吃饭时如何“用爪子”练习签名了。

易中天说：“是啊。我就是公鸡下蛋。今天我疑似主持人，是‘无证上岗’，公鸡下鸭蛋。咱们在意自己的蛋，让别人说去吧。”

王立群接着说，他讲《史记》，有哪位著名同行专家支持。

我听到这段话想：嗨！王立群你脑瓜儿缺根弦？著名同行支持，你不成母鸡下蛋啦？有啥稀奇？快转舵啊。

“看来你这公鸡下蛋，家禽界还是表示支持呀。”易中天用“家禽界”玩笑话，把王立群的正经话压了下去。

我在火车上发短信给易中天：“坐地铁进站爬硬卧中铺，儿子女儿都有车，胖妈打的回家。老虎姐姐衰透！谁叫咱不是阿牛放学？好好给大耳王站台！”王立群的耳朵跟刘备有一比。易中天幸灾乐祸回个“哈哈”。

我下车，意外地有女婿来接，他不是要看鲁能比赛吗？原来鲁能已输了。我坐上后座，就说“公鸡下蛋”。

全勇头也不回，不假思索：“易中天是公鸡中的战斗机！”

后来知道，几小时前易中天访谈王立群说过一字不差的话：“我们都是公鸡中的战斗机，战斗一把吧。”

我得告诉易中天：甭尾巴翘天上啦，你肯定琢磨很久、用来“画龙点睛”的话，我们家一个学建筑的小幺儿，随口就来！

性情中人易中天

易中天品三国，从2006年春天开锣，到2007年暑假才可能收场。易中天品了曹操品诸葛亮，品了刘备品孙权。那么，品评古代人物的易中天需要不需要加以品评？

易中天跟《百家讲坛》制片人万卫有几分相似。他们又都跟曹操有几分相似，他们在《百家讲坛》被称为“可爱的奸雄”。

曹操在听到人说他是“奸雄”时反而高兴，他认为，这固然说他“奸”，但主要是说他“雄”。万卫和易中天听到“可爱的奸雄”也应该高兴。因为，《百家讲坛》的专家和编导说他们俩是“可爱的奸雄”，主要说他们“可爱”，至于他们在电视大战中成了“英雄”，他们为了提高栏目地位而奇招迭出，“奸猾”得可以，倒是比较次要的了。

照我看来，可爱不可爱，奸雄不奸雄，又都是次要的。

重要的是，易中天，性情中人也。

易中天神猴也？

有位编辑来跟我约稿：《百家讲坛》那么多主讲人，为什么大红大紫的是易中天？你能不能探讨一下？易中天不是说：《百家讲坛》主讲人要想成功，第一是能够修理，第二是接受修理，你给读者透露一下，易中大是怎么样被《百家讲坛》修理出来的？要不，你找制片人万卫聊聊？

我说，我才不找万卫聊呢。老万现在对《百家讲坛》的事，一个字都不肯说。照他那小心劲儿，《百家讲坛》不是绝密单位也得是机密单位，我都不知道当年我是怎么“混”进去的。要想弄清“修理易中天”最方便的办法，是打电话直接问易中天！

还好，我给易中天打手机，总是一打就通。

“易大佬，你给我交代交代，你是怎么样给《百家讲坛》修理出来的？”

“我不是给修理出来的。”

“那你倒是给我说说，你是怎么样给《百家讲坛》隆重推出的？”

“我不是给推出来的。”

“那你倒给我讲讲，你是怎么样给《百家讲坛》捧出来的？”

“我不是给捧出来的。”

“诱导”也好，“启发”也好，“逼问”也好，易中天油盐不进！

好啊，你易大佬是不是“一阔脸就变”？你就浑身是铁，能打多少个钉？你如此走红，难道因为你天生就懂电视？你既不是《百家讲坛》修理出来，也不是他们隆重推出、捧出，那么……

我用挖苦的语气说：“难道你易大佬是从石头缝蹦出来的？”

“我就是从石头缝里蹦出来的！”易中天说。

“易中天从石头缝蹦出来，岂不成孙悟空了？”我哈哈大笑。

易中天说，你到网上打上“易中天、王志刚”，看看怎么说？

我说，好啊，我上网瞧瞧吧。网上什么样胡说八道没有？

王志刚说：《百家讲坛》放卫星，里边放了那么多“动物”，只有易中天成了“齐天大圣”。

好玩儿！

嘿嘿，易中天成“齐天大圣”啦？

当然也兼弼马温啦！

以后我不叫他“易大佬”改叫“弼马温”！

我还得先向弼马温提个醒：《百家讲坛》不发射“卫星”，你易中天能上天？难道你是“大跃进”“人有多大胆地有多大产”“鸡毛也能飞上天”？

我跟王立群通电话聊起这段趣事，说：“立群啊，你说，易大佬现在是不是晕得快要找不到北了？他竟然说他不是《百家讲坛》修理出来的，是从石头缝里蹦出来的，他岂不成孙悟空了？”

王立群笑道：“最早说易中天是孙悟空的，不是王志刚，是马姐你呀。”

我愣了，问：“我啥时说过呀？”

王立群说：“你给我发短信说的呀。春节后你嘱咐我：出《读〈史记〉》，一定不要自己操作，要托给《百家讲坛》操作。你说‘万卫那家伙比猴还精，不会让主讲人吃亏’。你还说，我现在做年度主讲，得好好跟易大佬学着点，‘易中天神猴也’。”

嘿嘿，王立群这个笨老弟，专记这些信口开河的话！我自己都忘得干干净净，他倒替我记得清清楚楚。

王立群又说：“马姐，你就写篇《易中天神猴也》，多有趣？”

我大笑，说：“易中天心高气傲，就喜欢别人给他糊个炭篓子戴头上。我再说他‘神猴’，他会不会连东西南北都找不着了？”

王立群又老老实实地说：“易大佬还是挺有数的吧？”

王立群“神猴”的话引起我对一位外国留学生的回忆。

1980年我教过五个国家的留学生，期末让他们写作业，有位瑞典留学生写《前七回的孙悟空》，里边有这样的话：“孙悟空代表极端天才人物的不安定，孙悟空的本领远远超过别人。他的自信也没有限制，他认为所有的困难都能解决。孙悟空这个人物很有意思，很值得喜欢。连他的错误也是可爱的。我认为这是因为他跟小孩儿一样，还没有发现生活的限制，受挫折而不伤心，老是乐观大胆，令人佩服他。”这个留学生还分析说：像孙悟空这样的人物只能自然化育，只能从石头缝里蹦出来。

易中天身上大概也有这类石头缝里蹦出来的特点？

有才能，不安定，相当自信，大胆乐观，率性而为。

不给你这个鸡场下蛋了

易中天即便不承认他是被《百家讲坛》修理出来的，总得承认他是被万卫和解如光发掘出来的吧。

更确切地说，易中天这个主讲人是解如光发现，向万卫推荐，引进《百家讲坛》，然后渐渐被“重用”的。

解如光曾对记者说到这个过程：“2004年我在凤凰卫视第一次听易中天的讲座，当时一些学者讲武汉人的素质，当别人引经据典，用很理论的语言讲武汉人意志、品质的时候，易中天说，武汉人每天早晨都要吃一碗热干面。他用武汉人吃热干面的劲儿，讲武汉人的务实和坚韧。我一听就觉得他不是咬文嚼字的人。是我们《百家讲坛》需要的人。我们很多学者不太善于用通俗、形象的方式描绘事物。易中天会。”

解如光把易中天这碗“热干面”端给万卫。万卫立即拍板，请易中天来《百家讲坛》录制节目。

于是，编导二组来了讲“汉代风云人物”的易中天。

汉代风云人物属历史学科，易中天属中文学科，风马牛不相及。《百家讲坛》怎么能交给他这样的任务？易中天怎能接这样的任务？

从《百家讲坛》方面来说，当时中央一套正在播汉武帝的电视连续剧，《百家讲坛》想“借势”，而且《百家讲坛》的人对大学的学科壁垒不很清楚。

从易中天方面来说，若干年前他就有《品人录》出版。品的就是历史人物。易中天的学术套路跟《百家讲坛》不谋而合。

更有意思的是，易中天的讲课方式还跟《百家讲坛》不谋而合。

大学校园的学者在学校里讲课都是用学术语言，大众化、口语化的讲述常常被认为没学问，没根底，哗众取宠。可是，易中天在厦门大学讲课时，就敢口语化，大众化，还敢讲一般校园知识分子不大敢讲的话，讲跨学科的话。他的讲课以诙谐生动、妙语连珠著称，听他的课需要提前占座。他给学生讲戏剧，可以兴之所至唱一段。

同样是大学校园出来的人，为什么易中天几乎没经过编导“培训”“修理”，就跟电视讲座一拍即合？

因为，易中天跟电视节目确实有点儿天生的缘分。除了在大学讲课时敢于在追求学术深度的同时，尽量口语化，生动化，此前易中天写的书也已经跟一般学术著作不同。

他诙谐地宣布：我不给你这个“鸡场”下蛋了。

哪个“鸡场”？

纯学术研究的“鸡场”；

高踞象牙塔的“鸡场”；

不考虑广大读者需求的“鸡场”。

现在的高等学校，有点儿像一个一个养鸡场，统一的鸡舍，统一的饲料，统一的管理，统一的下蛋要求。哪一级老师一年要发几篇文章，发在哪一级报刊上，都有明确的、细致的、条条框框的要求。唯独没有这样的要求：你发表的文章有多少读者？老百姓喜欢吗？

现在的高等学校，许多教师点灯熬油写出来的书，或者得自己掏钱出，或者靠申请来的科研经费出。也不过就出千把本。或者没有稿费，或者获得少量稿酬。出书往往是为了提职称，常常也只能用来提职称。

易中天是搞美学的，他的代表性专著《〈文心雕龙〉美学思想论稿》，只印了3 000册。他的《艺术人类学》得了首届全国高校人文社会科学优秀成果奖，把他送上"正高"位置。但易中天是个不安分的人，喜欢动脑筋的人。他并没躺到这个全

在北京中关村图书大厦，易中天签售新书《品三国》。由于前来捧场的读者众多，主办方还为易中天配备了保健医生按摩。据出版方统计，易中天的《品三国》上、下册达到了约500万册的销量。

（图片来源：新华社）

国奖上睡大觉，或者沿着这个成功套路继续“成功”。他反而发现，费那么大精力写出来的书，只有少数同行在看，中文系其他专业的老师都不看！广大读者更是没人问津。

易中天想：如果写出的书没人看或极少数的人看，写它做啥？

易中天雄心勃勃地想写部《中国美学史》，他发现，要说清楚中国美学史必须弄清楚中国文化和中国人，于是他写了随笔体《闲话中国人》。上海文艺出版社居然接受了，出版了，付稿酬了，引起反响了。易中天一鼓作气，陆续写出《中国的男人和女人》《读城记》《品人录》。2000年上海文艺出版社把这四部书作为“品读中国书系”推出。

这一炮打响的四本书，到底算什么书？

我看是非玉非石、不三不四、非驴非马的书。

你说它是学术著作？有一点儿像，没有深厚的学术积累，写不出来。

你说它是随笔？当然是，没有生动的文笔，写不出来。但仅有生动的文笔，没有深厚的文化底蕴，同样写不出来。

奇怪的是，比起那些“严肃”“深奥”的学术著作，这个“品读中国书系”极大地增加了易中天的知名度和读者缘。

当时易中天这样做是想改变大学的科研布局？是想改变大学的运转方向？是想有利于国计民生？……

照我看来，易中天才想不了这么多，他不过我行我素而已。

有这四本随笔体著作垫底，易中天讲“汉代风云人物”就如探囊取物了。

为什么这样说？因为像《品人录》那样的书，就是对历史上有趣的人物，通过有趣的事件，借助妙趣横生的语言，做有趣的叙述，有趣的分析。一切的一切都在一个“趣”字。其行文，不需要怎么转变，就是优秀的电视散文。如果在讲述时能够在原有基础上脱稿演讲，受现场气氛的鼓励再有所发挥，那就没治了，盖了帽了。

易中天这样的教授，是所谓“人来疯”的演讲者，越是大场面越来劲，新见解和俏皮话顺嘴就来。

“汉代风云人物”讲座，实际上是一位当代有趣人物趣话几位古代人物。很快引起观众的盎然兴趣。易中天走下讲坛亲自表演“避席”，虽然受到他家“领导”和我不约而同的质疑，却受到观众欢迎。“韩信不是螃蟹”的麻辣语言，牛刀小试，大获成功。

易中天擅长对正史正襟危坐的记载做谐趣性化解，用活泛的语言给人留下深刻印象。他讲到项羽失败时这样说："项羽听到这个话以后，把这个人扔油锅里去了。游说他的人虽然被项羽杀了，但是项羽夺取天下，称王称帝的机会也被项羽扔油锅里去了。"

把称王称帝的机会扔到油锅里去了，讲得多生动有趣！

重录和重选

甭听易中天吹他"从石头缝里蹦出来"。在《百家讲坛》，没有任何一个主讲人是从来没经过万卫和解如光们"修理"的。易中天也走过弯路。我现在就提提易中天两把不开的壶：重录节目和重选选题。

我印象中，易中天重录节目有两次：

一次是，易中天初到《百家讲坛》讲汉代风云人物，讲到汉高祖鸿门宴，他说：这个大家都知道，我就不讲了。

万卫说："为什么大家都知道你就不讲了？大家正是要听易中天版的鸿门宴！

易中天一点就通。他立即明白，讲历史人物，重要的故事，即便大家耳熟能详的故事，越发必须好好讲，要讲出自己的特殊论点，讲出自己的"派"，讲出自己的风格。那就重录吧。

另一次是：《百家讲坛》2005年前录制节目时，都是让主讲人每一讲讲一个多小时，然后编导剪裁成45分钟。我在录制完"说聊斋"第一部分前六讲后，发现我过去每一讲都讲多了，既增加了自己的工作量，也增加了编导剪裁的难度，于是2006年初我在录制第二组"神鬼狐妖"时，就故意少讲。有一次，我只讲了42分钟就结束，编导从楼上跑下来要求再加几分钟，我又讲了一个例子，凑成45分钟。我把这"成功的经验"告诉当时在录制汉代风云人物的易中天："我今天成功地'偷工减料'啦。"第二天易中天也照猫画虎，也"偷工减料"。他讲完之后，编导找他，"请易老师看看录制完的节目。"易中天一看，傻眼了。他"偷工减料"过头，只讲了三十几分钟，根本不够一集。怎么办？重录！

在《百家讲坛》许多专家看来，节目重录，总有点儿栽面儿，总是你这一讲没有讲好才重录吧？没想到，易中天从重录尝到了大大的甜头！此后，品三国时，他讲得不是很理想的，就主动要求重录。特别重要的哪一讲，只要觉得不是太“出彩”，一定重录。《易中天品三国》的第一讲，就是重录的。仔细推敲第一次录的跟重录的，就是有很大的不同。重录的节目，更灵动了，更活泛了，更个性化了。万卫送我品三国前两组光盘，我家的易粉就经常拿出第一集来“复习”。有一次，济南台播出《品三国》第一集，刚播个开头，“易粉”就说：“播错啦，这是最早录的。易大佬早就重录啦。”然后，就如数家珍说，第一次录的有什么地方跟后来重录的不一样……

易中天曾对我说：“《百家讲坛》既被专家肯定也受观众欢迎的，是‘说聊斋’；没有大红大紫的，也是‘说聊斋’，为什么？你没重录过。我跟小妮子都重录过。不重录，怎么可能红呢？”

我啼笑皆非。我是不是需要找万卫商量一下，把“说聊斋”24 讲，包括收视率达 3.7%的，从头至尾重新录一遍？

易中天讲完汉代风云人物之后，就到四川去了，据说在那儿主持一个文化项目，忙得不可开交。《百家讲坛》节目组跟他商量上新选题，他也慢腾腾的。解如光特地飞到四川找易中天。

易中天说，如果让他到《百家讲坛》讲新选题，他想讲《水浒传》。

解如光说：“万卫跟我的意见，你‘品三国’。”

解如光说，万卫和他都认为，水浒的人物更平面化一点儿，没有三国人物影响大。再说，三国是个风云大起，变幻莫测的时代，更适合易中天。易中天本身的讲演风格和三国更贴近。

解如光还说，如果拍摄“品三国”的话，易中天得全年盯上，他就是《百家讲坛》2006 年度主讲。

《百家讲坛》过去是一人一讲，从阎崇年开始，一个人讲一个大选题，万卫把这种一人一个大选题的模式定了下来，他还创造出一种新的模式：年度主讲。明确算作年度主讲的，易中天应该算第一人。此前，阎崇年、刘心武，都可以说类似于“年度主讲”。

易中天嘟嘟哝哝，要去“品三国”，我其他事就干不成了。

讲不讲“品三国”？做不做年度主讲？易中天表示，我得跟我们家“领导”商量商量。

不久前，当我终于见到易中天口口声声称“领导”的李华时，我发现，她身上并没有多少“领导”气魄。至少，跟我们家的事必躬亲、指点到位的“领导”相比，她基本上属于“无为而治”的领导。李华是在新疆美丽的独山子长大的，她非常想念家乡。她告诉我，她真想回到小时候生活的地方。我听了，表示同情，因为我参加中国作协采风团到过独山子，还在独山子绿草成茵的山上野炊过。那个地方实在美极了妙极了。李华身上就明显地带有独山子绿地的清气和馨香。

这次“领导”有方，易中天接受了品三国，不仅重炮轰响，而且红透大江南北。

万卫后来总结说:“我们比学者更明白电视传播的规律和技巧。”

我家“领导”听说易中天是从石头缝里蹦出来的趣事后说，易中天有三个特点：一是很有才能；二是为人坦诚；三是思辨力很强。易中天有孙悟空式的叛逆精神，但他也给体制压到大石头底下过。是《百家讲坛》这个“如来佛”移开了易中天头上的“五指山”，他才能够横空出世，一个筋斗翻十万八千里。

“吹捧委员会”

从 5 月下旬开始，《百家讲坛》连续播出讲经典。

讲明十七帝的毛佩琦讲经典时，我恰好有事没看。

易中天发条短信对我说:“毛佩琦的经典讲得棒极了，还特可爱。”

我给毛佩琦发条短信，告诉他:“易中天正夸你呢。”

毛佩琦回一条:“咱们成立个互相吹捧委员会吧。”

如果成立这样的委员会，当然得易中天做主席了。他不是先在博客上吹个“于丹真棒”，又吹个“秦汉风云两立群”，现在又吹毛佩琦了？

易中天是《百家讲坛》最红的主讲人，但他并没有以“老子天下第一”自居，小视他人。相反，他经常从其他主讲人身上发现优点，而且乐于把他的发现告诉第三者。

易中天多次向我夸奖他最重要的“竞争对手”于丹:“小妮子的口才太棒了。她的语言真叫华丽、优美、流畅。她简直不用写稿子，张嘴就来。她的书稿，是别人照她的演讲整理的。唉，我的书稿，可都是我一个字一个字敲出来的。”

易中天曾对我表扬过《百家讲坛》最年轻的主讲人康震：“康震有一集讲得特别好。他讲李白的思想，道家思想是什么，佛教思想是什么，一、二、三、四，头头是道。”

易中天曾提醒我：“你得看看钱文忠，他是很有潜力的。”

我曾发短信调侃易中天：台湾学者曾仕强讲《易经》讲得太棒啦，易大佬的第一名受到挑战啦。

过了没几天，易中天给我发来短信，详细告诉，读经典现在知道的收视率。我发现，那个收视排行上，曾教授位列第一，略高于易中天。如果易中天采取对曾教授的优点视而不见的“鸵鸟政策”，他肯定不会把这样的结果特地发短信告诉我。我看了那条短信，感叹：易大佬争强好胜，可他在需要谦虚时也非常谦虚，而且是真诚的谦虚。

这样时时取他人之长的人怎么会落于人后？

有位记者报道过易中天的一段话：“事实上，人应该要学会从别人身上看见可取之处，你从张三身上学一个优点、从李四身上再学一个优点，你最后能学到多少优点啊？这总比老挑别人的毛病好吧！”

易中天这个个性极强的人，能这么真切地说别人的好话，实在难得。

其实，易中天向来嘴不饶人。当然，只是朋友之间斗嘴时。

有一次，我进化妆间，看到易中天在化妆，就挖苦一句：“嗬，假冒伪劣就是这样产生的！”

易中天不假思索回一句：“你就是一个！”

我又说：“待会儿易大佬录像，我就到台下听。不时做出不以为然的神情，叫你没法讲。”

易中天立即回道：“你到台下听？你录像的时候，我也到你台下听，叫你的听众都看我。”

易中天这样说，我自然就不敢到他台底下听了。到我录像时，易中天坐在高虹身后认真地看，然后，毫不客气地给我提意见。我也对他横挑鼻子竖挑眼。

《百家讲坛》的专家之间唇枪舌剑时，易中天机敏异常，很难被难倒，只有一次，我用一句吹破天的话，叫易中天对答不上来。

易中天问我："小妮子说她是4岁学《论语》的，你是几岁读《聊斋》的？"

我回答："我在娘肚子里就读呀。我母亲的嫁妆书箱就放着《聊斋志异》和《红楼梦》！"

易大佬被我的牛皮吹得瞠目结舌。

其实《百家讲坛》的专家之间，并不是那种庸俗的互相吹捧的关系。大家总是有建议，有疑问就毫不保留地提出来。王立群跟我谈过如何讲经典。我也对他的讲座"指手画脚"，有一次，我发条短信给他："立群：你讲得很好。但有三点请注意：一是要正视镜头；二是在叙事之中适当地加一些描写和渲染。三是要精练。"

王立群在饭桌上把我的短信给万卫、解如光看了。

易中天更是经常来对我这个"老虎姐姐"说三道四：

"千万别把讲座写成论文。"

"别写稿子，拿个提纲和关键词到台上，现场发挥。"

"管他什么学术不学术，骨子里有学术就成了。"

易中天对我讲的，该算"不传之秘"了。

易中天特别希望我能更上层楼。

我很感动。这年头，我们已不太容易感动了。

（选自作家出版社《百家讲坛这张魔鬼的床》，
2007年8月出版，作者：马瑞芳）

2006韩寒白烨笔战始末：起于网络　无疾而终

2006年的二三月间，起于网络的韩白“文坛”之争被炒得沸沸扬扬，历时一个多月后，最终以多位当事人关闭博客走向了尾声。

经历了众声喧哗之后，我们请来当事人和一众旁观者，做一番清点和回味。

希望这场争论，无论是“严肃”还是“娱乐”，最终都能留存一点有益的东西。

战况回放

缘起

2月24日，白烨在Blog上贴出原发于《长城》杂志2005年第6期的《80后的现状与未来》。该文评价韩寒的作品“越来越和文学没有关系”，并对80后提出了批评：“80后作家这样一种姿态坚持下去，成为主流文学的后备作家是完全可能的……从文学的角度来看，80后写作从整体上说还不是文学写作，充其量只能算是文学的‘票友’写作。所谓‘票友’是个借用词，用来说明80后这批写手实际上不能看作真正的作家，而主要是文学创作的爱好者……我以前说过80后作者和他们的作品，进入了市场，尚未进入文坛；这是有感于他们中的‘明星作者’很少在文学杂志亮相，文坛对他们只知其名，而不知其人与其文；而他们也似乎满足于已有的成功，并未有走出市场、走向文坛的意向。”

3月2日，韩寒作出回应，在Blog上贴出《文坛是个屁，谁都别装逼》，认为“以时代划分人，明显不科学”，“文学和电影，都是谁都能做的，没有任何门槛”，“每个写博客的人，都算进入了文坛。文坛算个屁，茅盾文学奖算个屁，纯文学期刊算个屁。”文中一句话迅速在网上流行：“什么坛到最后也都是祭坛，什么圈最后也都是花圈。”文末，韩寒说，“我发表完观点了，不参与任何愚蠢的笔战论战之类。我很忙，我要进入车坛。”

单挑

因为韩寒的点名文章，大批网民拥进白烨的博客一睹究竟，白烨博客点击率急升。两人的文章被网友们转贴到各大论坛，成为许多人关注的焦点。

3月4日中午，白烨贴出《我的声明——回应韩寒》，他表示，“不喜欢我的文章，但不可以用粗暴又粗鄙的字眼骂人……他和他们至少要接受道德法则的自审与公审。我希望这样一个事件，能为如何为网络立法和建设网络道德提供一个反面的例证。”

两小时后，韩寒回应。在《有些人，话糙理不糙；有些人，话不糙人糙》中称，“作为中国的文学评论家，特点和长项就是：1. 不知别人所云。2. 自己不知所云。3. 不知所云还特能云。这事都提升到互联网立法了。”

3月5日，白烨发表声明，宣布将关闭博客。他表示：自己不了解也不适应博客，也对在网上“被人骂，还非得要骂人”很不了解，而“靠这种方式去交流文学或学术，也往往是一厢情愿”。

3月8日，白烨接受记者访问，表示“80后现在最大的问题不在于文学的造诣上，而是在做人的道德水准上”。

3月9日，韩寒连发《辞旧迎新》（上、中、下）三篇博客，表示“既然说到道德，那咱们就说道德”。他追问：“一、白烨曾经策划过一个叫贝拉的女生写的《9·11生死婚礼》的书，该书很不文学，却被白烨表扬了一番；二、去年春天文学奖白烨担任终审评委，却将自己策划出版书的作者最后评为获奖者；三、白烨曾经在媒体上公开发表过对于蔡小飞的看法：‘这个人我知道，写过一两本书，拿过一两次奖’，而后来证实蔡小飞这个人物根本就不存在于真实世界。”事件的焦点转向“文学批评的操守”。

3月10日，白烨在博客上贴出《白烨关闭博客告别辞》，表示自己不合适博客，“韩寒对我的骂式批评和他的拥戴者对我的跟踪谩骂，只是事情的一个诱因……这样一个一明一暗、一实一虚的交流平台，他们可以随便骂你，而你只能正面应对。这种先天的不平等性，无形中就使得恶毒占了上风。即使你不招惹人骂，靠这种方式去交流文学或学术，也往往是一厢情愿。”白烨称，事情发生的这几天，他觉得很受伤，以后虽然还会继续关注这个群体，但可能不会像以前那么热心了。白烨成为Blog第一个关闭博客的名人。

3月11日，白烨在“最后回应”中指出“他用这种语言本身，说明了他的学养、修养的亏欠”，“实在不能作为就是‘纯文学’的证明”，“要建立网络道德规范”。

混战

3月7日，作家韩东在网上发帖支持韩寒:“没有纯文学，也没有严肃文学，更没有劳什子的主流文学，有的只是‘正统文学’。‘正统文学’是个什么鸟？看一看‘正统批评家’连篇累牍的唠叨你就知道了，当今‘正统文学’的‘实体’又是什么？同样见‘正统批评家’那些个叨唠，无非那几个作家名人以及他们家里的那档子事儿——包括他们的焦虑和希望。”

3月9日，评论家解玺璋在Blog上贴出《白烨：文学的保姆》一文，认为:“白烨是有长者之风的，换了鲁迅，很可能就‘以眼还眼，以牙还牙’了……80后写作渐成气候，和白烨的支持、推广是分不开的。不感恩戴德也就罢了，居然有人以怨报德。”

3月13日，作家陆天明在自己的博客上转载了自己接受采访的《“韩白之争”背后的若干问题》，文中表示，“白烨是社会公认的文学批评家——我们现在的文学界，缺少的正是肯站出来说真话的批评家。这件事出来之后，不是有很多小孩子跑到白烨的Blog上去谩骂么？一直骂到白烨不得不关闭自己的博客。他们的这种做法，总让我想起当年的红卫兵。”

作家王晓玉在接受采访时认为:“怎么像‘文化大革命’时候的红小兵？这种做法非常恶劣！白烨不过批评你韩寒文章写得不怎么样，你就这样恶狠狠搜罗证据，一二三四列出来，我们从前‘文革’时候就是这样的，不允许别人说话，当时整死了很多人。”

评论家李敬泽说："说实话，写得不好。曾经有一个记者问我，郭敬明、张悦然、韩寒作为一个文学现象，给文坛注入了什么？我说，他们不是文学现象，只能算作文化现象，他们没有给文坛注入什么。"

3月14日，韩寒贴出《对世界说，什么是光明磊落》，对陆天明和解玺璋进行回应："这是关于文学评论家是否干净和所谓主流文学的文坛有多迂腐观点的争论，不是长辈教训晚辈。别把中国文学搞得跟敬老院似的。"

3月15日，韩寒贴出《文学群殴学术造假大结局，主要代表讲话》，对陆天明、王晓玉、解玺璋、李敬泽集体回应，并抨击"文坛"和"圈子"。

同日，在接受采访时，白烨称"白韩之争"是场口水战，是网络事件，"垃圾放在垃圾桶里好了"。

3月17日，韩寒接受采访时表示，这次论战是"杀一儆百"，他"早就看这些文学评论家不顺眼"，"他们把握了部分话语权，徇私作假，严重阻碍了文学的发展，我没那么多精力，只好挑一个最傻的先来"。

3月18日，陆川在Blog发文，声援父亲陆天明："我知道父亲在维护一种批评的自由。如果说在老一辈的手中，我们得不到批评的自由，那么在韩寒这一拨人的手中，我们就能得到了吗？我们依然得不到……说他们是'红卫兵'，没有任何错误……我讨厌'红卫兵'，因为他们会把铜头皮带抽在老舍的脸上。韩寒他们不是在这么干吗？"

3月21日，韩寒发表《观后总结：中国式文学争论——上阵父子兵，伙同亲友团》，回击陆川和解玺璋。

同日，作家石康发帖表示："韩寒太有意思啦，一帮大人在例行公事般地把他妖魔化的同时，没想到反被他给妖魔化了……当评论家把他推上秀场时，他反手也把评论家拉上了秀场，悲惨的是，评论家们完全没有走秀的经验，因此，表演相当拘谨，是不太合格的戏搭子……"

评论家吴亮在"小众菜园"里发表评论，"白烨摆不摆谱无所谓，他的要害是，他基本上不懂文学……白烨批评韩寒在形式上是在讲道理，其实没有道理，韩寒反驳白烨在形式上很不讲道理，其实很有道理。"

作家何立伟发帖认为，"小韩同志骂得好"。

3月23日，音乐人高晓松在博客上发文，力挺陆川，在博客上说明准备就韩寒

搜狐读书

book.sohu.com

当正规军白烨

遇到山大王韩寒

[编者语]　韩寒一篇千字短文居然令白烨悍然关掉建在新浪的博客！今天，互联网上互殴和群殴的事情司空见惯，只是白烨如此不堪一击，实在令人惊讶！这一老一少到底怎么了？一场没有逻辑，没有规则的叫嚣式的争论，似乎让我们明白了什么才叫浮躁，也就是自狂、自恋和自私！…… [详细][我来说两句]

相关讨论：[论战“80”后][博客 能否说理不带脏字]

缘由：韩寒大战白烨 是非如何评

白烨写了一篇《80后的现状与未来》的评论，始发于《长城》杂志，后搁入新浪网博客，这篇分上下两个部分的评论引起“80后”的反应，韩寒回应了一篇千字短文《文坛是个屁》。紧接着白烨做出回应了题为《我的声明－－回应韩寒 》的文章，之后韩寒《有些人，话糙理不糙；有些人，话不糙人糙 》以回应。最后，白烨无奈众多韩寒迷的谩骂而以《我的告别辞》关闭博客。 >>>[详细]

是非如何评？

媒体观点：《北京娱乐信报》白烨与韩寒的伪争论

著名评论家白烨写了一篇《“８０后”的现状与未来》，招来了韩寒的反击，由此掀起了一场骂战，名头真的不小，都是些“到底什么是文学？”、“８０后作家划分科学不科学？”、“文坛的门槛在哪里？”等等问题。可是白烨再怎么摆出大师的架子，韩寒再怎么骂，再如何桀骜不驯，我只会感到一个词：“啼笑皆非”。……>>>[详细]

一、伪问题 因为一老一少大打出手的每一个问题，实际上各个都是“伪问题”。

二、伪形象 在这个所谓的争论里，给人们一个印象，仿佛就是一个高高在上的文坛泰斗，一个是新锐文学青年，可是，这些恰恰都是虚幻的。

三、伪逻辑 白烨的文章从立论就站不住脚；韩寒的逻辑更加淡薄。

白烨简介 10

白烨：著名文学评论家，中国当代文学研究会常务副会长，1998年参与著名长篇小说品牌“布老虎丛书”的策划与编辑工作，组编了一批有影响的长篇小说。其中包括《上海宝贝》一书。

韩寒简介 10

韩寒：车手，青年作家，著有《通稿2003》、《三重门》、《长安乱》、《一座城池》等。

网友投票 10

1. 你怎么看韩寒对白烨开骂的？

（调查时间：2006.03.10至05.16）

搜狐网所做的《当正规军白烨遇到山大王韩寒》的专题报道。（图片来源：互联网截图）

在小说里引用自己的歌词侵权行为起诉韩寒。

同日，韩寒贴出《我支持高晓松一路凯歌》，表示支持高晓松告自己。

3月24日，陆川发表《往前走吧，晓松，时间是手中的沙》，在感谢高晓松的同时，也承认："回头看那篇文章，我的粗口是过了……我会去删节这些脏话，但是文章没有错，尤其最后那句，我是认真的，所有胆敢用脏字辱骂我父亲的人，不要让我在现实社会中碰到你。"

3月25日，作家古清生网上发表长文《从韩寒白烨之争到叩问白烨身份》认为："韩寒与白烨之争，引发公众另一方面的思考，即像白烨这样把握着重要批评资源的教职、公职学者，长期以来又从事着书商的策划和推广活动，这是不是一种灾难性的学术腐败？"

3月26日，韩寒《请让我继续扯蛋》，表示："愿意支付高晓松千字千元的最高稿费，就是200元。我为我在署名引用并强烈赞美你歌词的时候没有征得你的同意而承认错误。"

尾声

3月26日，高晓松宣布结束论争，关闭自己的Blog。3月27日，陆川的Blog也关闭消失。

3月27日，作家叶开在博客里表示："韩寒一方面可以撰文大骂文坛是个屁，纯文学期刊是个屁的同时，另一方面，也可以通过《萌芽》的执行副主编桂未明要到李小林的电话，然后打电话给李小林，恳求在《收获》增刊上发一下自己的小说……白烨是个书商，有时候为了策划一本书，其不顾底线的勇气达到了匪夷所思的境界……可见，白烨和韩寒，都不是我站队的选择……"

3月29日，韩寒在博客上宣布，"热闹完了，打个哈欠，各回各家，各找各妈。"

4月1日，朱大可在博客上总结"韩白之争"："韩寒战胜对手的武器，无非来自三个方面，其一，文化消费市场和大量'韩粉'的后盾；其二，对方的文学'炒作劣迹'；其三，犀利坚硬的秽语。韩寒的系列短文迅速扩大为一场风格粗鄙的战争，并引发互联网民众的秽语狂欢。"

白烨：不是评论家说了算

54 岁的白烨，社科院文学研究所研究员，享受国务院特殊津贴；20 多年来，创作了 200 多万字文学评论；2003 年起，主持社科院重点项目《中国年度文情报告》；1990 年开始，先后策划了多部文学作品。

4 月 1 日下午，白烨在北京万圣书园接受了本报记者的专访。

“我会在适当的时候通过司法途径解决”

南方周末：你关闭博客是因为无力招架谩骂吗？

白烨：我不关不行。现在有人把韩寒的行为说成是争论或者论战，其实交火之后就完全没有学理可言了，完全没有构成理论性的交锋。因为他不正面直接跟你谈问题，都是用很脏的语言跟你骂，我不可能也跟他一样骂。他说文坛是个屁，我不能说“文坛不是个屁，你是个屁”，我觉得这样不合适，我在脏话的使用能力上跟他不对称。

南方周末：你在关闭博客的声明《我的告别辞》中说：恶毒占了上风，占了上风的恶毒是什么样的？

白烨：恶毒，就是他一上来就骂，都是很脏的字。他比你晚辈，又比你横。你不能回应是因为你不能把自己的层次降低——首先不能把辈分降低，其次不能把学养降低，最后不能把语言降低，所以我觉得我只能保持沉默，这样他就占了上风。还有很多匿名的也一起恶毒，你在明处，他在暗处。有人前边骂你傻 B，后边又有人跟着骂你老傻 B，你说你怎么办？根本无法应对，他们人多势众，我惹不起也还躲得起。

南方周末：陆天明说，受过教育的人把网络变成了厕所，随便发泄自己的恶。

白烨：我有同感。过去我对网络没有深入了解，基本是肯定的态度，它目前确实是我们能拥有的最具表达自由的媒介。但这次遭遇之后，我觉得网络的自由是双刃剑。一些有才华的人，网络可以使他脱颖而出；对那些人性阴暗和性情恶毒的人，网络又是一个发泄的通道，他可以没有道德自律，不受规则约束，这也是可怕的事情。

南方周末：韩寒在他的博客中说，白烨比我想象的肮脏。面对你，韩寒显示出极强的道德优越感，他有一系列据说是证据确凿的指控。你接受他的指控吗？

白烨：我相信，比事实多没用，因为他无法改变事实本身。包括他说我不好，说他好，也完全没有用，因为最后时间会淘洗清楚我们彼此的真实面目。韩寒的道德优越感完全是一种假想，自我陶醉，他把自己想象得很优秀，把别人想象得很肮脏，都是很荒诞的事情。

我没有把它太当回事，因为都属子虚乌有。一位文友就曾给我边打电话边讪笑，说韩寒把你描述得面目全非，那已经不是我们认识的你了，太好玩了。我觉得，当你讲的东西不是事实的时候，实际上是不会有什么作用的。它也许可以蒙混视听于一时，但不能遮蔽真实于长久。

南方周末：韩寒说，博客是关的，法院开着呢。如果你认为他讲的不是事实，是否认为自己受到了侵害？

白烨：我开始并不觉得他对我造成侵害。我只觉得他语言脏，但还没超出文学批评的底线，只是格调不高的文学批评。但后来他捏造事实谩骂攻击，我就觉得是一种侵犯。我找过律师，会在适当的时候通过司法途径解决这个问题。

我和“春天”没有任何关系

南方周末：韩寒把争论界定为“关于文学评论家是否干净和所谓主流文学的文坛有多迂腐”的争论。你觉得这是你们争论的核心吗？

白烨：这是他的一面之词，他在不断转移话题。他后来谈到的很多事情都是为了转移话题，为骂人找理由。在我看来两人之间的龃龉，最多反映了不同代际人从思想观念到行为方式的差异与错位。问题的核心在这儿。我觉得后来他是在偷换概念。应该说这个话题包含了一定价值，但是因为被不断地转移重心，并没有真正得到讨论。后来，他们基本上是为了把我设定成“坏人”和“恶人”，去罗织各种材料。

南方周末：韩寒提到你策划卫慧的《上海宝贝》、操作贝拉的《9·11生死婚礼》的炒作，这些事也成为你作为学者和评论家受到质疑的地方。

白烨：《上海宝贝》是我受聘“布老虎”策划后，组了丁天、卫慧、周洁茹等几位70后的稿子，意在通过年轻作者联系年轻读者，卫慧先写了出来，就先出了，随后还出了丁天的和周洁茹的。对《上海宝贝》我当时并没有感到有多大的问题，只是觉得有些另类，也单薄一些，但感觉和语言都不错，作品对人们了解新的一代人有认识作用。这本书的被禁另当别论，从文学的角度看，仍然是有各种不同的看法的。我不觉得这里边有什么别的问题。

南方周末：《9·11生死婚礼》"好莱坞百万美金购买版权"呢？有人说你和安波舜联手制造了一个国际谎言。

白烨：这个事情还在进行过程中，正因为我多了嘴才造成麻烦的。国外的出版合作一般是商业秘密，他付了钱以后要由他来说，你说就会有麻烦，我是因为提前说出来才造成后来的麻烦。因为这件事都还在弥补中，所以不能再说。它还没有完结。现在我不能确切地跟你说，它有，或者没有，原因是还在运作中。

南方周末：商业机密可以不说，操作过程也不能说吗？

白烨：这事是我在2003年间帮助安波舜做书时发生的。当时出了旅加女作家贝拉的《9·11生死婚礼》后，美国一家投资公司看好电影的改编，愿意高价购买，好莱坞某电影公司是协议中的第三方。此事因我不慎多嘴，造成了极大的麻烦，过早地泄露了商业秘密，使事情后来出现了很多波折，遭到了美国公司的批评，但事情本身是绝对存在的。这件事曾被人做了不少文章，安波舜为了回应外界的猜测，曾于前年在国际饭店专门召开记者见面会，在律师的见证下做了版权出卖的说明。此事应该去向安波舜了解，他是整个谈判过程中唯一参与和决策的人，连作家贝拉都不是很清楚。我在后期更不清楚了。

南方周末："春天文学奖"是怎么回事？网上批评你在操控该奖的评选工作。

白烨："春天文学奖"我连评委都不是，你说我能操控什么？我连投票权都没有。他们说因为我操控了"春天文学奖"的评选，使得韩寒几次没有被评上，这完全是凭空捏造。我与"春天文学奖"没有任何关系，这个奖是王蒙和人民文学出版社共同设立的专门面向30岁以下的文学新人的奖项，我不是评委，没有任何介入。韩寒不能因为没有获奖而他又很在乎这个奖，就把这种怨恨发泄在我身上。韩寒一方面骂文坛是个屁，一方面又很在意一些奖，我觉得他是很矛盾的一个年轻人。

南方周末：韩寒还列举了蔡小飞自杀的假新闻，据说也跟你有关。真实情况是怎么回事？

白烨：大概在去年夏季，先是北京一个记者采访我，说有个叫蔡小飞的80后作者在天津跳楼自杀了，问我有什么看法。我说他们可能是由于精神压力过大，经受不了什么挫折吧。过后，又有一个南京的记者采访我，问我认不认识蔡小飞，我说不认识，她说有人说他参加过5月份在天津南开大学的80后交流峰会，我说我也参加那个会了，如果他参加了也许见过。她在随后的报道中不无添油加醋地说我认识蔡小飞云云。过了几天，《新京报》一位记者打电话告诉我说，有关蔡小飞的消息是假新闻，我听了后很是愕然。就这么个事，怎么就成了我的事？我作为被采访者，从头到尾都是被动的。我怎么可能为这样一件事去有意制造假新闻，这对我有什么意义呢？我至今觉得，这可能是什么人玩的一个圈套。

有人把我“妖魔化”有人把我“玄幻化”

南方周末：80后这批写手的表达具有文学性还是非文学性，一定要由评论家来肯定吗？

白烨：不是文学评论家说了算。文学评论家是在描述一种状态。因为你（80后）事实上跟文坛根本不搭界。

我说的80后作者和他们的作品，“写作还不具有文学性，不能看成真正的作家”，是指80后作者的作品都采用图书运作的方式直接进入了市场流通，而没有走进事实上存在的当下主流文坛——以文学期刊、文学批评、文学评选、文学组织和文学活动联袂构成的文学领域。他们主要以网络的渠道、图书的形式，与学生读者构成了前所少有的互动，并适应了他们的需要。我讲这样的话，既有提醒80后作者不要被自己的作品一时的行销所迷惑的意思，也有提醒主流文坛要关注他们的悄然崛起的意思。可以说一直到现在，80后对“文坛”不以为然或不甚了了，“文坛”对80后也不以为然或不甚了了。我觉得我的这些说法，并不是在划线、定性，而是在描述一种事实。

南方周末：没有进入文坛的写作就不能有好的优秀的甚至杰出的写作吗？

白烨：只能说进入文坛才能构成主流，不进入也许就处于非主流，处于一种民间状态。当然身处民间状态的非主流作家也可能产生好作家。不是说你进入主流就是好的，不进入就是不好的。

南方周末：有人对你的身份表示质疑，认为你这样把握着重要批评资源的教职、公职的学者，文坛与市场通赢通吃，击穿了学人的道德底线。

白烨：这位作家文章的内容我大致知道，他把我描述成一个文坛霸主的狰狞形象。我觉得他把严肃的批评当成了随意的想象。如果说韩寒是以所谓的道德问题把我“妖魔化”，那这位作家则是以所谓霸权问题把我“玄幻化”。

他提到的我的职称、职务与兼职，除了“博导”不是事实外，别的都属实。在当下文坛，具有这种职称、职务的还有许多人，我算不上是突出的，更谈不上有什么霸权。我唯一的权力是文学批评，而这样的权力持有者大有人在，我怎么能霸得住、又怎么能霸得了呢？我又依仗什么呢？我实在不明白他的这个让人匪夷所思的看法是怎么得出来的。

南方周末：你以书商身份利用公职资源从事个人出版业吗？

白烨：我不是书商。说实话，书商不是谁都能当的，他不止需要会策划选题，还要有擅长包装、宣传、发行、收款等全程运作的能力，而且还得依托一个工作室或文化公司。我只是有一些编辑经验，懂一点选题策划而已，别的既没有能力，也没有兴趣。如果把介入选题策划都叫作“书商”的话，那就太泛化了。我以前在出版社工作期间，以编辑为主，以评论为副；现在则以评论为主，但也没有脱离图书策划。我觉得这种介入对我的评论有一定的好处，它可以让我比不介入的评论家提早和更多地了解文坛和文学的情况，同时与当下现状保持一种经常性的联系。我做“布老虎”策划和出版是在1998年，我做了三年。现在回想起那一段，我也觉得它是有意义的，什么意义呢？它是利用市场的方式做一个长篇小说的品牌，（过去的）“布老虎”的书现在拿出来看，我觉得也没有很差很滥的，我并没有觉得做这个事情让我很丢脸。

南方周末：评论家“收人钱说人话，收鬼钱说鬼话”能说是韩寒的偏激之语吗？

白烨：他说的收钱是指审读费吗？评论家收审读费是理所当然的，况且审读费与评论家的劳动不成正比。通常评论家阅读一部长篇小说，要收500元审读费，有的还不到500元。审读费是对评论家劳动的尊重，你不能说白让人看，哪有那样的道理？有时候评论家是夜以继日，白天看了黑夜看，还要边看边思考。除了审读费，还有写文章的稿费，那都是出版业规定的报酬。韩寒还说我评80后，80后的人给我送钱。他们都是学生，有什么钱？有时候他们到北京，一起吃饭还是我埋单。韩寒的指控完全是先设定你是坏人，然后找证据，他的证据又是捕风捉影。如果他的证据是确凿的，在他指证我之前就有人找我了。

南方周末：反求诸己，在你的职业生涯里有没有做过错事？作为评论家你有没有悲哀的时候？

白烨：我觉得作为一个评论者，可能会有看走眼的地方，说错话的时候；我自己实际上就在这样的过程中不断进步。我觉得我可能属于那种小错不断、大错少犯的一类人。但有些事情看你从什么角度去看，比如做过《上海宝贝》这件事，在有些主流倾向的人看来，可能就属于一个显见的错误和严重的问题吧。

现在评论家尴尬的地方在哪儿？有时候你的批评会被市场化的炒作或者运作所利用。你在会上讲了很多话，可他只挑对他有用的东西报道出来，或者印在书上。他是有选择地在利用你。你说了很完整的话，很一分为二的意思，在那里就看不到。这是一个悲哀。还有一个悲哀，就是一个作家在他不知名的时候需要评论家，当他知名了以后，他就不再需要评论家。他不再看重评论家。因为他的名气足以让读者知道他，不需要评论家再做什么。

（采访内容白烨已订正，刊发时有删节）

韩寒：我定性为赛前消遣

24岁的韩寒，高中肄业，2000年成为职业赛车手。中学时候开始小说创作，最早的作品发表于《少年文艺》杂志。2000年起，先后出版了小说《三重门》《像少年啦飞驰》《长安乱》《一座城池》，文集《零下一度》《毒》《通稿2003》《就这么漂来漂去》。

4月2日，韩寒书面答复了本报记者的问题，就“文坛”之争，陈述了自己的看法。

严肃时，他们觉得娱乐 娱乐时，他们道貌岸然

南方周末：为什么会贴出3月2日那篇文章？贴出文章之前，是否考虑到可能造成的后果？

韩寒：这只是我芸芸众帖中的一帖，在芸芸众博客中，我不小心看到了白烨。看了文章，觉得观点很迂腐可笑，就反驳了，恰逢那几天心情不好。至于有人说是策划，完全没那事情，因为在很长的一段时间里，我看走眼了，我以为那是老诗人白桦，文章里甚至用的就是白桦这个名字。我想的没那么多。

南方周末：你认为参与这次论争的一些人没有围绕你的观点讨论，你的核心观点是什么？

韩寒：我的观点是：

一、如果事情不能够严肃，就要够娱乐；

二、别弄什么文坛，别觉得要在主流文学期刊上发表过文章，跟上头某些老前辈拜过，他们指点你一下才算是踏入了文学的殿堂；

三、某些前辈别老想指点别人，好的作者势必是不接受任何人指引的；

四、作者都是独立的有个性的个体，不要十年十年一分，作者不像评论家，很多评论家倒是可以百年百年一分的，那就是百年如一日的假大空；

五、如果要弄下坛子，请别借着扶植年轻人的名义同化打压年轻作者；

六、评论家要历史干净，现在的很多评论家居然是出版商；

七、名人们要坚强，别一朝被强奸，十年不坚强，什么关博客鼻涕眼泪帮爹帮友骂娘卖老的，要改正；

八、时代进步了，要甘愿被淘汰，作为车手和作者，我也迟早要被淘汰。被淘汰了，就别老上台表演了。

南方周末：你如何看待，在这次争论中一些网友将你认定为他们的“代言人”？

韩寒：代言不代言，完全没想那么多。世界上不需要代言，有嘴的都能言，需要“代”言的，自己的嘴去哪了？

我是一个车手，我和他们的不一样就是我不把这些当回事。要伟大，也是一伟大的车手。文坛里只有猥琐，没有伟大。

南方周末：你对这次争论中那些言论和现象感到满意吗？

韩寒：至少我觉得我还行。

一开始，这是严肃的文学讨论，没人承认，觉得只是娱乐事件，一个个滑稽可笑；到后来，变成娱乐事件，他们又不够娱乐，一个个道貌岸然。所以，是他们自己的愚蠢和心态不好埋葬了他们。而他们的这些避重就轻的指责和其他地方的一些不分事实的报道对我来说并不影响心情。

我唯一不能理解的是，他们这些名人怎么一个个这么脆弱，经不起骂啊，我看过他们博客中的留言，的确有一些支持我的人在骂他们。要知道，这是很正常的事情，别说网络上了，竞选总统的时候也是如此，他们居然就此质疑一代人的素质出了问题，这才是“红卫兵”的乱扣帽子行为。我最烦他们老拿这个说事，表现得非常不男人，我的博客里也有很多他们的支持者骂，我一条不删，也从不拿这个说事。现在的名人怎么搞的，一点都不强悍，跟没见过世面的小屁孩似的，被骂了就哭娘，乱告状。

南方周末：到现在为止，是否出现你不愿意发生的情况？

韩寒：完全没有，我就像看明星真人秀一样观赏他们表演，并做些点评，他们表演得不好的时候，就做些示范。干的就是柯以敏的活儿，但不同的是，他们比超女表演得差，我又比柯以敏表现得好。

南方周末：你如何给这次争论定性？你认为网络、传媒、你的“粉丝”和你本身在其中扮演着怎样的角色？

韩寒：我是车手，我将此定性为赛前消遣。别人怎么定性，我们中国有很多伟大的评论家，伟大的观察员，伟大的定性工作者，交给他们了。要不然他们怎么混饭吃啊。

我是车手和作者，要靠作品和成绩说话。也因为我有以前的作品和成绩，所以才会反驳了别人有人搭理。不能主次颠倒。我比赛非常紧张，尤其是今年的全国汽车拉力赛上海站，又在家门口，在比赛前一天，曾经的偶像高晓松抱着著作权法就跳出来了，娱乐了我的生活，放松了我的心情，最后得到了不错的成绩。

网络是相对公平的媒体，我们可以看到各种声音，很好的文笔，哪怕批评我的也是这样，他们也基本知道事情的来龙去脉。

传统媒体，我没接受什么电视的采访。报纸的有一些，北京的，四川的，南方的，都比较公正客观。相反，上海的媒体非常的傻，全是一些评论员在那里叫嚣还网络一片优美蓝天啊，小孩子不要说脏话啊，对事情的认识完全不够。我觉得，写评论的，不够深刻，就要够肤浅。他们一看就不是能写深点的好评论的人，但他们也没做到够肤浅，因为从最肤浅的角度看，这就是一个上海男人PK四个北京男人啊，上海男人改变形象的机会到了，可惜，上海的某些媒体太监做惯了，看见男人反而不认识了。

一举成名或小人得志让我保全个性和血性

南方周末：在你的记忆中，"文学""写作"最早给你留下的印象是什么？这些印象到现在有变化吗？

韩寒：写作是我小时候经常做的事情，看过很多书，自然就想写点自己的东西。写着写着就写得还行。当时我觉得那些好看的智慧故事就是文学，事实上，那就是文学。

南方周末：你曾提到自己对《围城》的看法。到现在再进行总结，是否有让你尊敬甚至敬畏的作家和作品？

韩寒：很多，包括很多短文，甚至很多博客里的短文，让我感叹民间真有不少好作家，而作协里关心的都是什么呀。难道都争作协主席去了？

南方周末：是否有对你产生过影响的"文学评论"？

韩寒：有，我小时候看很多书，在书里看见有评论家大肆夸奖某个作品，当时我比较纯洁，就去买了，看了后觉得不是他说的那样。一直到后来，才发现，原来那俩是朋友。后来就比较流行收钱写评论的，我出书不少年了，也知道很多这些事情。

当然，作为评论家，还有一个特点，就是你畅销了，你就不是文学了。你这是通俗作品，和文学没关系。难道文学就得整得谁都看不懂？就算文学以谁都看不懂为标准，凭什么凭借那些人的低智商低文笔脑袋能看明白？

南方周末：你是否向文学期刊或者其他报刊投过稿？为什么投稿，发表率大概是多少？

韩寒：以前有，以前只有那办法。还好，我遇见的编辑都很好，我发现都是女的。我出书前给上海、江苏的《少年文艺》《萌芽》等很多杂志投过稿。那时候想得更多的是赚稿费和有点小名气，争取早日写自己真的想写的东西。

我很庆幸我的一举成名，或者小人得志，至少让我得以保全我的作为作者的应有的个性和血性。

南方周末：你现在还看文学期刊吗，为什么？

韩寒：现在只看报纸、杂志，也从来不写约稿，只出书。

南方周末：你的作品出版以后，有过认真的文学批评吗？

韩寒：很少，因为我从不让出版社花钱组织文学评论。我也不需要这些忽悠人的东西来忽悠读者。现在的读者也不是这些一看就知道收了钱的评论能被忽悠的。这年头哪有文学批评啊，全是文学广告。要不就是看你不顺眼了，书都不看就骂你。

南方周末：你是否认可目前社会上存在的一些对你的定位，如“80后作家”等，为什么？

韩寒：这些是他们的问题。中国很喜欢给东西贴标签的。包括到现在，还有人叫我少年作家或者少年文学作家，后来一想还有郑渊洁这样一个儿童文学作家在，心理就平衡了。这些是无法改变的，笑笑就过去了。

南方周末：你现在主要靠什么为生？赛车和写作在你的收入中所占的比例各自是多少？

韩寒：赛车收入百分之二十，写作百分之七十。

他们调戏的是自己弄出来的文坛

南方周末：你认为什么是“纯文学”？你认为存在主流文学和非主流文学吗？

韩寒：没，我的眼里就一个标准，就是好读的好文章。我从来觉得文学是文字的学问，思想是一个只有肤浅没有深刻的东西。你觉得反映战争，写写变态关系，时常“文革”一下，经常自杀儿回算是深刻吗。好看是最重要的。

文学是一个很低的门槛。什么是纯文学，什么是不纯文学，文学又不是姑娘，但是，很多老一辈就觉得文学是姑娘，调戏来调戏去。其实，他们调戏的不是文学，文学永远存在于平民中，他们调戏的是他们自己弄出来的文坛。文坛和文学完全不搭界，文学是雅典娜，高尚亲民，文坛是站街女，在大城市某个地方自成一圈，给钱就上，幕后有组织，还带到站街女自己屋里上。

南方周末：你怎么看待“文学评论”和“文学批评”？

韩寒：没系统看待过。但这肯定不是真诚的。因为王蒙的东西写得并不好，但没看见有任何人敢批评他。文学搞得那么官场，势必影响质量。

南方周末：你认为批评和文学之间的关系应该是怎样的？

韩寒：至少两拨人之间应该互相不认识。也不应该有职业的评论批评者，这算什么职业啊，完全混饭吃的。吃饱撑的兼职干干还行。

南方周末：你理解中的“文坛”是什么？

韩寒：文坛是一群狗尿尿画了个圈子，以前还有别的狗觊觎，但现在，随着城市的扩张，新城区的出现，他们尿尿的地方早就没人去了，周围全是“拆”字。但他们还固执地在发挥余臭。

南方周末：你说“在网络时代，每个写博的人都算进入了文坛”，这是否意味着这些博客上的文章都是文学呢？如果这些都是文学作品，它们的价值如何评判？

韩寒：他们的东西就是文学。除了说明书和新华社通稿，别的大致上都能称为文学。凭什么有些人要负责评判这个是文学而那个不是？索性，大家都是。

南方周末：你认为，对一个写作者来说，“文坛”能产生什么影响？

韩寒：对于小菜鸟来说，能唬人，能欺骗文学女青年。但让一些有小才华（我相信有大才华的人早看穿了）的人去遵循这些迂腐的规则，在不断的复杂的人际关系里丢失了一个好的作者应该有的性格，变得平庸圆滑。

南方周末：如何看待文学创作和市场之间的关系？

韩寒：可以没市场，但有市场总是更加好。什么事都做得没市场了，自己都没办法活下去了，你觉得那是纯文学吗？经济的保障也是骨气由来的一部分。我不靠人赏我口饭吃，就爱谁谁了。

南方周末：你一直是畅销书专业户，这对你是好事还是坏事？市场会影响你的写作吗？

韩寒：当然是好事，虽然也总会有一天不畅销。市场不是我想的，因为不管如何写，都是那么畅销，版税没有任何影响。所以，我能更加随心所欲考虑我自己想写的东西。不用考虑市场。我是靠我的文笔和想法而畅销的，不是靠取悦市场，看最近流行什么就写个什么。你以为口口声声在骂畅销书如何如何的“纯文学”作者的东西不想畅销吗，上天给他们一个可以畅销的机会，他们爬着走都愿意。但很多时候是这样，你越想畅销，越往这上面靠，你就越不能。

一本书，不畅销，有可能好，有可能差。一本书，畅销，必然不会差。你当读者们全是傻子吗？

南方周末：还有什么未竟观点？

韩寒：我想说，作家都是独立的个体。我不能理解为什么本来应该有个性的一堆人要有个协会，并且搞得那么官场市侩。身为协会，应该保护作家的利益，但我也没看到作协有过任何打击盗版等行动。我建议解散中国作家协会，这样中国文学才有出路，也让世人少看点笑话，让本应该成为很多艺术的大宗的文学得到真正发展。

南方周末：你觉得你的这次出击，会不会改变一些"局内人"的想法？

韩寒：至少让他们看明白，所谓文坛的无人搭理和岌岌可危。不过，我觉得，迂腐的他们只能看到网络怎么没人管啊，这一代人道德怎么这样啊。我们是老人，要尊敬啊。老人的确要尊敬，但不能被同化。观点不一样的时候，有事说事，和岁数没关系。谁都别装出一副高高在上，指点江山的腔调。

（选自2006年4月7日《南方周末》，作者：张英、夏榆）

中国博客与中国博主

如果说2005年是中国的“博客元年”，2006年则是网络博客蔚然成风、各路博客“高人”引导互联网世界风起云涌的一年，从草根到精英、从码字人到政要、从小学生到耄耋老人，都可以成为博客家族中的一员。一亿多中国网民都感受到了其不可小觑的影响，千万博客和它们的主人们期待着未来的博客世界更火、更有秩序。

信息化时代，互联网衍生的博客堪称位居时尚的前沿，博客以不可阻挡之势迅猛地向前发展着，许多政界高端人士纷纷启用博客，国家首脑开设博客与民众互动并非鲜见，在分析博客人群之前，先让我们看看高端人士的博客开开眼界。

伊朗总统内贾德于2006年8月13日建立了博客。在世界政治风云中，内贾德往往被认为是常常语出惊人的焦点人物，他的言论经常出现于各种媒体。如今他有了博客，让他又找到了新的言论阵地，内贾德号召伊朗民众通过网络给他留言，这样，伊朗总统内贾德的博客被誉为最亲民的博客。

年近九旬的西哈努克精力充沛，他的博客不但更新较勤，且内容涉及广泛，从世界风云、国家政治到自己创作的电影和歌曲，可谓是包罗万象。此外，西哈努克还在博客上刊登一些他和家人的生活照片。最令人称颂的是他在博客上发文宣布，任何一个柬埔寨公民如果想知道他每月从政府和国会领取的薪水可以直接到王宫查个究竟，在那里有他每月的收入和开支报告。可以说，在所有的政要博客中西哈努克的博客点击率是最高的。

一位日理万机的总统或总理竟然也玩起博客，何况果腹无忧的百姓乎！近几年博客人数成几何级数般的增长便是广大群众参与的结果。由此可见博客人群乃是互联网上一个不可不正视的庞大群体。2002年8月博客教父方兴东建立“博客中国”

网站之初，为了发展计，力邀因在互联网上帖性爱日记《遗情书》成名的木子美加盟，任“博客中国”市场部主管。木子美以在大众中普及博客为己任，任“博客中国”市场部主管后如鱼得水，名正言顺，身体力行，在互联网上卷起一股博客旋风，让大众知道了博客，了解了博客，纷纷加入博客队伍。“博客中国”虽然在博客界声名鹊起，但毕竟比新浪、网易等各大门户网站逊色得多。2005年以新浪为代表的门户网站紧紧抓住这个商机，纷纷开设博客频道，博客人数急骤增长。正因此，2005年被称为博客元年。到目前为止，我国4.2亿网民中近半数的网民建有博客。在这庞大的博客队伍中，有许多人是一人多博，即一个人在多个不同网站建有博客。特别是一些名人在各大门户网站中往往都有博客。

博客进入我国是2002年的事儿，即由博客教父方兴东建立“博客中国”网站（后改名为“博客网”）始，博客的骤然兴起，预示着我国全民写作时代的到来。

写作，曾被视为一种高级而神圣的职业，只有作家才配称“写作”这两个字。“全民写作”这四个字看上去挺平常，仔细琢磨，它意味着对传统的常规写作秩序的颠覆，全民写作，就是人人都是作家，当然我说的人人都是作家，是指只要你在网络上建有博客，那就是你发表作品的平台，你在网络上发表作品啦，而且这些作品还可以自费出书，这不就是作家了吗。

全民写作意味着从草根到精英，从码字人到政要，从小学生到耄耋老人都可以成为博客家族中的一员。纵观互联网博客现状，诸如那些文化名人、影视明星、政治学家、经济学家、法学家、科学家以及中小学生等大都建有自己的博客。倘若按其不同人群的博客拥有量划分，当然还是被称作“草根”的普通大众的博客居多。而写博客这些人中，有娱乐明星博客、知性的名人博客、动人的情感博客，当然这些写博客人中包括企事业单位博客，这样的博客往往被冠以官博字样，再有就是营销博客，其中有一些开网店的博客，四处造访。

给我留下印象最深的是IT界业内人士的博客。有人将这种人称为技术狂人，这种类型的人电脑技术特别是电脑制作技术较高，他们喜欢在博客上特效制作，比如，特效视频、漫画、特效照片等，以在网络上展示自己的才华为能事。因为IT界业内人士有一个专业的环境，这些人的博客内容突出的特点是从网络技术层面上大加描述，一些刚建博客的人往往缺乏这方面的知识，他们渴望有关于博客方面的指导文章。IT界业内人士投这些人之所好，便将自己拥有的电脑技术分门别类地写成文章，以起到授课作用，其目的是以此来吸引新人的加入，以聚敛所在网站的人气。资深博客专栏作家、著名性学家李银河对IT界业内人士博客的作用阐述得非常透彻，她说：当博客刚兴时，“博客中国”才是最多人使用的。门户网站自然不会放过任何一个网络热门产品，相继推出了博客。而唯新浪大打明星牌，以明星来推动博客发展。起先以徐静蕾在新浪的博客为最。由此新浪博客也成为中国最大的博客网站，打败博客中国、网易、搜狐等旗下的博客。当然随着新浪博客用户群的大幅度增加，利用明星的影响力来推动博客发展的弊端也渐渐显现，由于这样发展，新浪博客首页推荐的文章往往就是明星的博客文章。新浪能做到这样，不能不说是IT界业内人士博客起着呼风唤雨的作用。李银河关于IT界业内人士博客的使命可谓是一言中的。

还有一些幻想当作家的文学青年，他们借助博客这个网络发表平台来提高自己

随着博客在人们日常生活中的普及，居住在北京的摄影师“孬蛋”和编辑“开心”决定将自己的婚礼搬到博客上举行。（陈建力/摄，图片来源：新华社）

的写作水平，以求实现自己当作家的梦想。这些人时不时地在博客上发表一些短篇小说及诗歌什么的，这些博客大都有一定文采，博客倘若分等级的话，这样的博客自然属于上乘。再有就是一些很现实的人，他们在博客上记录自己的恬淡生活，这样的博客不追求浮华，平实的博文透露出作者不卑不亢的性格特征。在博客群体中有一些人属于保守主义者，他们写博客只写给自己看，很少与别人互动，给人以自扫门前雪的感觉。再就是愤青一族，他们对一切事物都抱有怀疑态度，借助博客来表达自己的激愤之情。从我的表述不难看出不同人群的博客其内容迥异。

2005年各大门户网站开辟博客社区之初，为聚敛人气，扩大影响力，便纷纷使出浑身解数邀请各路精英及知名人士作为本网站的专栏作家。如著名经济学家张五常、遗传学专家方舟子、棋圣聂卫平、推动中国博客发展功不可没的木子美等都是门户网站的争取对象。

2006年5月14日，导演兼演员徐静蕾在北京图书大厦为读者签名，推销自己的博客文集《老徐的博客》。（庞兴雷/摄，图片来源：新华社）

专栏作家的门槛极高，那些自诩会写点文章的人是望尘莫及的，倘若你跃跃欲试，欲成为某网站专栏作家，注册个人博客是最基本的，然后再提交几篇作品供网站权威人士审核，审核合格后方能成为该网站专栏作家。

博客专栏作家可以说是博客群体中的凤毛麟角，要比普通博客高许多个档次。就拿张五常来说，该人学贯中西，是著名经济学家，曾任香港大学教授、经济金融学院院长，曾当选美国西部经济学会会长，是第一位获此职位的美国本土之外的学者。1969年他以名为《佃农理论——引证于中国的农业及台湾的土地改革》的博士论文轰动西方经济学界。1991年成为唯一未获诺贝尔奖而被邀请参加了当年的诺贝尔颁奖典礼的经济学者。该人在任新浪网站专栏作家期间，在交易费用、合约理论研究等方面作出了卓越贡献。

方舟子同时是多家平面媒体的专栏作家，自1999年以来设立新语丝网站，十多年来发表大量文章，揭发中国科学界和教育界的学术腐败现象，出版过一些以科普和反学术腐败等为题材的著作。此人是当今社会热点人物。

木子美因在网络上发表性爱日记成为网络上热点人物。有人说，美国人知道博客是因为“9·11”，中国人知道博客是因为木子美。是木子美在互联网上刮起一阵旋风，才使我国进入全民写作时代，木子美普及博客功不可没，被聘为网站博客专栏作家是在情理之中的事儿。

仅举上述三例，足见博客专栏作家绝非一般博客可比。博客专栏作家是个群体，这个群体虽然人数有限，却个个是精英，他们成为博客界领军人物，在引导网站发展方向，引导全民写作有序地向前发展方面起着一般人所起不到的作用。

博客是零成本出版，准入门槛低，这是人们青睐博客的重要原因之一。须知，现在的出版业是市场经济，出版单位要的是经济效益，于是传统纸质出版物实行常规出版、自费出版、合作出版等多轨制，滋生了出版经济人这种行业。出于经济利益的考虑，出版单位和书商极力推介那些灵异类、怪诞类、暴露名人隐私及涉黄打擦边球之类有钱可赚的作品。君不见，书摊上到处充斥着《鬼吹灯》《盗墓笔记》等灵异类书籍。现在的行情是有钱就可以出书，这样的结果，书的质量可想而知，作家被贬值。而一些文学元素较高的纯文学作品却备受冷落，那些坚守纯文学园地辛勤笔耕者不甘心于自费出版，加之文人多清高，作家们认为自费出版有失身份，自毁形象，于是便纷纷在互联网上建博客以解决出版难的问题，大批作家的加入无疑地提升了网站的知名度，同时博客文章质量也大幅提高。

作家的博客以新浪网居多，这主要是因为新浪是第一大门户网站，文化界、文艺名人大都投奔新浪。一批作家加入这场“平民写作”活动，实现了作家与读者的亲密接触。

余华是第一个在新浪开博客的知名作家，其中一篇《一个作家的力量》，一周左右点击率超过一万，读者评论有 80 多条。余华感叹说：“书能一下卖这么多吗？有的作家怕赔钱，不敢多出，初版只出两三千本，先探探路，销路好了再继续印，销路不好便打住。”由此看来，博客这种无成本出版，对于文化的传播委实起着不可估量的作用。有位网友在余华的博客上留言说：“没想到可以和您这样接近。原始人围坐在篝火旁，能讲故事的人是他们的生活中心，是他们的精神领袖，讲述者的魅力他们可以亲切地感受，而网络时代，我们有了这种方式。”

余华回复说：“我写了 20 多年小说了，今天看了你的留言，才知道自己是围坐在篝火旁能讲故事的那个人。这是我得到的最高评价。”

备受人们爱戴的张海迪女士的博客叫“布劳格”。我们知道，台湾有人将博客译为部落格，张海迪的“布劳格”是她自己根据英文的译名。张海迪形容说，“布劳格”是一个自己的小屋，你可以把它建在任何地方，天之涯，海之角，只要有网络就能随时进去。你可以按自己的意愿来布置它、装饰它，这间屋子可以让你尽情发挥创造的想象力。其实，在张海迪的心目中，“布劳格”更像一个充满真诚和善良的花园，而不是恶意炒作的灰烬。带着这充满理想主义色彩的愿望，她很快地适应了博客这个新的阵地，并毫不掩饰自己对“布劳格”的喜爱，她说：“我喜欢我的布劳格，它如同我的纸和笔，只要有时间，我就写下去，将来人们也许会看到一本有趣的《我与布劳格》呢。”但愿我们能够早日见到张海迪的《我与布劳格》。

张海迪自强不息的精神及战胜病魔的坚强意志曾鼓舞了一代人，如今她的博客仍有很强的感染力。一位名叫“海底”的女孩给张海迪讲述了自己不幸的故事，她留言说：“不幸，有时出现在身体上，有时在心灵里，我们都没有倒下，看到您，也看到了我自己。”

著名作家叶永烈写博客不到一个月就发现玩博客不容易。他说，建立博客个人网页之后，我既当作者，又当编辑，既要写文章，又要配照片。网页要经常更新，管理好一个网页，也不容易。叶永烈是享誉国内外的著名作家。一位知名作家竟有如此感悟，感受到玩博客的不易，何况我们这些草根博客呀。

博客的出现让社会进入一个全新的全民写作时代，博客不但颠覆了人们的思想，改变了人们的行为方式，同时也在悄悄地改变着作家。

博客最庞大的人群，即所谓的大众草根博客，大众草根当然是包括老中青三代。

最难能可贵的，也是让人难以预料到的，让人最惊喜的是六七十岁乃至八九十岁的老年人的积极参与，这是一支不可忽视的最积极最富有感情的庞大博客群体。一般来说，这些老年博客在职时没有赶上优越的无纸化办公，没条件接触电脑。他们学电脑开博客有多种多样的原因。有的是业余码字者，随着作家换笔风被裹携进来的。有的则是恨生不逢时，不甘落后，憋着劲硬学会用电脑写博客的。还有的是儿女给创造条件后被带动起来的。这些老年人玩电脑的兴致极高，写起博客来非常认真，似乎要把失去的时间补回来似的，互联网上曾数次举办老年博客大赛。这些老年博客有着良好的组织性和纪律性，经常从虚拟的网络走向现实，博友见面聚会已成老年人的时尚。

当然最庞大的博客群体当属青年一代。而这个庞大群体中又以在校大学生居多。这些人在紧张的学习之余，上上网、冲冲浪，写写心情，写写所闻所见，以博客作为放松自己的一剂良方。

职场白领自然是博客主力军之一，年轻工人和一些农民务工人员也纷纷加入博客队伍，他们的博客内容更贴近百姓，深受人们的喜爱。

此外，中小学生写博客的也不在少数。中小学生以学习为主，平日学习任务重，压力大，他们的博客更新慢，属于偶尔为之。

从一些草根博客的红火态势来看，博客为更多文学爱好者进入文学殿堂，圆文学梦降低了门槛。只要你热爱写作，有一定的文字功底，不辞劳苦地在博客上耕耘，定会有出头之日。但，我们也不能不看到博客的缺点，它毕竟是未经过筛选和提炼的原生态作品。泥沙俱下，鱼龙混杂是避免不了的，要改变这种状态还有待人们素质的提高和网络制度的进一步完善。

（选自中央编译出版社《中国博客调查》，
2012年2月出版，作者：于绍宗、于丽娜）

汉语，我们回家的路

在我们的生活里，汉语看起来不过是一个默默无闻的工具，一个熟视无睹的符号。在电脑、手机上输入内容时，我们随心所欲地运用着自己喜欢的讲话方式，简化着词汇，错字忽略不计。那些正规的语法仿佛就是街边的行乞者，与我们的日常世界丝毫不交叉。

那些侃大山的北京混子能把口语说得精湛无比，但错字连篇，甚至提笔忘字。这很像那个著名的燕国愤青去邯郸学步，却爬回了家。

汉语，是我们回家的路。

我们何曾在乎过快餐包装纸上出现几个错别字呢？我们只在乎快餐的质量。我们行色匆匆。

电视每天给我们提供娱乐和资讯，整理着繁杂的生活和琐碎的记忆。无人理睬的文字误读，但是它们不会影响到信息的确定性，也不影响我们的生活质量。

秦砖边刻的文、汉瓦上划的赋、唐风畔吟的诗、宋雨中落的词、元雾里蒙的曲、明雪下结的剧、清花内含的小说……又有多少人蓦然回首时会有一丝触动？一丝感伤？

网络语言的大规模侵袭

QQ、MSN……这些网络上的即时聊天工具你是否听过？用过？你去过网络上的BBS吗？你知道别人口里的“天涯”“猫扑”是什么地方吗？也正是从这些地方开始，掀起了一场最大的语言颠覆浪潮。

网络上有各种陌生人，你可以选择把他们加入你的好友，并和他们聊天。你不知道那人是谁，连资料都可以忽略。

陌生人之间说话无所顾忌，在这样一个不受世俗道德约束的界面上，语言的约束也会少很多。

网络的陌生人制度使人乐于使用简练和有趣的语言，各种谐音字也都可以代替标准的词语：比如女孩子喜欢说“8要（不要）”“葛各（哥哥）”，以及像“佩服”写成“PF”、“革命”写成“GM”、“这样”简练成“酱”……还有那些表情图片和搞笑的小FLASH，也伺机登场。

现在出现的网语大致分为四类：中文网语；拼音网语；数字网语；混合网语。

中文网语

我→偶

FANS（某某迷）→粉丝

喜欢→稀饭

美女妹妹→美眉

E-mail（电子邮件）→伊妹儿（颇有情感的音译）

丑女/丑男→恐龙/青蛙（相当含蓄啊）

拼音网语

比拼→PK

美女/妹妹→美眉→MM

他妈的→TMD（看起来干净、文明多了）

变态→BT（这可不是英国电讯公司啊）

芙蓉姐姐→FRjj（已属专有名词）

数字网语

Bye bye→88

就是→94

气死我了→7456

呜呜呜呜（拟哭声）→5555

无聊→56

混合网语

汗颜（现在时）→汗 ing（汉语 + 英文）

商家与个人的电子商务交易（Business To Custom）→B2C（数字 + 英文）

时尚的→最 in

据调查，“e”这个在 BBS 上表示“恶心”的网络词语，在 BBS 用语表中使用频次排名第一。在 4 642 个帖子的文本中出现的频次为 333 702 次。还有“顶”（支持）、555（表示悲伤的“呜呜呜”）等几百个网络词汇。仅仅“再见”就有十多种形式：88、886、3166、C、CU、CUL、BBN、BFN、TTYL 等。

从中，可以发现几个特点。一个是英语被汉化，这仿佛是民族自豪感的起源之一。汉语具有天然的同化外族语言的能力。

在英语向汉语流失的同时，汉语也在被数字吞噬，这是另一个特点。数字网语输入方便，有着风趣的谐音和似是而非的意象。

再一个特点是越来越洋泾浜，越来越符号化。BBS 上字符种数和汉字种数明显高于平面媒体，汉字以外的符号所占比例高达 55.07%，高于汉字所占比例。

其实汉语的纯净之美早就被打破了。外来语披着汉字的羊皮，阿拉伯数字在我们的文章中横卧竖躺，那些麻辣鸡丝、某某司机之类的外国人名也是惨不忍睹。汉语再不是秦砖汉瓦唐风宋雨元雾明雪清花了。

短信是种新文体

手机是个人的便携通信终端，短信就成了最即时的聊天方式。很多短信都是顺口溜，仿佛回到了诗经时代。不同的是这些短信诗歌如快餐般通俗，流传迅速，消失得也快。好的短信被收藏，过时的短信被删除。一种新的文体——短信体就诞生了。

短信体的主要特征是：篇幅短，通俗，有趣，语言鲜活，反映当下。那些短信写手整日冥思苦想，确实为我们的手机增添了几许文学气息和幽默氛围。

麻雀说，我是老鹰中抽大烟的。

乌鸦说，我是孔雀里烧锅炉的。

鹦鹉说，我是鸽子里坐台的。

烤鸭说，我是天鹅中练法轮功自焚的。

这则短信是讽刺法轮功的，在残酷当中隐约可见黑色幽默。

在著名的短信写手戴鹏飞的作品里，更是有很多讽刺与自嘲。如：

N小姐对O先生说：不！咱俩根本不可能在一起！你还是去追求K小姐吧，我觉得比较现实。

打你手机，第一遍是：您拨叫的用户已关机；第二遍是：您拨叫的用户不在服务区；第三遍是：您拨叫的用户没有手机！

老鼠没有女朋友特别郁闷，经过努力终于一只蝙蝠答应嫁给他，老鼠十分高兴；朋友笑他没眼光，老鼠说：你们懂什么，她好歹是个空姐。

蜜蜂妹炫耀自己的蜘蛛男友：他好歹有个自己的个人网站。

……

尽管由大量短信串成的戴氏话剧三部曲犯了处处想精彩结果不精彩的大忌，但他的这些早期短信还是很经典的。

戴鹏飞之所以成名，在于他干得早。这时代凡是干得早的，不是跳楼了，就是成名了。戴鹏飞没跳楼，就成名了。而后来者根本没这运气，收入也越来越少。因为后来流行了DIY（自己动手）。大家一起来写短信，按照点击下载率来获取报酬，既自娱又挣钱。

当然，在短信里也少不了爱情这个永恒的主题。以下是一些如诗一般的爱情短信：

世间本无沙漠，我每想你一次，上帝就落下一粒沙，从此便有了撒哈拉！

我想我不够爱你，因为，我每天只能爱你24小时。

如果爱你是错的话，我不想对；如果对等于没有你的话，我宁愿错一辈子。

……

看看所谓的“第一部短信小说”《城外》(作者：千夫长)版权被一家做 SP 的公司花 18 万元给买了。内容极其一般，无非是讲男女之间围城内外那点事儿，而且语法不通之处屡见不鲜。作为“第一部短信小说”，其粗糙性确实也算实至名归了。而无论这是否算个噱头，都很是刺激了那些企望在短信方面挣到名利然而却苦苦挣扎在点击率温饱线上的写手们。

短信受到手机客观技术条件的限制，只能以文字为主，其内容多是笑话、祝语。经常流传的那些笑话已是千人抄、万人笑。等到了春节等重大节庆，几亿人一起为了若干条短信抓狂，让通讯公司有事没事偷着乐。

广告代言了时代

商业文化对汉语的需要就是：吆喝。只是这吆喝是充满视觉冲击力和蠢蠢欲动的性感刺激的广告罢了。

说到广告，我立刻想到了那些凤毛麟角的时代格言。像:“人类失去联想，世界将会怎样”。这条广告语实在太经典，世界人民都舍不得失去联想，只得让联想把 IBM 给收购了。

奥柯玛冰柜:“没有最好，只有更好”。然后新飞冰箱就说，“广告做得好，没有新飞冰箱好”。

Solvil Titus(瑞士牌手表)的广告这么说，“不在乎天长地久，只在乎曾经拥有”。自从小两口们有了这句座右铭，社会的离婚率也提高了不少吧。

还有更绝的，“不求最好，只求最贵”。但这话不是广告词，是电影《大腕》里专门用来讽刺广告词的。

没想到为时代立言的工作竟然被广告承担下来了，想想所谓的“先天下之忧而忧”，于今只要把“忧”换成“优”，不是很好的广告词吗?

这些广告词除了为时代代言外，还让我们懂得了活学活用汉语能带来巨大的商业价值。那些广告词的创造者不仅不拥有著作权，连署名都不行。他们是无名的汉语大师。

好色之“涂”（涂料广告，来自“好色之徒”）；

“咳”不容缓（治咳药，来自“刻不容缓”）；

口服心服（某矿泉水，来自“心服口服”）；

不打不相识（打字机广告，很不错的应用）；

一毛不拔（牙刷广告）；

金利来皮鞋，足以自豪的世界（这里的“足”从形容词变成了名词，语法上就不通了）。

为此甚至还出台了一条规定：禁止广告词对成语改头换面、李代桃僵。然而想想《诗经·周南·桃夭》中有“桃之夭夭”，是形容桃树枝叶茂盛。后来人把“桃”改作“逃”，才有了成语“逃之夭夭”。细细想想，这不也算篡改吗，谁管了？

标语的潜意识

中国的很多标语一般来讲是纸老虎，很吓人。有些鬼符的意思，可能是专门用来吓鬼的。至于人，看得多了，也就不怕了。

进而言之，那些标语大多在宣传国家和当地政府以及标语墙所有者的政策、想法、观念、广告。这些内容混合在同样一种文体当中，仔细读来，居然也成了一种有趣的文化。

上面宣传计划生育，于是在广袤的乡村就出现了很多相关的标语。

宣传国家人口政策的，如：

国家兴旺，匹夫有责；计划生育，丈夫有责。（男人的地位依旧强大。）

见证怀孕，持证生育！（中国的证实在是太多了，建议一证制。）

普及一胎，控制二胎，消灭三胎。（跟当年刘伯承的“达一个，夹一个，看一个”异曲同工啊。）

坚决打击流产女婴！（应该补上“的行为”。）

一人结扎，全家光荣！（启发人们的荣誉感。）

引导生育生产活动的，有：

少生孩子多种树，少生孩子多养猪！（迎合农民心理的佳作。）

结贫穷的扎，上致富的环。（加：今天是个好日子！）

农村想不穷，少生孩子养狗熊。（把孩子与狗熊相提并论？）

放狠话的，显然是被上级的指标给逼急了，很可能是一票否决的硬指标啊。这些标语的核心就是不破不立、赶尽杀绝。如：

宁添十座坟，不添一个人。（“三光政策”吧？）

宁要家破，不让国亡。（个人利益低于一切……）

通不通，三分钟；再不通，龙卷风！（洪水猛兽，苛政猛于虎的表现！）

谁不实行计划生育，就叫他家破人亡。（罪莫大焉。）

喝药不夺瓶，上吊就给绳。（他人即地狱的搞笑版。）

那些关于结扎的标语看上去跟兽医行径似的，如：

超生就扎！（干脆，鲜明。）

一人超生，全村结扎！（实行连坐与保甲制度。）

一胎生，二胎扎，三胎四胎刮！刮！刮！

一胎环，二胎扎，三胎四胎杀！杀！杀！

该扎不扎，见了就抓。

关于强制人流的标语也特别多，而且都有个“流”字，真是鲜血淋漓啊，只有真的猛士才能面对。如：

能引的引出来，能流的流出来，坚决不能生下来。（措施齐备，防患未然，决不能亡羊补牢。）

宁可血流成河，不准超生一个。（不由得打个寒颤！）

该扎不扎，房倒屋塌；该流不流，扒房牵牛。（无语……）

以上这些与计划生育有关的标语特别醒目，每个火车上的旅客在窗前吃苹果的时候，抬起头来，不远处飞速掠过的农村田野中会突兀地竖起一座高墙，粉刷着如上内容，着实让人犹如吃了个虫子般的倒胃口。

还有一些政治、经济、教育方面的标语口号也耐人寻味，如：

集体上访违法、越级上访可耻！（愚民是肯定的，关键是还引入了荣辱观。）

人死债不烂，父债子来还！（太狠点儿了吧！）

谁侵犯投资者，谁就是人民的罪人。（谁能代表人民？）

不娶文盲妻，不嫁文盲汉！（和文盲结婚就不能帮助他脱盲吗？）

养女不读书，不如养头猪！养儿不读书，就像养头驴！（……）

再看打击违法犯罪的，这些标语的修辞方式就是“吓唬”：

横卧铁轨，不死也要负上法律责任。（果然是吓鬼用的。）

抢劫警车是违法的！（这就不仅是吓鬼了，还自己吓自己。）

武装抗税是非法行为。（给自己壮胆儿。）

私设路障违法，拦路抢劫判刑。（普法教育的废话。）

偷税漏税，来世罚做尼姑。（诅咒式。）

不怕死的就到十八里乡来作案！（简直就是空城计！）

坚决打击挑脚筋。（具体指出了可怕的罪行特征。）

严禁触摸电线，五万伏高压，一触即死，违者法办！（看来不触不行了。）

违法越界观光，小心枪弹扫光。（厦门鼓浪屿的标语，真让人游兴大消……）

如今电信建设大发展，光缆遍布广大地区。偷光缆的人总认为那里面肯定有值钱的东西可以去贩卖，于是很多标语就以“此地无银三百两”的格式来教诲一番：

> 光纤没铜，偷也没用！（有铜没铜总得打开来看看吧，谁叫科普不到位呢！）
> 光缆无铜，偷盗有罪！（但里面总有金属吧……）
> 偷割光缆，讨死。（至少不会被电死！）

这些标语除了引得旁观者哈哈一笑以外，并无任何实质作用，而真正的罪犯是不怕这种威慑的，该犯罪还是犯罪。

不过，人类的想象力的确在标语上得到了无限的发挥，或者这也算是中国社会一种另类的特色吧。

我该叫你什么？

同志？

现在不兴了。张口闭口同志的那些人基本上还活在上个世纪。谁跟谁是同志呢？同志总是让人回忆起血雨腥风的革命战争年代，难道吃顿饭也要背诵一下革命不是请客吃饭吗？

何况，在《断背山》风行的今天，“同志”这个叫法已经有了其他的含义，为免误会，还是少叫为妙。

小姐？

不能不承认，自从改革开放搞活以来，这个词就被滥用从而用烂了。当“小姐”演变成一种三陪、卖身的职业，它原有的“闺中蜜”的意思就淡了，变味儿了，变臭了。但我们还是不得不使用这个词，因为称呼比较年轻的女性用“女士”不合时宜，用“夫人”肯定挨揍。

伙计？

这个称呼似乎不太尊重人家了，毕竟是社会主义国家嘛，人人平等。伙计、跑堂的、小二，这些称谓如今难以在大众中推广的原因，就是我们还保留着那么一点怜悯之情，不想把这个社会弄得跟旧社会似的。

这些个称呼在我脑子里足足转了十几圈儿。乱叫天下人也是我们这个时代的一个荒谬吧。我犹豫良久，只得挥了挥手——

“服务员！”

“茴”有四种写法

茴字确实有四种写法，但我们和那个咸亨酒店的伙计一样可以不予理睬。我们在日常的迎来送往中，根本吃不到茴香豆。即使要吃，也只须一点菜谱就上来了。茴字写法多了，反而让我们怀疑那还是不是孔乙己所好的那一口儿。

相反，那些被篡改的汉语文字却可以博我们开怀，至少在心里或脸上会掠过一丝无厘头的微笑。像：

植树造零；
白收起家；
勤捞致富；
任人唯闲；
得财兼贝；
检查宴收；
大力支吃；
为民储害；
提钱释放；
攻官小姐；
爱名如子；
酒精考验；
明主选举；
繁荣娼盛；
失望工程；
人民万税；

......

茴字虽有四种写法，而被篡改的“成语”却有千万种，每一种都和民意有关。对这样的写法，我们是否应该抱着多一些的敬意呢？

汉语的双重人格

汉语实在发达。以前是外来语，现在是网语，还有很多政治社会商业广告的生造，真是众声繁华。而汉语的发达，还在于其双重人格的构造。

以下举些例子。请看：

有“士可杀不可辱”，则有“大丈夫能屈能伸”。

有“是可忍孰不可忍”，则有“小不忍则乱大谋”。

有“杀身成仁”，则有“识时务者为俊杰”。

有“君子喻于义，小人喻于利”，则有“君子爱财，取之有道”。

有“井底之蛙焉能知大海”，则有“一叶而知秋”。

有“富贵不能淫”，则有“有钱能使鬼推磨”。

有“公仆”，则有“父母官”。

有“华山自古一条路”，则有“条条大路通罗马”。

有“义无反顾”，则有“好汉不吃眼前亏”。

有“士为知己者死”，则有“人不为己，天诛地灭”。

这就是汉语的双重人格。它和语义褒贬完全不是一回事。它更多地表现出汉语思维的两面性。这些“泛成语”其实是历史的积淀，是我们的祖先、先人和同代们在各自的生活社会实践中根据具体语境说出来的，一定很是掷地有声。

每个人，当他得到汉语系统的完整教育之后，就能在大脑里形成完全不同的两套思维模式。一套是儒家式的义理哲学，一套则是世俗的明智文化。两套价值体系并存，常能令人不知取舍。

每个人都可以从汉语里找到自我辩护的“泛成语”，其实也就是找到了在“泛成语”及汉语背后存在的道德支撑。因为汉语的很多“泛成语”都来自历史事件，都是从典故而来，都是五千年文明的积累。每个“泛成语”能够流传至今，正说明其道德价值为中国历史社会所容，说明这是世人所遵守的某类规则中的一款。

更为复杂的是，两套体系又能交叉互动，形成许许多多的子体系。这样一来，每个人都能在自己的世界里找到汉语道德的依据。汉语道德与根本的伦理道德体系的不同在于，它只是一套说辞，一套宽解自己与他人的话语。它不是真正的道德，它只能在精神上得到一点点的胜利。

探讨汉语的双重人格，其实质是映射出道德本身的不确定性。我们的道德似乎正处在一个与汉语同步更新的时期。外来语带来国际的观念、世界的良知，网络语言影响到新一代人对社会的认知，而商业文化媒体生造出的新词汇更是令人感到莫测高深。

众声的喧哗意味着众生对话语权利本身的敏感。每个人在今天都逐渐有了发言的权利，甚至是制造新词、新的“泛成语”的权利与机会。

因此，汉语的这种二元人格也会更加多元化，体现出现世道德的多义性。

具有中国特色的词汇分析

如今，一切都被冠以“新”。“新问题”“新时代”“新事物”“新情况”“新经验”“新模式”“新现象”“新思潮”“新写实”“新权威主义”“新左派”“新农村”“新新人类”。这些“新”被统称为“中国特色”。

而更多的中国特色体现在新创词汇上。这些新词汇的创造完全可以和网络语言相媲美，那么我们又何必要反对网络语言呢？是不是由于这些是具有中国特色市场经济条件下产生的词汇就该格外照顾呢？

“大话”“戏说”“Q版”“非典型”，目前是形容各种人生事物和文艺对象的流行性定语。“大话”“戏说”起于对港台一些影视作品的定位。“Q版”则是从QQ开始的，是即时性网络创作作品的一个标签。而“非典型”来自2003年肆虐中国的“非典型性肺炎”，之后“非典型”爱情、“非典型”生活、“非典型”小资在病毒消失后逐渐盛行。

以前中国管“失业”不叫“失业”，叫“待业”。既然是待业而不失业，那就没有所谓的“失业率”了。现在还不叫“失业”，叫“下岗”。于是就有了和“待业”相呼应的“再就业”，就像把“遣返”改成“劝返”。“转制—买断—下岗—再就业”，一连串的大喘气，都是为国企解困而制造出的新词汇。

创造新词，意味着我们对传统语言不满，传统汉语已不能表现我们要说的东西。看看中文版的《存在与虚无》，翻译家在诠释萨特的哲学术语时可谓是翻遍了道家典籍，可能是因为他觉得存在主义和老庄近似吧。但从翻译的效果来看，还是相当的拗口，可以想见翻译家在意译时那副痛苦的表情。想想如果汉语足够丰富，是否能轻松一些呢？

尾声

据北京青年报载：2006 年 5 月 22 日，“2005 年中国语言生活状况报告”发布，这是教育部、国家语委首次向社会发布中国年度语言生活状况报告。据悉，现在一个人只要掌握 934 个汉字、约 11 000 条词语，就可以阅读 90%左右的中文出版物。我国常用汉字的字数在减少，网络用语增长速度趋缓。

与 1988 年制订的《现代汉语常用字表》比较，现在的常用字变化巨大。前 7 000 字与“字表”比较，有 615 字是“字表”中所没有的。另外，《现代汉语通用字表》中的通用字有 244 个，在本次调查中没有发现。这些“销声匿迹”的字包括一些繁体字、异体字、旧计量单位用字、方言字等。

另外一些方言也有濒临灭绝的危险。联合国教科文组织及我国教育部、文化部、社科院等已经立项开展相关调查并建立语料库。

汉语，在大多数国人的心里，是这个世界上最美的语言。在这个乱写错别字、乱叫天下人的时代，正确地使用汉语可以让你觉得自己是一个真正的中国人，而富有创造性地书写汉语则能让人觉得你是一个幸福的中国人。

因为在你的手上和嘴里，汉语是活的。

同时，你也就活在了汉语里。

（选自 2006 年第 8 期《报告文学》，作者：汤军）

T70次列车沙尘暴惊魂记

2006年4月9日，一场百年罕见的沙尘暴袭击了从乌鲁木齐开往北京的T70次列车。车内温度骤然降至零摄氏度以下。700多位乘客和乘务人员与随时可能邂逅的死神擦肩而过。4月14日，记者昼夜兼程，中途“拦截”到这趟返往乌鲁木齐的列车，随车与乘务人员进行了“细节的还原”，于是有了这篇“灾难现场”的“乘务员版”。与此同时，记者还对散落在茫茫人海中的乘客，进行了大海捞针般的搜寻，并开掘出他们的记忆，“再现了现场”，于是有了这篇“灾难现场”的“乘客版”。我们之所以留下两个记忆版本，是为了更加逼近真相。而记录灾难，是要警醒人们记住灾难，并记住灾难中的各种面孔。

乘务员版

2006年4月9日14时19分，由乌鲁木齐开往北京西站的T70次列车正点驶出乌鲁木齐站。

负责本次列车的是北京车队乌鲁木齐客运段京4组。

列车长李玉新瞟了一眼车厢的电子显示牌，一行天气预报刚好出现——今天夜间：中到大雪；明天白天：小雪；最高气温：-1℃，最低气温：-4℃；风力：5级西北风……李玉新摇了摇头，心里嘀咕：这个月份下大雪不多见。

凭他多年跑车的经验，只要乌鲁木齐下雪刮风，那“百里风区”的风肯定小不了。列车几个小时后将会到达风区。

“百里风区”是指兰新铁路红旗坎—小草湖—红台—大步—十三间房—红层—了墩全长123公里的区间。这里一年360天中有300多天都在刮风，12级大风经常刮起。

但李玉新万万没想到，此次经历的沙尘暴，是他十多年的列车生涯中从未遇到过的。

9日18时24分，列车开出鄯善车站。

21岁的餐车主任孔秀丽嘱咐餐车服务员准备开饭。列车左侧窗外呼呼作响，小石子“噼里啪啦”拍打着车体。风越刮越大。

厨师杨旭在厨房操作台忙得应接不暇，外面越刮越大的风并没引起他太多的注意，因为这里几乎天天刮风。他只是从“老铁路”那里听说过，这里风大时石块可以击碎列车车窗，甚至可以掀翻列车。但自己跑车三年，从没遇到过风沙击碎车窗玻璃的事。据说最近一次类似事故的发生距今已有十多年了。

机车司机吉冠旗说，他接到鄯善车站的通报：风区小草湖一带风力为37.5米/秒（编者注：37.0米/秒以上为12级以上大风）。按这个风速，他认为，列车限速60公里/小时通过风区没有问题。可铁路上却有9级风限速，11级风停轮的明确规定。

19时20分，列车驶进小草湖车站，这时风速已达到41.5米/秒。按规定此时列车必须停轮。

19时22分，列车临时停在距离鄯善站50公里外的四等小站小草湖。

此时，小站的四道上停着一列油罐车，T70进入二道。吉冠旗有意将列车和左侧的油罐车并排停靠。他想，这样可以借油罐车遮挡一下由列车左侧袭来的风沙。

列车刚刚停稳，餐车服务员闫中丽发现，靠餐车后台方向左侧的第二个车窗的外层玻璃不知什么时候被风刮起的石子击碎了。她赶忙跑过来告诉正在开票的孔秀丽。

“赶快让吃饭的旅客往后坐，说不定什么时候，第二层玻璃就会被击碎了。”孔秀丽和几个餐车服务员开始劝正在用餐的旅客远离那个外层被击碎的车窗。

“赶快通知车长。”不知谁喊了一声。

19时30分左右，列车长李玉新赶到餐车。

李玉新刚要过去查看被击碎的外层玻璃，只听“嘣”的一声闷响，里层钢化玻璃被风掀落在车内。车内顿时黄沙弥漫，细小的石子夹带着比指甲盖还要小的碎玻璃碴儿在车厢里乱飞，能见度只有几米。

当第二块车窗外层玻璃被击碎时，餐车厨师杨旭正在炒菜，听到外面闫中丽喊玻璃烂了时，他还探出头来看了看。他想，这种被风沙击碎玻璃的事时有发生，但要想把双层钢化玻璃都击穿不是件容易的事。可当他再看外面怒吼的狂风时，心也不禁紧了起来。

“几分钟后第二层玻璃就碎了。”杨旭说，“当时感觉车体比原来晃得厉害了，人影都看不清了，只感觉呛得透不过气来。”

他听见列车长大喊:“赶快把火灭了！”

杨旭顾不得其他，连忙把餐房门关上，而后将炉灰压到炉中，又拿了盆水浇在上面。

19时37分，将餐车一些物品安置好后，李玉新要求大家撤离餐车。

餐车弃守。

此时，31岁的乘务员李奕正在14车厢当班。

“当时就感觉到外面风大，车体比平时晃得厉害。”听说餐车的玻璃被击碎了，李奕心里一紧，“我当时感觉事情有些严重。”

“我正和另一个列车员说餐车的事时，就听到车长办公室旁边的玻璃‘嘣’的一声，只见外层玻璃裂了，我们一面通过车长办公室的对讲机将情况报告车长，一面赶忙上前疏散旁边的旅客。”李奕回忆道。

就在这时，从15车厢传过话来:“15车厢左侧两块外层玻璃被风打碎了！”

几乎是同时，从16车厢也传过话来:“16车厢一车窗单层玻璃被风打碎了！”

“报告，17车厢也有一块外层玻璃碎了。”

……

短短几分钟，李玉新的对讲机不时传来各车厢车窗玻璃被击碎的报告。

李玉新一算，已有14、15、16、17四节硬座车厢和12号软卧车厢的部分车窗玻璃单层被飞石击碎，情况已非常严重了。他决定启动防风灾应急预案。

19时40分许，列车开始广播:“严禁吸烟，禁用明火，注意安全。”

20时20分左右，15车厢一块玻璃被石头击穿。

狂风卷着沙石灌入整个车厢。尖叫声、呼喊声、风声混杂在一起。

很多乘客用毛巾捂住口和鼻。

李玉新连忙赶到15车厢，要求乘务员赶紧将旅客向两边的14和16车厢转移。

20时35分，还没等15车厢的人全部转移完，16车厢的玻璃也被击穿了。

“也许是左侧有油罐车遮挡的原因，当时4号至9号硬卧车厢的车窗玻璃没有破损，被击碎的车窗多是硬座车厢。”李奕回忆说，“当时车里有些混乱，所有人通过被击碎的车窗时，都得弯下腰，捂着脸，小石子就像子弹一样打在脸上，非常疼，根本就不敢睁开眼。”

20时40分左右，李玉新把列车上的“三乘一警”召集到一起。

“我们遇到了百年不遇的大风的袭击，现在情况紧急，必须把硬座车厢的旅客全部向卧铺车厢转移！”李玉新下达命令。

他们让旅客把行李从行李架上拿下来，放到座位下面或空地上；把所带的食品和贵重物品随身带上；在乘务人员的指挥下向相对安全的硬卧车厢转移。

20时50分，14车厢的几位旅客说什么也不走。

“我当时都急了。”李奕说，当时车厢里有80多位旅客，有一部分已经转移到相邻的车厢，当15和16车厢的玻璃被击穿后，很多旅客又返了回来。

“大家拿上自己的物品，向硬卧车厢走，必须马上离开这里！”李奕和另一位列车员不停地大喊。

“风这么大，玻璃会不会全碎？都碎了可怎么办？”一位女乘客拉住李奕不停地问。

“让我们去卧铺车厢，那么多人，我们怎么睡觉？我们的行李丢了怎么办？我不去。”从新疆伊犁来的一位刘先生和七位旅客用毛巾捂着脸，死活不挪地方。

“乘务员，我们自己成立自救队，你们需要时，我们可以帮你们。这风没什么可怕的。”一位旅客安慰李奕。

21时10分左右，列车长李玉新赶到14车厢，劝说七位旅客离开。

“这风没你们想得那么可怕，我们不怕。”一位旅客说。

“你们可以不要命，但我们要对你们的生命安全负责！”李玉新急了，对着旅客喊起来。见列车长发了火，几位旅客不情愿地拿着自己的随身物品离开了座位。

“在旅客转移过程中，不时可以听到玻璃被击碎时发出的闷响声，像小礼炮的声音。”李奕描述着当时的情形。整个车厢都弥漫着沙土，土味很重，呛得人透不过气。旅客们低着头，猫着腰，用东西遮着脸，从打碎的车窗旁慌忙地跑过。

21时35分，李玉新得知硬座车厢又有多块玻璃也被击穿。

站在座席上指挥旅客转移的李玉新暗自庆幸转移旅客的决定。就在这时，6号卧铺车厢乘务员报告：6车厢的部分车窗单层玻璃也被击碎。

李玉新一惊，他透过车窗看到车外狂风呼啸，飞沙走石，遮天蔽日。

22时05分，机车司机吉冠旗和冯兵接到指令：限速20公里/小时，驶离小草湖车站。列车在此滞留了2小时35分。

开车前小草湖车站特意派了两名添乘人员上车协助查看线路。

“当时列车前方几乎什么都看不见，外面一片漆黑，石子打在机车上，像下雨一样。”吉冠旗回忆说。当时他们四人都盯着车灯照亮的前方，缓慢地开动。

就在列车开动时，9车厢乘务员哈斯也提·尼亚孜刚回到宿营车躺下。

“眼睛还没合上，从发电车方向数第四块车窗的双层玻璃就被石头击穿了。”哈斯也提拿起被子去堵车窗，“车厢里什么都看不清了，被子刚堵上去，一下就被风卷走了，细沙碎石打得人睁不开眼。”

就在几位乘务员封堵宿营车车窗时，从卧铺车厢陆续传来车窗被击穿的消息。

“旅客要紧，放弃宿营车！”列车长要求列车33位乘务人员全部行动组织旅客开展自救。

22时20分左右，宿营车上的乘务员什么也没拿，回到了各自的工作岗位。

哈斯也提赶到9车厢时，车厢里的玻璃还没破，她忙着安置从其他车厢转移过来的旅客。“一个格档里最多的安排了15名旅客。”下铺挤着十位，中铺上坐了五位。

“过了不到20分钟，车厢左侧一方的11块车窗玻璃就有七块被陆续击穿了。”哈斯也提说。当第一块玻璃被击穿时，车厢里一片慌乱，孩子的哭声和女人的叫声不断。但每一块玻璃被击碎后，就有旅客和乘务员拿着棉被堵上去。

“我们把棉被一头搭在毛巾架上，而后用身体压住，一床被子根本不行，被子堵在上面很兜风，人被吹得像个不倒翁似的，根本站不稳。”哈斯也提回忆道。

一个车窗用三床棉被封堵，有的用了五床。“人用背压在上面稍不用力，风就会把棉被卷走。”哈斯也提说，“棉被被风卷走时，在车外的空中飘得就像手帕一样，迅速便消失得无影无踪了。”

被子厚了无法固定，有人出主意用行李架上的行李压住被子的一头，而后铺下来。为不使行李掉下来伤着人，让一些女旅客坐在中铺用脚踩着行李。

"我们刚堵上这块车窗，又有玻璃被击穿，几乎车厢里所有的棉被都用上了。"将近零点时，9车厢左侧的11块车窗玻璃都被击穿了。

此时，最紧张的人莫过于车辆乘务长黄辉。

发电车的车窗玻璃也碎了，沙石袭进控制屏。黄辉和其他五位乘务员急了：如果细沙进入控制屏里，就有可能发生短路，造成列车停电。如果这时候没有电，没有供暖和供水，689位旅客挤在漆黑一团的车厢内，将会出现怎样的后果？他们连忙一边用棉被封堵车窗，一边用毛巾、纱布将控制屏上的缝隙塞住，以防细沙侵入。

当餐车第一块玻璃被击穿时，黄辉带着人拿着列车上准备的备用有机玻璃前去封堵。

"这种备用玻璃平时用还行，可遇上这样大的风，根本无法用。"当黄辉和几个人试图将90厘米×70厘米的备用有机玻璃安装到车窗上时，强烈的风瞬间把有机玻璃吹成了弧形。经过多次努力，有机玻璃根本无法固定，最后只好放弃。

黄辉带着几位检车人员对硬座车厢电茶炉实行断电。行李车留一人，硬座留一人分别看车。

3、11、14、15、16、17号硬座车厢被放弃，所有旅客向4、5、6、7、8、9号车厢集中。

11车厢一位刚做完手术的维吾尔族乘客被安排在广播室；8车厢一个出生刚三个月的婴儿和母亲，17车厢一位70多岁的脑溢血患者，4车厢一位哮喘病患者和一位孕妇被安排在软卧的包厢。

据列车长李玉新透露，有一位领导让出了自己的软卧包厢。

"当时列车上最安全的地方就是广播室和软卧的包厢。"李玉新说。

据黄辉描述，当时车内可以清楚地听到沙石击打车体发出的巨大声响，车体被吹得左右摇摆，就像发生了地震一样，真怕列车翻了。

10日0:00到0:50，列车运行方向左侧的189块车窗玻璃全被击穿。

此区间，列车行驶近三小时。

10日1时01分，列车临时停在十三间房车站。

风丝毫没有减弱的迹象。

"旅客和乘务员用棉被、毛毯、铺套等物品，遮盖窗口，并用自己的身体挡在上面，筑起一道道人墙。当时的情景非常感人。”当列车长决定放弃宿营车后，担任列车售货员的周晓燕被安排到 4 号车厢组织自救。

周晓燕当时只穿着一件衬衣和一条单裤，她站在车厢一端组织旅客封堵车窗。过堂风从车两端穿过，风夹着沙石打在人脸上生疼生疼的，冷飕飕的风直往人衣服里钻。

“我当时感觉是被风吹透了，浑身直打颤，一点都不夸张。我当时都能听到自己牙齿打架的声音。”周晓燕说，“当时车厢内的情景就像电影里看到过的鬼世界一样。”

“虽然车窗都被棉被堵上，但车厢里仍沙尘弥漫，人在车厢里影影绰绰，车窗上飘着白色的布条。这些布条是旅客们将被单撕成条，用来系绑堵在窗上的棉被用的。地上满是备具和装着各种食品饮料的塑料袋。外面的风发出吓人的叫声。”这情景让周晓燕无法忘记。但很多旅客当时的表现更让她难以忘怀。

“一位武警战士看着也就 20 来岁，从 10 日零时左右，就开始用身体抵着窗口的棉被，一站就是十个小时，别人换他也不下来。”周晓燕说，自己也用身体挡在车窗前三个小时，下来时，腰背冰冷，仿佛整个上身不是自己的，两条腿直打哆嗦。

4 车厢有一位加拿大人，足有 1.8 米高。他也和其他旅客一起用身体扛压棉被。他还不时地同身边一位懂英文的旅客交谈：“新疆的风太热情了，这辈子头一次遇到这么大的风，回国后要给家里人讲讲。”他在被换下来时，还不停地用 DV 拍摄着眼前发生的一切。

“和这位外国人比起来，我们有些旅客的表现实在让人脸红。”周晓燕气愤地说。在大家拿着棉被争着堵车窗的过程中，竟有一个青年人一个人盖着三床被在铺上睡觉。

“我们凭什么要给这样的人堵车窗？他不堵，我们也不堵。”一些旅客实在看不下去，纷纷从窗口退下来。人一退下来，几个车窗上堵着的棉被迅速被风卷走。乘务员苏红梅忙劝大家赶紧堵车窗，但没人理睬她。她只好自己拿着棉被上前封堵。一些旅客看到苏红梅的举动，又默默起身重新堵在车窗上。

10 日 2 时 58 分，列车停了近两小时后再次启动，驶出十三间房小站。

列车刚开出小站，机头动力间的四块玻璃全部被击碎，左侧操纵室二室的玻璃也被击穿。

“这时我们四人都很紧张，连忙用毛巾把电器框绑死，加强密封度，生怕沙土进去。同时将操纵二室的电断了。”吉冠旗、冯兵和两名添乘人员站着，用毛巾捂在脸上，眯着眼盯着前方。

“后来我们就把毛巾丢在一旁，整个脸都麻木了。”吉冠旗说，“当时我们想冲过这个区域。”

几节硬卧车厢内，压堵车窗的人墙轮番上阵。

这时，他们从行李车搬来20块隔水板。2米×1.5米的板子压在车窗的棉被上，然后用铁丝固定，效果比人压在上面要好多了。

但把这些隔水板从列车尾部的行李车搬到列车前端的卧铺车厢，中间要经过四节硬座车厢，一节餐车，一节软卧。

“这些隔水板每块都有40至50公斤重，平时两个人抬都非常吃力，抬着这么大的板了，要通过几节没了玻璃的车厢，实在是太难了。”乘务员李奕描述当时的情景，“板子在通过硬座车厢时，兜风兜得厉害，板子左右摆，两个人很难控制，只好把板子立在地板上，一点一点推着向前挪。李奕他们负责把隔水板搬运到9车厢，而后再由9车厢向其他车厢转运。

最难通过的是车厢两头的门，车厢内风大，拉开门十分困难，风把车门吹得来回摆，稍不小心就重重地打在人身上了。

餐车厨师杨旭用围裙包着头搬运隔水板。他说:“最可怕的就是细沙碎石，打在脸上像被粗砂纸打过一样，睁开眼睛都是件难事。”他搬了五趟隔水板，当最后一趟把板子运到9车厢时，他都站不起来了。

隔水板解放了很多旅客，但20块太少了，光硬卧车厢被击穿的车窗就有60多个。

3时35分，列车已开出十三间房20多公里，再有4公里就到红层小站了。

吉冠旗控制着机车，以极低的车速向前行驶。车灯照着前方，但肉眼已经看不到车轨了。

“当时的能见度只有5～10米，沙土断断续续盖着路轨。”吉冠旗全神贯注，突然，他感觉前方路轨上有一堆黑糊糊的东西，凭感觉他果断地紧急停车。

3时37分，列车在距离红层车站4公里处停车。

吉冠旗立即从列车右侧跳下车，趴在地上向机头爬行。他拿着手电筒凭经验和感觉检查走行部有无破损，部件有没有脱落丢失。当他确定走行部完好，没有部件损坏和丢失，这才回到车上用电台向红层站值班员汇报，同时请求封闭线路，请求救援车救援。

风越刮越大。车体也晃得越来越厉害。很多旅客担心车会被吹翻。

5车厢一位旅客感觉事态越来越严重，写下了遗嘱。

乘务员李奕也感觉事态越来越严重。几位乘务员私下担心列车会被吹翻，于是向列车长建议：是不是把硬座车厢右侧的车窗玻璃打碎，让风对流，减少兜风。

李玉新想了想说：再等一等。

4时15分左右，6车厢的部分旅客支持不住了，开始拆卸中铺的铺板，将这些铺板用被单撕成的布条固定在车窗上。

“6号车厢有几位搞建筑的工人，他们随身带着钳子等工具，很快就卸下了16块铺板。”乘警杨宏臣立即将这一情况报告给列车长。

“要不要制止？这可是破坏列车设施。”乘务员请示。

“现在什么都不重要了，旅客的生命最重要！有责任我来负。”李玉新回答。

其他没有工具的车厢，三个年轻的旅客一起用肩猛力一扛，中铺的铺板就松动了。没多长时间，六节硬卧车厢的146块铺板被卸下。

很快，六节硬卧车厢都用铺板挡好。

列车长让乘务员将列车上仅有的几箱方便面分发给旅客。

直至10日下午17时左右，清理线路沙土的机车终于赶到。

19时25分，在此滞留了16个小时的列车开出红层车站。

22时01分，T70次列车满目疮痍地驶进哈密车站。

哈密站运用车间总支书记德来提早早就守候在站台上了。站台上风很大，有七八级。德来提说，自己当时身穿棉衣，温度在0℃左右。

“呜……”T70次列车缓缓驶向站台。远远望去，列车车厢一侧布条飘扬，棉絮在空中飞舞。“真是太惨不忍睹了，干了几十年铁路，还没见过这样的车体。”从车外看，车窗上的棉被都被石子打得千疮百孔，棉花露在外面，“像从战场上下来的一样。”德来提说。

旅客从列车上下来，个个蓬头垢面，像一尊尊兵马俑。这是旅客下车后留给德来提的印象。

从9日晚，哈密车站就接到抢险命令，他们一直在待命。前方列车上不时传来坏消息。从9日发生沙尘暴开始，哈密车站已滞留了5 000多名旅客。车站压力非常大。很多工作人员已经一整天没有休息了。

全车站170多人全部参加抢险，30人被分为八个组去全市各处寻找五合板。带队的车间副主任许海荣说:“我们买来598张五合板，差不多把整个哈密市建材市场所有的五合板都买光了。还买了600根铁锹把和300卷透明胶带。”

许海荣说:“我们把五合板一分为二，将板子挡在车窗上，车内用两根木棒，车外也用两根，再用铁丝穿起来固定，用胶带把缝隙处糊住，这样风就吹不到车内了。”

“我们能出动的人员都出动了，100多名员工把列车上689名旅客安置在车站候车室的二楼。”哈密车务段负责旅客的安置。党委书记余振民说:“我们为旅客准备了800多套食品。当天下午把哈密市几乎所有馒头店的馒头都买来了。”据车务段工作人员说，因为车务段没有那么多棉被等卧具，他们只好从一些宾馆借。

一部分人安置旅客，一部分人上车清扫车厢，附近部队也派出30多人帮助清扫。一位车务段工作人员说，车上有些车厢的沙土最厚的地方达30多厘米，满车到处都是沙土，要想彻底清理干净几乎不可能，我们只能做到基本清除。

余振民说，在休整这段时间里，自己除了布置安排旅客吃喝休息外，更多的时间是在接受质询和做解释工作。

刚开始旅客的情绪还好，还没从惊恐和疲惫中缓过来，但时间不长他就发现气氛不对了。“很多旅客情绪变得激动起来，有的提出要求补偿，还有的旅客要求换车体，部分旅客要求退票……”他称自己的嗓子都快说哑了。

“这样的车我们不上！为什么不能换车体？我们花了钱，就应享受到相应的服务，这样的车我们怎么坐？”旅客们把余振民围在中间。

余振民解释道:“哈密站不具备换车体的条件，也没有车体可换，要换车体得从乌鲁木齐调。现在线路上已经滞留了很多车，就是没有车停在路上，发车体过来也得十几个小时。从兰州发也是一样。这样会耽误大家更多的时间。”

“一些旅客表示理解，也有一些旅客对我的话不以为然。他们说要打官司。现在的旅客维权意识强了。”余振民说。

11日凌晨3时左右，列车破损的200多个车窗都已用五合板封堵上，车内清理整备工作也已结束。

但这时有部分旅客拒绝上车。车站工作人员展开说服工作。

“请你们先上车看看，看了再说，如果看完不满意给你们退票。”余振民带着几位旅客代表上车。

在余振民看来，多数旅客对他们的工作还是理解和认同的。在进行了一段时间交涉沟通后旅客们纷纷上车。

有七名旅客退票。其中加拿大旅客准备换乘飞机，而另六名旅客打算乘后面的火车。

在列车临开前，又有三名旅客下车。

凌晨4时，T70次列车长鸣一声，缓缓驶出哈密车站。

李玉新流着泪望着哈密车站。“我当时控制不住自己，当得知我们车组还要继续运行时，我们近乎绝望了，很多乘务员都哭了……”李玉新事后说，“近40个小时连续工作，又饿又冷又困，大家疲惫极了。到北京还有40个小时的旅程，能撑下来吗？”

“他们令我感动！”从哈密站上车全程添乘的乌鲁木齐客运段党委书记牛权这样评价身边的乘务员。

列车从哈密开出后，为了安抚旅客情绪，列车为每一位旅客送饭，一直送到终点北京。“这些饭都是免费的。”牛权说。

列车到达嘉峪关车站时，车站及时送来了大量药物和食品。

4月12日20时10分，T70次旅客列车经过78小时的艰难跋涉，缓缓驶进北京西客站。

站台上的人们，惊异地注视着这列千疮百孔的特殊列车：左侧车窗全被木板封闭着。

下车的旅客和迎接的亲人拥抱在一起，很多旅客失声痛哭，也有一些旅客在列车前合影留念。

半小时后，列车开往北京客运段维修机库。北京客运段出动200多人对列车进行了抢修。三个多小时后，T70次列车抢修完毕。

13日凌晨1时，列车开出北京西客站，向乌鲁木齐方向驶去……

乘客版

4月9日这天，当兰州人顾革命（化名）赶上了下午2时19分发车的T70次列车时，觉得“很侥幸”。因为上车前，他看报纸上天气预报，这天气温会剧降，后半天要变天。

“我可赶在变天之前了，赶快跑。”这位常在甘肃新疆之间跑动的人士没料到，自己“跑”进了一场百年罕见的大风暴中。

T70次列车开出乌鲁木齐，天正下着雨，并夹着雪珠。不到两小时，过了达坂城，到天山山口时，顾革命看到窗外起了沙尘暴，风扬起了沙土。他曾在新疆待过18年，这在戈壁滩上是家常便饭，“已经习以为常，麻痹了。”

在到新疆旅游的乘客穆晓光记忆中，T70次列车开出乌鲁木齐后半小时左右，窗外即漫天黄沙，偶尔掠过一两户人家。

“跟北京的沙尘暴差不多，没什么大不了。”这位22岁的北京小伙子说。车在吐鲁番站停靠时，他若无其事地在站台买了一支蒙牛三色冰淇淋。

然而当天下午6点多，列车从鄯善站开出不久，风越来越大。穆晓光闻到车厢里逐渐弥漫起一股土腥味。他去盥洗室投了把毛巾，捂住口鼻。

列车内的旅途生活一切照常。

晚7点刚过，温州人陈安成从10号硬卧车厢出发，走进位于13号车厢的餐厅。他点了一盘18元的青椒羊肚，2元一份的虾皮紫菜汤，以及2元一碗的米饭。7时33分，服务人员打出一张单据。

陈安成坐在铺着干净桌布的餐桌前，等着他的晚餐，并且有点焦急地向服务员催了一次。他没料到等来的是一场大变故。大约7时38分，突然一声锐响，他身边的双层钢化窗玻璃被击穿，玻璃碴子溅了一桌，沙土直接灌进餐车，立刻把陈安成和其他正在进餐的十多位乘客赶出了原本洋溢着饭菜香味的车厢。

据悉，这是T70次列车被这场大风暴击穿的第一扇玻璃。

陈安成正在等餐时，边疆则在紧挨餐车的14号硬座车厢“斗地主”（一种扑克玩法）。突然听到乘务员一边嚷着说餐车窗户破碎了，一边跑去关上车厢门。但沙土还是从餐车飞快地卷进来，弥漫了半截车厢。

2006年4月10日，在312国道新疆吐鲁番地区小草湖段，高速公路巡警杨帆正在风中值勤。（王昊/摄，图片来源：新华社）

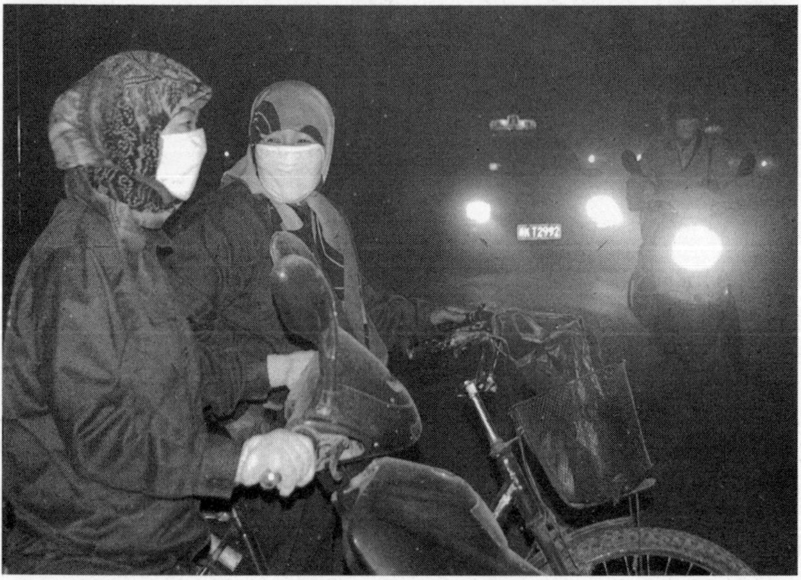

2006年4月10日上午，在吐鲁番市街头，两名包裹严实的市民准备上路。当日，新疆吐鲁番市遭遇强沙尘暴。（图片来源：新华社）

这位中国政法大学的本科生“一开始以为眼镜模糊了”，赶紧擦了擦，才发现原来是沙土。

没过几分钟，14号车厢列车长办公席边上的玻璃传来了“啪”的破裂声。接着陆续有其他玻璃破裂。

30多岁的女乘务员叫道：把大行李放在座位下，带上随身小行李，大家往前走，大家往前走！

边疆赶紧背起背包，夹起朋友送的一包馕，一手用毛巾捂住嘴，另一手抱着头，挤在人群中，弯着身子快步向硬卧车厢转移。

当边疆穿过13号餐车时，见到厨师们正用棉被堵着已经破碎的车窗，好让乘客通过。走过操作间，边疆看到一筐茄子被风吹得像皮球一样满地滚来滚去。

疏散中，边疆似乎没听到什么人声，只听到风在咆哮。

12号软卧车厢中，顾革命记得，不到8点，车停在一个叫小草湖的小站。顾革命看到小站只有一个小院，院内还种着一棵歪歪斜斜的树。

列车“像大海里的船一样在铁轨上晃动”。

天已黄昏。

顾革命朝窗外照了一张相。他记得车子右边停着一辆油罐车。

这时，边疆正在从14号车厢往硬卧车厢转移的路上。他心想：幸好有这油罐车，要不玻璃碎得更多。

8点左右，餐车玻璃破碎的消息传到顾革命耳朵里。几分钟后，这节软卧车厢的第一扇玻璃也开始破碎，像弹弓打过来的声音，“啪”的一声巨响。

沙土疯狂地卷进来，“啪啪”地砸到包厢的门板上。沙土涌进包厢，空气压力骤然增大。顾革命觉得耳膜生疼。

这位54岁的西北汉子说：“只有上到海拔3 000米以上的高原才有这样的感觉，感觉（空气）压力比飞机起飞时还大。”

顾革命赶紧将毛巾倒上水，捂住口鼻。硬座车厢的人们向硬卧车厢转移，他听见车厢走道里脚步声慌乱急促。

他瞥了一眼窗外，一片混沌。

接下来，车厢的玻璃一块接一块地破碎，每碎一块，他的“心也碎了一样”。

他们用枕头堵包厢门缝，堵不住，沙尘依然拱进来，弥漫开来。

边疆穿过一节节车厢，一路上，不时看到乘客拿棉被去堵破窗户。

餐车和硬座车窗破碎的消息在飞快传递。

“能碎成什么样呢？”穆晓光想。他没觉得这事有多严重，只是用湿毛巾捂着口鼻想睡一会。

他回忆，自己的确睡着了一会，直到转移过来的人们把他吵醒。

有人过来问:“上铺有人吗？”

穆晓光听到有两名乘客为了一个铺位在争吵，直到乘警干涉。

此时，6车厢的玻璃还没被击穿，其他车厢的旅客正往这里转移。

很快，6车厢安全的局面就结束了。

穆晓光半梦半醒之间听到“咣当”一声巨响，他的铺位正对的玻璃窗被击穿。窗户上的棉被被狂风掀开，西北风怒吼着冲进来，把坐在窗边的一位50多岁的女人刮倒在地。

穆晓光从中铺上跳下来，来不及穿袜子，扑过去摁住棉被。

接下来的情景令人恐惧：午夜11时过后，6车厢的第一块车窗被击穿；大约凌晨3点，车体运行方向左侧车窗全被击穿；狂沙带着黑暗和寒冷从11扇车窗外涌进来。

穆晓光把手伸出窗外，几分钟，手指就冻得没感觉了。

6车厢没放弃努力。

男人们裹上被子，背对车窗，想堵住风口。11扇车窗前站着三四十个男人，形成一堵人墙。穆晓光也在人墙里。他感到了窗外的强大推力，像是有人踹他的背。

“拆床板吧！”穆晓光大喊。

立即有人响应，三四个青壮年，有踹的，有顶的，也有用背扛的。

刚开始，有列车员过来制止，很快，也拿来螺丝刀，跟大家一块拆。

22张中铺，拆了20张。

“咱们堵得挺好的。”边疆事后回忆说。

“绝对是经典工程。”穆晓光附和说。横一块，竖两块，再用一块儿卡住卧铺位的铁架，“非常瓷实”。

乘客被告知，列车要“冲到哈密”再休整。

但是，次日凌晨3时多，T70次停在戈壁滩的高坡上。前方的铁轨被风沙掩埋了。

顾革命有“等死的感觉”，“等到右侧玻璃也碎了，那就死吧。”他说。到时“也许只有趴在地上，才能勉强再延长一点生命。”

他坐在满是沙土的铺位上，一夜无眠。

黑瘦的温州人陈安成被疏散到了9号硬卧车厢。

当人群转移到这里，混乱中，青岛人房克信曾找列车员，问:“你们有没有紧急预案？”

对方答复:“我们从来没有遇到过这样的情况。”

这位曾经的共青团干部主动站了出来:“大家听我指挥！”

他站在车厢门口一遍遍地说:“请大家有秩序地往前走，不要乱，拿好自己的物品！”

这节车厢的玻璃也相继被击碎后，人们裹着棉被，三四个人并肩堵一面窗户，手抓着铁架，脚蹬住下铺，以防被风吹倒。“像抗洪的人墙”，冻得发抖。

大家几个小时换一班，而有些乘客，就这样站了一宿。其中一位小伙子，被风刮来的石头击中了腰部。

房克信来回在车厢里走动。这位临时组织者要求大家不要喧哗，不要大声说话，因为“车厢里有心脏病患者”，“怕大家恐慌”。

几位乘客证实，人们积极组织了自救。但并非所有的乘客都参与了“抗风抗沙”。有一些乘客自始至终只是躺在自己的铺位上“呼呼大睡”。“我们堵了多久，他们就睡了多久。”穆晓光说。

在列车由于怕引起火灾而切断一切明火之后，一些乘客依旧抽烟，甚至有人躺在被窝里抽烟。

还有一个未经证实的说法在人群中传播：软卧车厢里有一位官员，当老人和孩子被转移到软卧车厢时，这位官员不愿打开包厢门。

许多人无法与外界联系。边疆听到穆晓光抱怨:“我的手机怎么没信号？”陈安成的手机也没有信号。如果当时有信号，他说，“我会先求救。”穆晓光则说，要先给妈妈打个电话，只说一句:“火车晚点了，别着急。”

边疆的手机却有信号。他思量了一下，没有给父母打电话，而是拨通了在新疆的叔叔的电话，简单地告诉他“我们这儿有大风，玻璃破了”，并让叔叔不要告诉父母。叔叔在电话里斩钉截铁地说:“只要风没把车吹翻，就不要下车！”

接着，他用手机给班级辅导员发了条短信。再接着，他又给同学打了个电话，请他帮忙给手机充值100元，以备急需。然后，便关机了。“我要把电留到最后一刻。”后来回忆时他笑着说。如果真到了最后一刻，“说不定我还要跟家里人说一说我的理想什么的。”他现在的理想是当一名法官。

他认为自己的行动一直是镇定的。在转移的过程中，当他行进到7车厢时，听到列车广播中说：请各位旅客节约用水，不要洗漱。他拐进7车厢的洗手间，接了三瓶生水。

“我最坏的打算是三天三夜车走不了，这是我的底线。”小伙子说，“这些水足够我未来三四天的生命用水。”

穆晓光记得当时就是感到绝望。“幸好只是等了24小时，再等24小时，我想我一定会从车上跳下去，我会崩溃的。”他说。

但谁都知道，一旦离开列车，在戈壁滩上活下去的希望也很渺茫。边疆后来听一位曾在内蒙古阿拉善盟当过兵的乘客说起一个故事：一位16岁的小战士，在阿拉善风口迷路了，搜救队伍在旷野里发现了他的尸体。他枪里的子弹一颗不剩，手里紧拽着断了的老鼠尾巴和断成两截的蜥蜴。

房克信的车厢里，有人写下了遗书。

车厢里很冷，穆晓光估计气温在零摄氏度以下，裹着被子还哆嗦。挨到4月10日早上，他捡起地上的一瓶白酒喝了两口。

与边疆同铺位的一位唐山大叔，据说是从上世纪唐山大地震的废墟中捡回了一条命。他冷得受不住，将原本准备带回家孝敬父母的两瓶五粮液打开。“不管了，我先喝两口。”边疆听见他说。

边疆隔壁铺位的一个漂亮女孩，用被子盖着腿脚，脸色煞白。24小时里，边疆只听到她说了一句话:“这是我第一次出新疆。”

11号硬卧车厢里，乘客张亚东用毯子、被子裹满全身，与四五个人挤在一起互相取暖。“我在车上思考我30几年的人生”。他后来笑着说。

他上过一次厕所。当然，上厕所也得快点解决，因为怕万一翻车，被卡在厕所里。其余时间他还一度盯住窗外一块石头当作参照物，观察列车晃动的幅度和频率。因为一旦要翻车，好赶紧找抓手。

男人们不能显得恐慌，还得讲些笑话。张亚东对面的女孩手机打不出去，一下子哭了。

张亚东示意她看同铺位的两位老人。他俩“满头满脸的沙土”，又“吓呆了”，“一动不动”。

“像不像兵马俑？”他对那位20多岁的女孩说。女孩被逗笑了。

在张亚东手机的“记事本”里，2006年4月9日，有这样一条记录：“大风。”

他问：你看过张艺谋导演的《英雄》吗？电影里秦王的兵士要去攻打敌人的时候，他们就吼：“风！风！风！”

当风一块一块击穿车厢的玻璃，他“一点一点地绝望”，恐惧就这样慢慢地到来。

他还在笔记本上写下几句私密的话，“不管死还是活，得写下点什么。”张亚东说。

“那个时候，这列车上人人平等，即使千万富翁，也不能打个电话说，我有钱，快来救我！有理性的人都知道，只要风不停，就不会有救援。”张亚东说，“感觉就像现在被判了死刑，等着明天上午执行。”

所幸，风在4月10日上午开始变小。

这时，边疆已经可以将脑袋探出破碎的车窗，顺着车身往前看。“太壮观了！”他说，窗上堵的被子、被单正“像彩旗似地”飘飞。

这天上午，顾革命也往窗外看去，茫茫的戈壁滩，被子、床单、枕头，甚至铺板，撒落一地。有一些被子，在空中被风吹得“像飞毯一样，飘走了”。

但风一直没停，车体始终摇晃。

后来，顾革命的包厢来了一个拿对讲机的人，“看上去像快要冻僵了一样”。据顾革命了解，他是负责鄯善至哈密段运行的陈（音）车长，这位车长凭20年的工作经验估计风最大时在15级以上。

听车长说，车头的玻璃也被击碎，两名司机行车时用被子上下裹住，只露两只眼睛。他还听车长说，上世纪80年代，这里曾经有一辆没拉够吨位的货车被12级大风吹翻。

车长的到来使顾革命成了消息最灵通的乘客。他因此了解到，铁轨表面被三四十厘米厚的沙土掩埋，要组织人员把铁轨刨出来，但难度很大，逆风方向铲土，刚铲走又被风吹回来；顺风方向铲土，沙土则会被风吹过去掩埋相邻的另一段铁轨。

他听到车长命令，今天无论如何要通车，如果天黑之前通不了车，会有更大的危险。他听到报话机里部署人员兵分两路抢修。

10日下午四五点钟，穆晓光看见一辆工程车开过来，长长地鸣笛，戈壁滩里那“呜——”的一声，“我这一辈子都不会忘，”穆晓光说，“终于有救了！”

顾革命从车长的报话机里听到的最后一个情况是：“局长下了死命令，再过1小时10分钟必须开通！”

晚7时25分，T70次列车开动了。

“终于走了！”

从列车第一块玻璃被击穿开始，20多小时内，穆晓光与其他三位乘客共分到了一瓶冰红茶、一瓶冰绿茶、一袋榨菜和一小包瓜子。房克信与其他十几位乘客共分到了三瓶水、四小包榨菜、十几粒果脯和一小袋鸡肉串。

晚9时10分左右，伤痕累累的T70次列车开进了哈密站台。

惊魂未定，另一场“风波”却悄然开始。

在这里，乘客们每人都领到了纸杯，站上提供免费开水。据穆晓光和陈安成说，一层候车室里绝大部分人享受到了座位，尽管不少是两人挤一把椅子，而二层候车室内一两百人没有座位，先是站着，后来席地而坐。一楼的人每人分到了两个馒头、一包榨菜和一小瓶饮用水，二楼只有七八个人分到。

房克信回忆，自始至终，站上没有一位领导出面与这几百个蓬头垢面的乘客沟通，告知抢修措施和进展。“我们得不到一点信息。”他说。

像不少乘客一样，房克信也熬不住了，看见站上穿制服的人，也分不清是不是管事的领导，就问：“什么时候能修好？”

对方的答复是：“很快，很快。”T70次列车缓缓开出了哈密站台，留下了这三位欲找领导反映问题的乘客，却带走了他们的行李。

这三位乘客搭乘下一班列车赶回北京。

在他们之前，也就是4月12日晚8点多，左侧窗户钉满三合板的T70次列车，带着其他乘客，驶进了北京西客站。

听到列车广播本次列车晚点33个小时的消息，不知为什么，边疆突然觉得很想笑。“怎么会有一辆火车晚点 33 个小时呢？”他后来说。

走出车厢时，他突然觉得自己被镁光灯包围了，等待在站台上的记者“拍了上面拍下面，拍了列车再拍人”。

而张亚东则看见，一个女孩扑向等在站台上的男友，两人抱头痛哭。

但 T70 次列车的故事到此并未结束。

早在哈密候车室休整时，一纸联名授权书便在乘客们手中传递。乘客们质疑，既然 T70 次常年通过这“百里风区”，加上列车出发前早有天气预报称将会降温变天，铁路部门为何没有完善的应急预案？

而房克信也认为，“灾难原本是可以避免的”，在现代信息传播和天气预测技术的保障下，有理由相信铁路调度人员能预知风区的天气状况。

“我并不想要什么赔偿，但希望有关部门给个说法。”张亚东说。

据报道，这次风暴无人伤亡。

几天前坐上 T70 次时“觉得侥幸”的顾革命，现在却觉得“很倒霉”。他回到兰州后即患上呼吸道感染，“病情一天比一天重”。4 月 14 日他在电话中说，他正坐在家里打着点滴，医生让他继续再打三天。

回到了北京的陈安成 15 日说，“我的包里现在还有土”。他的脖子被风吹得不能转动，像落枕了一样。而边疆回北京后，则发现鼻涕里还有土。衣服洗过了，口袋里依然是土。穆晓光则总觉得晕，“似乎周围还在晃悠”。

15 日晚，几位 T70 次乘客在北京的一个小型聚会上，张亚东明显喝多了。他突然转向在座的一位并未经历此次惊险的女士，口齿不清地问：“你知道火车上的玻璃是什么样的吗？”

那位女士还没来得及反应，他已拿起一只玻璃杯，突然向餐厅的窗户砸过去，“砰”的一声碎裂的巨响。

“别砸了，地上都是玻璃碴子！”女士惊叫道。

“玻璃碴子？”满脸涨红的他吼道，“我告诉你，火车上就是这样！”

话音刚落，第二只玻璃杯从他手中再次飞向窗户。

当晚，餐厅的这面窗户共受到了四只杯子的袭击。所幸，只露出两个窟窿。

（选自 2006 年 4 月 19 日《中国青年报》，作者：刘冰、包丽敏）

复旦开门

——中国高考的破冰之旅

2006 年 4 月 16 日，复旦大学和上海交通大学分别向社会宣布，它们通过自主命题考试选拔的方式，分别录取了 291 名本科生。陈志超就读的南洋模范中学共有 11 名学生最后被复旦大学录取，21 名被上海交通大学录取。

因为这次的自主选拔考试改革，突破了“高考上大学”的唯一模式，由“学校说了算”“面试决定录取结果”，在两个月的时间里，复旦大学、上海交通大学两校成了全社会关注的焦点。因此，华东师范大学高等教育研究所所长唐安国把它称作是“中国高考制度改革的破冰之旅”。

“你对马加爵事件怎么看？”

“我认为这反映出目前高校在大学生的心理教育上还存在一定问题，在这一方面还有值得加强和完善的地方。比如北大学生朝熊泼硫酸一事也说明这一点。”

接下来的问题是:“你对社会上出现的‘超级女声’现象怎么看？”

“应该一分为二地看待这件事，一方面它为年轻人提供了一个展现自我的舞台，另一方面也可能对青少年产生不良影响。”

面对着笑容可掬的面试老师，南洋模范中学高三班的陈志超一点也不紧张。在 75 分钟里，陈志超走进了五个房间，分别接受五位老师一对一的提问。他事先没有料到，他要回答的问题会如此轻松、简单。

两天以后，回到学校上课的陈志超接到了复旦大学寄来的录取通知书。他和上海另外 290 位高中生一起通过了复旦大学举行的自主选拔考试，提前两个月成为复旦大学的 2006 届学生。

虽然还要参加全国的统一高考，但这对陈志超已经不重要了。不管高考成绩如何，都改变不了他成为复旦大学学生的事实。如果高考成绩再好一些，他还可以拿到复旦提供的奖学金。陈志超也因此成为同学们羡慕的对象。

2006 年 4 月 16 日，复旦大学和上海交通大学分别向社会宣布，它们通过自主命题考试选拔的方式，分别录取了 291 名本科生。陈志超就读的南洋模范中学共有 11 名学生最后被复旦大学录取，21 名被上海交通大学录取。

因为这次的自主选拔考试改革，突破了“高考上大学”的唯一模式，由“学校说了算”，“面试决定录取结果”，在两个月的时间里，复旦大学、上海交大两校成了全社会关注的焦点。因此，华东师范大学高等教育研究所所长唐安国把它称作是“中国高考制度改革的破冰之旅”。

我有三次进大学的机会

“根据政策规定，我可以同时参加复旦、交大举行的考试，如果没有被它们录取，同样可以参加全国高考。我当时想，蛮好呀，这不是让我有三次进大学的机会吗？”18 岁的章文昕是南洋模范中学高三（14）班的学生。

3 月 2 日，复旦大学召开新闻发布会，宣布经教育部、上海市政府批准，为培养创新型人才，全面加强学生素质教育，改变高考“一考定终身”的缺陷，复旦大学将在上海市进行“自主选拔录取改革”。九天后，上海交通大学也公布了类似的消息。

复旦与交大分别对外公布了自主招生方案，虽然方案不尽相同，但考试方式大体相似。两校的招生对象均限定在上海地区，所有符合高考报名条件的上海考生均有机会参加选拔。

报考复旦大学的考生直接在网上进行报名，同时要提供相关申请资料，其中包括一张个人基本信息表、一份陈述申请理由的申请信、一份由学校盖章确认的高中三年各科成绩单、两封由任课教师提供的推荐信以及平时表现的各项能力证明材料、获奖证书、特长证明等。考生首先要参加由复旦大学命题的，为时三个小时，全部由选择题组成的申请资格测试，内容涵盖高中阶段语、数、英、计算机等十个科目的知识。

“以测试进行初选，是不得已而为之。”复旦大学党委书记秦绍德对此表示，中小学生有会考、毕业考等考试，但水平相对较低，学生素质高低难以区分，不足以作为高校选拔的标准，实施水平测试性质的“标准化考试”是非常必要的。“由于招生人数有限，面对成千上万的考生，必须有一个合理的标准初步选拔。”

上海交通大学采取中学推荐和学生自荐相结合的方式，提供的材料为：学生的基本情况、自述、一封推荐信（一定是最了解你的老师写的写实性的推荐信）、一篇文章（规定了几个题目，如：如果我是交大自主招生考试的专家；对专业的选择等一些命题，800字左右）、班主任的评语、校长的推荐意见以及学校提供的该学生在高中期间的学业情况等信息资料。

上海交通大学不进行笔试，而是根据学生材料综合确定面试名单。上海交通大学招生办公室主任罗哲表示，主要是不想增加学生负担。“因为中学对学生的情况了解十分全面，我们十分相信他们的评价，而其他自主报考的学生也有一个参考，这样在一定程度上可以控制人数。”

抱有和章文昕同样想法的还有陈志超、任启鸿、林帆、吴笛。在3月2日以后的几天时间里，他们从网络、报纸、广播、电视和学校老师那里得知了这个消息。在和父母、老师仔细研究了复旦、交大两校的考试规则以后，他们决定报名参加。

章文昕发现，同样是自主选拔考试，复旦和交大有很多不同。按照复旦大学的规定，考生可以自由报名参加复旦的笔试（申请资格测试），通过以后再参加面试。如果两次考试都通过，才能够被录取。交大的规定相对比较简单，在经过中学推荐或者自荐以后，通过面试就被直接录取。

因为一直在准备高考，任启鸿并没有什么特别准备，3月19日下午13:30~16:30，任启鸿、陈志超、章文昕、林帆、吴笛和另外5 823名学生在交了40元的测试费以后，参加了在复旦大学附中的笔试。

文科生吴笛拿到试卷以后发现，整个试卷共有200道题，每题5分，按比例涵盖了语文、数学、英语、地理、历史、政治、生物、物理、化学、计算机的知识。按照总分1 000分衡量，她必须达到620分的及格标准，名次靠前的1 200名学生才能获得面试资格。

这让作为2004年、2005年《萌芽》新概念作文大赛一等奖、2006年新概念作文大赛二等奖的吴笛很失望，因为复旦的笔试并不像她自己想象那样轻松，虽然在考试之前她已经知道复旦笔试的大致范围，为此还做了一些准备。

“我的文科强项在这个考试里呈现不出来，理科生还是会占一些优势。”在完成了“《沉默的大多数》作者是谁？”“古希腊三大史学家是谁？”“作文《假如重过高中生活》”一些题以后，吴笛只能看着另外一些题着急。

作为三次新概念作文大赛的得主，出版过个人作品集的吴笛其实已经获得上华东师范大学、中山大学读书的机会。但她最想去的是北京大学和复旦大学。在新概念作文大赛前两届的时候，获得一等奖的学生往往能够利用教育部的保送生制度免试录取，但由于这个政策导致了社会上很多不公平现象的出现，引起了全社会的关注和反对，保送生制度在2002年的时候被教育部取消。“我女儿就是不幸，她两次获得一等奖的时候，她在读高一高二，等读高三了，拿的却是二等奖，大学也没有保送生制度了。”

而理科生林帆的感受恰恰和吴笛相反，“笔试时我感觉做文科类的题目比较吃力。我记得其中有一道题目是问林黛玉收到贾宝玉送的手帕时是一种什么认知，我不是很清楚，最后选了一个感情认知。还有一道题，好像是关于什么外星人的，题目很拗口，到现在为止我都没搞清楚题干的意思，四个待选项也很玄乎，我都看不懂，便蒙了一个。”

任启鸿则认为“笔试比较简单，基本上都是教材上的东西。”陈志超在笔试之前“把高一高二的教材找出来准备了一下”，后来他发现“还挺有效果的”。但没有通过笔试的学生更多的是抱怨，“我们高三这一年里只上语文、数学、外语，再加一门小课。现在考试要考十门课。”

3月22日，复旦大学招生网公布了通过笔试考生的名单，共有1 208名考生进入面试环节。任启鸿、陈志超、章文昕、林帆惊喜地发现自己在通过的名单里，而吴笛失落地发现自己不在名单上，她想上复旦大学，只能继续准备全国高考。通过笔试的学生们开始在老师和家长的指导下，恶补综合知识，准备面试。

与众不同的面试

4月1日、2日，任启鸿、陈志超、林帆在家长的陪同下，赶到了考试现场复旦大学光华楼前，准备参加面试。此前，他们已经准备完复旦要求的入学申请资料，包括个人基本信息表、申请信、高中各科期末成绩单、特长能力证明材料和教师的推荐信。

为这次面试，复旦已经做了很多的准备。复旦大学学生工作部副部长尹冬梅是在考试前两天晚上得知自己成为面试官的。她是由学校从 150 名专家里抽签中选的，面试专家分 30 组，每组 5 位教师，按人文科学、社会科学、技术科学、自然科学以及学生德育五个领域从专家库中各随机抽取一位专家组成。

第二天，尹冬梅和其他参加面试的老师们一起参加了学校组织的培训会。在培训会上，除了面试经验丰富的人事专家给他们上课外，复旦招生办的老师给他们发了一张纸，上面写着几点要求：有学习和研究能力；思想品质好；关心社会有主见；有集体意识和比较强的沟通能力；广泛的兴趣和个人特长。在这样的基础上，由参加面试的老师们晚上回家设计、准备面试相关问题。

尹冬梅没有参与笔试，而是面试。“在笔试这个环节中，我们学校其他的专家是不参与的。我们学校有 100 多个专家参与这个面试的过程，它是分组的，每个组是五个人，是这样一个操作程序。我们跟交大不同的是一对一地面试。

考虑到教育部和全社会的关注，为确保面试公平、公正、公开，尹冬梅和所有面试专家和工作人员在面试前和学校签署了保密承诺书；学校制订了严格的回避制度，专家和考生都有权利提出回避；所有面试过程均全程录音，学校为此新购置录音笔 200 支；专家面试记录和决议书全部存档。

上午 7∶15 分，所有的学生家长都被挡在门外，在纪检委、新闻媒介的监督下，通过两轮随机抽取、一次随机配对的方式，确定了专家组和学生组的配对。分组完成以后，保安封锁大门，所有专家均不得出楼。

8∶15 分，尹冬梅和参与面试的专家一样，在一个小时的时间里查阅面试学生材料，并针对学生知识结构和爱好兴趣特长，准备个性问题。这时候，等待在大厅里的学生们也在相互交流，猜测老师们可能会问的问题。

9 点整，任启鸿、陈志超、林帆和其他学生进入考场，按照五个一批进入不同的房间。安静、空旷的办公室里，只有一张办公桌，上面放着一个计时器和一支录音笔，不同年纪、性别的老师正含笑坐着。

“在面试的时候，我们根据学生的回答按照 A、B、C、D 四档打分。所有的问题都是开放式的，并没有标准答案。而且不同学生问题都是不一样的，比如有个孩子说喜欢浇花，问他怎么个喜欢法，他说为了浇花，还自己搞了个浇花的水龙头，我就追问下去，结果他的回答非常好。还有个学生在申请书中说他热爱文学，阅读了包括《红楼梦》在内的很多文学著作，那么我就问他怎么看《红楼梦》中间的史湘云？然后他就谈这个人的性格、命运啊，我见他谈的确实有自己的观点，后来我给了一个A。”尹冬梅回忆道。

9：15分，放在桌上的钟响了，任启鸿、陈志超、林帆依次交换进入不同的房间。隔壁的张教授给学生的问题是关于上海这三天的天气情况的：你能用什么方法预测出上海这三天的天气情况。在三个不同的学生那里，他得到了不同的回答。一种是：“我会根据这几十年来历史上的这三天天气进行分析，从而得出一个结果。”一种是：“我会根据西伯利亚和南太平洋的气流和卫星云图分析，得出结果。”后一种是：“中国古人有夜观天象，我会连续观察这几天的天象星辰，得出结果。”也有学生老老实实地回答：“我不知道。”然后张教授再改问其他问题。

“这三种回答都是对的。因为我们主要是搞思维判断，以往的考试比较强调中规中矩要一个正确答案，而且我们大部分问题是没有标准答案的。我们主要是看学生是否关心人类困难和社会问题，有没有思考能力、实践能力和探索精神，反应是否敏锐。”在接受本报记者采访时，不愿意透露姓名的张教授说。

在面试过程中，除了“用3、4、5，通过加减乘除等于24”等专业知识外，有“你一生中是否受到过挫折？它对你的影响是什么？”“最近发生的国内外事件中，你对哪件事印象最深？为什么？”“做物理题目的时候，是更看重过程还是更看重结果？”“你怎么看一部分学生反对国家降低少数民族地区高考考生分数的意见？”

也有这样有趣的问题：“请说出你父母的生日。”“2010年上海世博会对上海经济有何影响？你是否赞成世博会在上海举办？为什么？”“问一个问题难倒我，前提是你自己必须知道答案。”“你对‘安乐死’有何看法？为何我们要禁止‘安乐死’？”“讨论一下《无极》《一个馒头引发的血案》给网络生活带来的启示。”

10:20分，在完成五个专家的面试以后，任启鸿、陈志超、林帆、章文昕等第一批参加完面试的学生走出了大楼。他们马上被记者们和准备下午或第二天面试的家长包围住了，打听他们回答的问题。

复旦与交大的暗战

为了避免在全国范围内引起争议，避免因这次改革造成的不公平，不影响两所学校2006年在全国的统一招生，安慰那些参加全国统一高考报考复旦和上海交大的学生，两校此次的自主选拔录取的582名指标将从两校当年在上海高考招生的1 490名指标中扣除。也就是说，这582名指标原本就用在上海地区，复旦和上海交大在全国其他地区的招生数量不会因此有任何改变，也不会减少外地学生报考复旦和上海交大的机会。

所有可能出现瑕疵的地方都被这次考试的组织者们想到了，所有的努力都是为了确保本次改革试验圆满成功。看起来，社会各界在考试前所担心的，因为面试命题导致的不公并没有出现。这是令复旦大学招生办主任郑方贤最满意的一点，也是复旦大学副校长蔡达峰最担心的，他们终于可以放心地喘口气了。

唯一的遗憾是复旦和上海交大的面试在同两天进行，这是让那些原本希望同时参加两校自主招生的学生们不满的地方。因为两所大学的招生通知里没有明确规定只能报一所学校，有很多学生干脆报名参加两校的考试。

有一批学生虽然获得了两所学校的面试资格，但由于考试在同一天进行，加上地处杨浦区五角场的复旦和地处闵行区的上海交大路途相距遥远，加上为了确保公平，杜绝人为因素导致的腐败，两校的面试都是临时抽签决定，这令有心同时参加两校面试的学生们实在分身无术，大部分人只能参加一所学校的面试。

在这一天，上海南洋模范中学高三（14）班的学生章文昕却同时参加了复旦和上海交大的面试。此前，经过学校推荐，她已经获得了交大的面试机会。交大的面试大致分为文科文管、理科文管、理科理工、理科生命四类31个面试专家组。为使各组专家综合考查学生的素质，每组都实行理工、人文、管理、生命、医学专家间的交叉组合。

上午9点，经过分组抽签，章文昕被安排在第一批第一组面试，在四个人的小组中，她是唯一的女生。比起复旦的复杂，交大的面试要简单得多。章文昕所在的小组的讨论题是“就网络语言对传统文化的冲击和影响，谈谈你们的看法，形成观点后提交；如果你们是教育工作者，请对此现象提出建议”。

在 20 分钟的时间里，面试的老师只是在一旁倾听。当小组提交答案之后，专家开始进行提问，要求给出一些具体的措施。章文昕对此的回答是“多开展传统文化宣传活动，比如搞古诗文诵读大赛，规范马路招牌之类的活动。”

接下来进行的是面试步骤二：自我介绍，时间只有五分钟。在面试之前，章文昕特地准备了一份英文简介，但专家要求她作自我介绍时用的是普通话，她就舍弃了准备的英文简介，“事先学校老师提醒过我们，如果专家问话时没有用英文，就不要用英文回答，因为这样容易给专家造成误会，以为你在卖弄英文，有可能接下来的问话都用英文提问，那你就被动了。”由于事先都做了准备，她的回答顺利通过。

第三关是 15 分钟专家提问，五个专家同时向她提问，问题与复旦的面试差不多。“你说你喜欢结交朋友，那么请介绍一下你的交友情况，要举具体的例子。”“你上个寒假是如何安排的？是父母帮你安排的还是你自己安排？”“中国中部地区的开发有哪些资源可利用？”“山东省的省府是哪里？”

最后一个问题是“请谈谈对于此次面试招生的看法，并提出建议。”章文昕的回答是:“我曾经看到过一个同学发给国外一所高校的报名申请，那所高校的推荐表和这次我们报名时填的申请表一致，我想这种模式应该是借鉴国外的经验。我觉得应该再增加一些具有中国特色的考核，另外这次面试的时间很短，我们来不及完全地展示自己。”

下午复旦大学的面试和交大面试相似，但在程序上要简单，主要以专家提问为主，但在问题的设计上要复杂、广泛。

第一位专家先问了一些关于复旦大学的问题，观察章文昕对自己报考的这所学校的了解程度，接着就开始问一些专业知识。

“你知道 ×× 坐标吗？”章文昕当时就愣住了，想了想说不知道。专家接着说：没关系，这个问题“超纲”了。由于章文昕的自我简介中提到自己爱好物理，因此随后专家的提问多与物理有关。“你怎么理解物理和数学的关系？”章文昕的回答是:“我认为数学是物理的基础，物理是数学的延伸和应用。”

专家还问:“在 20 世纪，物理学研究领域有‘两朵乌云’你知道吗？”章文昕刚好以前看过一些课外书，对这个问题有些印象，她回答说:“我大概知道，这是指物理研究领域还有一些问题，无法用传统的理论和方法解决，一个是有关量子方面的，一个是有关相对论的。”

随后，专家问的问题多数与物理有关，甚至问到了“对宇宙大爆炸和黑洞的认识”等问题。虽然这些问题很多内容课本上没有，但章文昕平时通过一些课外书籍补充过，也曾得到过物理老师的专门指导，因此回答得比较顺利。她甚至还谈到了21世纪物理的发展方向，以及对研究“暗物质”的兴趣。谈完之后，老师用很欣赏的眼光看着她说：“这么多知识你是怎么掌握的？”当得知她都是通过课外学习掌握的之后，老师脸上露出了微笑。

接下来几位老师的问题主要涉及了她对社会的了解。“复旦大学这次面试招生对外地学生是否公平？”章文昕回答说：“比较公平。因为这300名招生名额占用的只

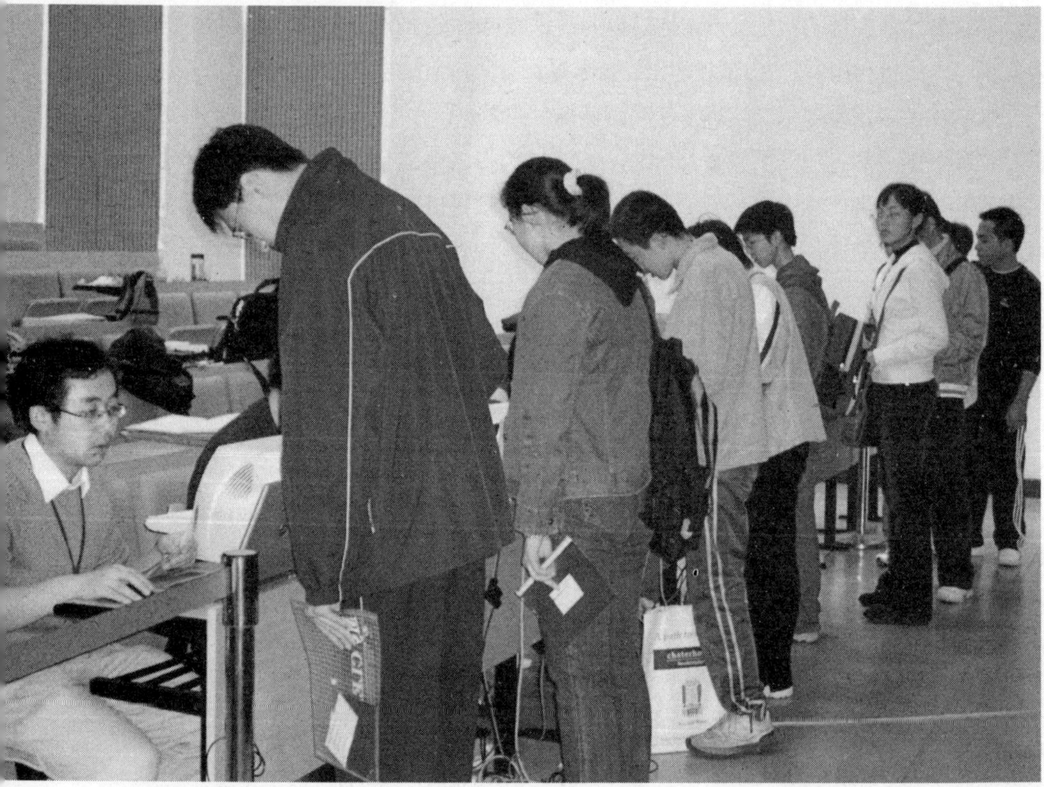

2006年4月1日，参加上海交通大学2006年自主招生面试的考生在办理报到手续。
（刘颖/摄，图片来源：新华社）

是复旦大学原计划在上海地区的招生名额，占总的招生人数比例很低，因此不会影响到对外地学生的录取。”

还有一个有趣的问题：上海学生和外地学生在享受教育资源方面公平吗？章文昕根据自己的理解回答说：不公平。因为上海的教育资源要优厚得多。专家考察章文昕的最后一个问题是：“你认为成功的标准是什么？”

“个人的成功应该是一种自我满足，一种理想的自我价值的实现。只要做了自己想做的事，达到了自己满意的程度就行了，与物质无关。”这正是章文昕对人生的理解，也是她参加本次考试的基本想法。

参加上海交大自主招生复试的考生通过抽签获得自己的考场序号。（杜欣/摄，图片来源：新华社）

虽然面试有所不同，但两校的计分结果相似，所有学生的成绩根据参加面试的老师打的分数统计决定。

4 月 6 日，和任启鸿、陈志超、林帆不同，章文昕收到了复旦大学和上海交大的录取通知书，一时间，她成了学校里的名人。但像章文昕那样在一天时间内同时参加两校面试又被同时录取的学生实在太少了，大约只有七个左右。

这也是令张晓鹏教授感到遗憾的地方，他认为两所学校的面试完全可以隔两天进行，给更多的学生机会。“既然同时可以报考两所大学，那主办方完全可以替考生着想，给考生更多的机会。这样加上高考，学生可以有三次进大学的机会。不过，毕竟是第一次尝试，相信下一次这个问题能够解决好。”

高考破冰不容易

我国的高考招生改革其实是一个缓慢渐进的过程。2001 年，教育部首次批准东南大学等三所院校在江苏省的范围内尝试进行高校自主招生改革。2003 年 2 月，教育部办公厅发出了《关于做好高等学校自主选拔录取改革试点工作的通知》，全国 22 所高校成为试点单位。2005 年 12 月，教育部办公厅又将自主招生改革试点的高校扩大到 53 所。

复旦大学正是 2003 年 22 所试点院校之一。“在数字上看，2003 年教育部的通知规定将自主选拔录取招生人数控制在试点学校年度本科招生计划总数的 5% 以内，2005 年教育部的通知称：考生人数较多且生源质量好的试点高校可以有所扩大。2006 年，除了原有的 5%，复旦的这次自主选拔录取比例达到 10%，加在一起，就是 15%。”复旦副校长蔡达峰回忆说。

复旦是较好利用了教育部政策的学校之一。从表面看，复旦大学在 2006 年以前的三年里进行的自主招生，基本上还是围绕着高考进行。入选考生均须按照教育部规定，参加全国统一高考，成绩达到复旦在生源所在省的一本线，经过复旦招生人员电话、面试选拔以后，在 60 分内进行浮动录取。这个弹性很大的政策让复旦尝到了甜头，让它招到了一些因为像满舟那样高考没有通过但有一定特长的学生。

蔡达峰感慨说：“不能小看 5% 的政策，虽然它是有制约的，但它意义重大，给了大学一个机会，在选拔学生方面能够有所作为，慢慢地你不完全依赖于高考，途径就多样了，自己选拔就有可能了，方式上的转变也会形成价值观、评价标准上的转变。有些学生虽然没有在高考中达到复旦大学的526分，只达到了490分，甚至更低，但按照这个政策就能够进复旦，这其实是很重要的转变。而且政府也在思考、转变、支持学校试点改革，通过三年的尝试，我们发现能做5%，就会有能力做10%、20%，甚至100%，慢慢的什么都可能做。”

2006年的复旦大学自主选拔录取改革，突破了“高考上大学”的唯一模式，由“学校说了算”“面试决定录取结果”的想法，正是在5%的自主选拔的基础和经验上慢慢形成的。而复旦大学、上海交大之所以能够获得教育部首肯，进行改革，其实与“上海教育综合改革实验区”有关。

2003年3月，教育部在全国独家授权成立“上海教育综合改革实验区”，全面启动从中小学到大学在内的全部教育综合改革试验，同时进行教育制度创新。教育部的授权范围包括：上海审批学校、专业设置和招生计划，其中包括本科院校设置、高校专业设置、招生计划审批、独立设置的中外合作高等学历教育机构设置、高等学校硕士授权点等；改革高校办学体制和管理体制，由上海对所有在沪高校的布局和用地进行调整、整合等；改革课程教材和招生考试制度，包括进行各级各类教育招生考试改革等；改革教育经费筹措与收费。

在获得教育部授权以后，上海大胆地进行改革试验。比如上海允许知名大学与大企业合作，举办民营机制的独立学院，开展本科层次学历教育；与过去各地举办的那些民办二级学院不同，新的独立学院将拥有独立法人资格。2004年，复旦人学与太平洋保险公司合作建立复旦大学太平洋金融学院，与上海文广集团、文新报业集团等单位建立复旦人学上海视觉艺术学院。

上海市教委发展规划处处长俞光虹曾向《中国教育报》记者表示，教育在计划经济体制下完全由国家统管，现在随着改革不断深入和市场化程度不断加深，考虑到我国地区差距相当大，以及分级管理、分类指导的原则，国家希望通过上海，试验能否把权力下放到省级政府。

在这样的政策背景下，2005年2月，上海的十所民办学院向上海市提出申请，尝试对应届高中毕业生进行自主招生，完全独立命题、考试、录取，以学生考试成绩作为主要依据，同时参考中学的推荐表、学生综合素质评价情况，从“分数决定一切”向多元综合评价转变，被录取的考生不再参加 6 月进行的统一高考。

经过慎重的考量，上海市组织高校专家、中学校长、区县教育局长进行反复评议后，上海杉达学院、上海建桥职业技术学院和上海新侨职业技术学院等三所学校因较好的办学声誉和较为合理的招生方案设想而获得批准。不久后，这三所学校顺利完成了招生录取工作，但因为招生对象仅限于上海，加上民办学院社会影响不大的缘故，这场改革试验并未引起社会关注。

2006 年 2 月，上海第二工业大学、上海工商外国语职业学院和上海邦德职业技术学院也获得上海市政府批准，获得完全独立自主命题、考试、录取的办学权力。

在这样的大背景下，复旦大学 2005 年 9 月开始和教育部、上海市政府沟通，希望进行自主选拔录取改革。据复旦大学高等教育研究所教授张晓鹏透露，在复旦大学的申请报告里，本来是希望由复旦自主招收的 500 名学生无须再参加全国统一的高考，而是直接被复旦录取。但因为教育部出于种种担心而要求复旦录取的考生必须参加统一高考，并且将名额减至 300 名。

为确保试验成功，教育部和上海市政府与复旦就 2006 年的自主选拔前后沟通多次。复旦大学招生办主任郑方贤说，从 2005 年 9 月起，复旦就开始准备在 2006 年进行独立自主招生考试。就招生考核等具体操作细节，三方沟通了十几次，光是方案就调整、修改了 12 次，最后才获得教育部、上海市批准。

“复旦提出方案后，教育部、上海市政府积极地支持，他们肯定了复旦的探索是积极的，从很多细节方面提出很多建议，因为它们有全国性考试的经验，从开始方案的认可一直到实施结束这个过程中他们都非常投入，在考试的关节点上，他们派人督考、检查，非常关注。”蔡达峰说。

为缓解教育部和复旦面临的压力，在复旦后面紧跟着提出同样申请的上海交大以超常规的速度获得了批准，并抢时间和复旦同时在 4 月 1 日、2 日举行了独立自主招生面试。复旦大学新闻中心主任周晔认为，“这也是教育部和上海市的苦心所在，两个著名的大学同时举行这样的独立自主招生面试，可以减轻不少压力。另外两个大学不同的招生模式，也使得这次的考试更像是一次改革。无论过程怎么样，两个大学的目的都达到了，它们都招到了自己想要的学生。”

因此，从面试和最后录取的数据上看，复旦和交大这次的考试更像是一次联动，尽管两所学校的领导在接受本报记者采访时都回避这一点。虽然最初报名的学生人数相差悬殊很大，复旦 5 828 名，交大 2 672 名，但进入到面试环节时，两校的学生数量惊人的接近，都在 1 200 名上下浮动，最后复旦大学发出了 298 封录取通知书，交大发出了 300 封录取通知书。

经过慎重考虑，有七名同学放弃被复旦录取的机会，其中有一人去美国就读，两人去了香港大学，一人接受了交大的本硕连读专业，另外三人准备参加高考进北大、清华。最后，复旦录取 291 人，交大录取 291 人。

以高考影响中小学的教学

对社会把复旦、交大此次的自主招生改革称作是“高考的破冰之旅”，蔡达峰很开心。但他同时也很遗憾，因为这次的招生仍然不彻底，复旦完全独立自主招生的愿望并没有全部实现。虽然通过面试的学生们收到了复旦的录取通知书，但按照教育部的规定，他们还必须参加 7 月的全国统一高考。

这也正是令任启鸿不满意的地方。“被复旦录取以后，我在学习上还是不敢疏忽，和其他同学一样全力准备全国高考。我觉得这个招生政策还有不明朗的地方，比如说关于高考成绩在以后专业选择和正式录取中所起的作用，还是不够明确。为保险起见，我还是会跟往常一样全力以赴准备高考。”

看着女儿辛苦，任启鸿的妈妈很心疼：“我还是希望她能好好复习，争取在高考中有个好成绩。因为是改革试点，必须参加高考，万一因为被录取了就放松学习，高考成绩不理想，达不到一本线，那就麻烦了。”

林帆的妈妈也有同样的担心：“知道孩子已经被录取之后我很高兴，但我现在对她的要求没有降低，毕竟考个低分进复旦也不好。”不同的是，“我对孩子没以前那么严厉了，因为她的压力也很大。我觉得这一个月来她有点儿放松，但我没怎么说她，她也挺不容易的。”

但参加高考也有实在的好处。对林帆这批已经被复旦和交大录取的学生们来说，他们参加高考如果考分高，将获得两所大学的奖学金，并可能因此获得本硕连读和其他好处。当然，也有想通过高考进入北大、清华的学生，在已经被录取的基础上，他们可以以轻松的心态参加 7 月的全国高考，尝试在复旦和交大之外的其他可能性。

“虽然他们还要参加全国高考，但高考的作用已经大大被淡化了，和高考成绩比较，复旦更看重自己的笔试和面试结果，凡是被复旦录取的学生，最后他一定能够进入复旦。”蔡达峰这样缓解任启鸿们的担心。

在蔡达峰任职的复旦，这几年在教育改革上气象万千，大有当年武汉大学刘道玉时代的改革势头。在人才培养上，复旦十分强调贯彻通识教育的理念，在专业领域外更注重培养学生的自由探索精神和健全的人格，在学分制毕业、本硕博连读政策出台之后，推出了全校一年级学生不分专业的“复旦学院”，加强通识教育。

“我们试图以不同于高考模式的个性化考试，招到自己想要的人才，同时改变中学在高考指挥棒下急功近利的应试教育模式，达到影响和推进中小学的全面素质教育的目的。现在的学生在高中时已经分成了文科班和理科班，过早分科教学使得学生的知识结构失衡，在学习上很难有宽阔的视野。对于复旦来说，在全国统一高考模式下培养出来的学生和我们的要求并不完全匹配。因为大学的责任是为社会为时代培养社会栋梁，这话听起来很空，但是仔细想想太具体了：大学培养出来的人才除了有厚实的专业知识，更应该有健全的人格和创新能力，对他人有爱心有社会责任感，要对社会发挥重要的影响和作用。”蔡达峰说。

近几年来，包括剑桥大学、哈佛大学、香港大学、新加坡大学等国际一流大学也开始到中国来招收大学生，除了学习成绩，他们更看重的是个人特长和精神品质，采取的是以个人能力为标准、以面试等多种形式相结合的考核录取方式，甚至为一些优秀的学生提供往返机票，邀请到所在学校接受专家组的面试，一旦被录取，还提供高额的奖学金。这次复旦大学录取的学生中，有一名就转投了香港大学。

正是在这样的动力驱使下，复旦大学这次的自主招生改革，在通过笔试进行高中知识摸底以后，强调面试和不分专业录取的要求，是为了与复旦开展的大学本科通识教育的实践相衔接，从而形成个性化的人才培养和办学特色。

就在复旦预录取名单公布第二天，在上海市教委网站的教育论坛里，一位家长根据复旦、交大的自主选拔录取情况，制作了一份最新中学“录取率”排行榜单贴了出来。他们发现，一些注重素质教育的学校成了大赢家。以复旦为例，被录取的291位学生分布在56所中学。如果除去39所上海市示范性高中，有17所中学是大家通常认为的普通中学，却为复旦输送了35个学生。奉贤中学、风华中学在历年的高考中，考入复旦的学生只有千分之一，但这次均有两三人入榜。民办的松江九峰实验学校也有一名学生入榜。以素质教育著称的进才中学校长很高兴，这一次，进才共有 11 名学生被复旦预录取，大大超过了它的竞争老对手。

也有人把复旦、交大的此次自主招生考试看成是对北大、清华在上海以零志愿提前录取招生的挑战。三年前，由于报考北大、清华风险大，加之上海学生不愿意到外地大学就读的习惯，北大、清华在上海招生名额几年不满。两所名校一怒之下，扬言要削减在沪招生名额。

为了鼓励上海学生报考北大、清华，上海与北大、清华合作推出“零志愿”单独录取政策。这个政策出台以后，北大、清华在上海的招生人员笑了，上海学生报考两校的人数不仅持续上升，还突破了两校的招生名额。

张贴在上海格致中学考点的考场信息。（刘颖 / 摄，图片来源：新华社）

因此有教育界人士分析，复旦、上海交大的自主选拔改革目的之一就是为了吸引更优秀的生源，理由就是复旦、交大两校自主选拔的录取时间都在北大、清华之前。

上海某中学副校长姚国超也证实了这一点："我们也会雪藏一批相当优秀的学生去考北大、清华，如果他们考不上，才会将其他学校作为第一志愿。"姚国超认为，教育部坚持让被录取考生参加高考，也是为了淡化改革中的特权色彩，以达到某种平衡。

即使在复旦、交大的录取通知书上签字的学生中，也有人反悔想以高考进北大、清华的。上海市教育考试院副院长、上海市高等学校招生办公室主任沈本良打破了他们的幻想："同意此次被复旦、交大的自主录取的学生，即使你在高考中填了北大、清华的志愿，也不可能再被录取。所有的考生只能被一所学校录取。一旦这个学校录取完毕之后，那么这个学生的所有材料，将不可能被后面再填报志愿的学校投档录取，这是规定。"

4月15、16日，复旦大学在青浦召开了自主招生总结会，设计这次考试的专家组、笔试的命题专家、参加面试的教授们和招生办的工作人员近百人参加了这次会议。在这次会议上，复旦公布了此次自主选拔录取工作的相关数据，同时对工作细节、过程进行具体的探讨。

数据显示，在被录取的考生中，256名学生来自上海示范性实验高中，35名学生来自基层高中。这样的统计结果让蔡达峰很欣慰。"一批平时注重素质教育的中学在复旦的考试里呈现出自己的优势，在原来应试高考的模式下，他们有可能被搞应试教育的学校超过，现在他们受到了鼓舞，因为以前我们只承认高考升学率。"

通过这次自主招生选拔考试，郑方贤发现了在高考长期影响下应试教育的顽固性。无论是在笔试现场还是在面试现场，总有一些学校老师和家长在询问刚刚参加完考试的学生，询问他们记得住的考题，一条条记录在笔记本上，准备进行研究分析。一些参与自主招生选拔的学校，在总结工作经验时，仍然以最后复旦、交大的录取数为考评标准。

"我觉得以我们的试题，中学是没办法去提前准备的，我们的老师即使是以同一个问题问不同的学生，那得到的结果也是完全不一样的，我觉得这完全是一个观念问题，就是还是在以应试教育的模式在思考问题。这还是回到了以高考升学率为标杆的价值体系中去了。”郑方贤评价说。

蔡达峰认为，改变高考应试教育模式是一个漫长的过程。大学应该给那些搞素质教育的中学支持，否则再怎么喊素质教育，最后决定学生命运的还是高考分数。因为在最后，政府、社会、家长衡量一个学校的成绩还是看升学率。

“所以最好有更多的大学能够一起来改革，各个大学有各大学的选拔标准，有些中学就会调整自己的教育方式，有些搞应试教育的中学可能就会觉得，我和你复旦对不上了，它就会对其他的大学去了。指挥棒多样了，中学的教育就会改变，初中也会调整，小学也会调整，学生的选择机会也就多起来了。这样的考试坚持做个几年，影响大局面也活了。”

在接受央视记者采访时，复旦大学的党委书记秦绍德说，有了今年的自主选拔招生的工作经验，如果获得教育部批准，复旦将在2007年把自主选拔招生的范围扩大到全国。

针对复旦的乐观，上海交大副校长印杰认为，此次复旦、上海交大“面试”选拔模式在全国性范围内推广可能性不大。首先，自主招生受地域招生数量和实施“面试”招生的学校数量的限制，另外面试成本太高，例如上海交大欲在江苏招生35个人，却引来了35万人的面试报名，在如此大范围中挑选35个人，以概率来算，录取准确率也会大大下降。如果上海、北京、广州等地同等水平的高校联合进行“面试”招生，才可能有操作性，一方面可以降低招生成本，一方面考生也可以避免连续面试而带来的压力。

张晓鹏教授认为，从长远来看，自主招生是大势所趋，也是大多数世界一流大学已经通行的做法。不自主招生，就难以做到学校与学生、教师与学生、专业与学生之间的最佳结合，也不可能使学生中的各类人才各得其所，充分发展。

“在这一点上，美国的SAT考试能为我们提供借鉴，SAT考试与我们国内的高考不同，其考试内容并不和中学教学内容挂钩，不是为了检验中学的教学成绩，而纯粹是为了大学选拔够格的学生。它一年举行七次考试，考生可多次参加（考试并不是由中学组织报名，而是自愿参加，甚至有初中生也参加的），以考得最好的那次成绩为准，成绩在两年内有效。学生可以拿着最好的一次成绩，去申请读大学，许多大学在参考SAT成绩的基础上，再根据自己的要求选才。”张晓鹏说。

北京大学招生办副主任史明也支持复旦和交大的改革，他认为这进一步扩大了

考生在复旦大学自主招生水平测试上海格致中学考点等待进入考场。
（刘颖/摄，图片来源：新华社）

学校自主招生的权利，让大学真正成为选拔主体，是对现行高考制度的很好补充。

一位不愿意透露姓名的上海交大教授谨慎表示支持此次改革："我对中国的自主招生其实是持否定态度的。因为自主招生权力的享有本身就是一种不公平，为什么有的学校有，有的学校没有。自主招生应当是给学生自主权，就像一个大学毕业生可以给多家企业投简历，也可能收到多份offer，但自主招生在报考时只能报一所学校。而且现在教育部放权给部分高校，步子太小，对整个教育也没什么好处。从这次改革结果来看，自主招生不可能全部改变生源指标，只是改变了分配方式。以前通过高考，可能取分数最高的，而自主招生可能就给了更多综合能力强的、善于与人协作沟通的这部分学生机会。"

自主招生学者谈

华东师范大学高等教育研究所所长唐安国认为，此次自主招生改革将打破传统"一考定终身"的高考制度，对我国基础教育的发展导向产生积极作用。

具体来说，自主招生改革打破了统一的评价体系，形成了多元的评价标准；其次，高考主体回归到考生和高校，政府则更多地承担起服务高考主体的功能；再次，高考将体现以人为本的理念，让每一个考生通过高考了解自己，找到适合自己发展的平台。

未来上海高校在选拔学生时可能出现三种模式并存的局面：一种是高校选择考试机构提供的试卷进行统一考试；一种是只参考学生在整个高中阶段的学习成绩和综合评价，再进行适当的面试。这两种模式考生无须参加高考。另一种是既参考考生在高中的学习成绩，又需要考生参加统一高考，同时还需参加由学校自行组织的考试。

在目前的教育体制下，这三种选拔模式的并存是一种趋势，也符合从一元评价走向多元评价的发展规律。不同的学校、不同的专业对学生的能力要求各有不同，有的要求学生有较强的动手能力，有的则强调学生有较强的研究能力，而自主招生改革恰恰满足了高校按自己的要求和方式选拔学生的自主性要求。

招生改革最大的难度不是来自模式本身，而是来自对教育的不同认识。从这个意义上来讲，复旦、交大的这次试点只是万里长征走出的第一步，很不容易的一步。

复旦大学高等教育研究所张晓鹏教授认为，招生是人才培养的起点，招生是大学的最基本的一项自主权，合格的生源质量在很大程度上决定着一所学校的办学水平。

“自主招生”这个概念，我国在上世纪 90 年代前期就已提出来了，并由上海工业大学（现上海大学的前身之一）率先实践。根据当时的报道:“在上海市政府和高教局的支持下，1993 年秋季上海工业大学面向社会自主招收全部自费生，不参加全国和全市的统一招生。这在全国尚属首次。”

当年上海工业大学的新生全部都是通过自主招生的方式入学的，学校在录取时主要参考了上海市中学会考成绩、该校加试成绩以及学生的综合特长等。当时上海准备用三年左右的时间逐步取消统一招生，可惜这一设想后来并未实现。

有学者曾按自主程度的不同将世界各国高校的自主招生模式分为三大类型：一是完全自主型。高校规划、专业设置及学生人数、招生组织、招生考试方式及其内容、录取标准及录取对象，完全由高校自主决定。高教管理机构（包括政府职能部门及相关的职能团体）仅起监督作用。

二是半自主型。高等学校招生在自主权上有一定限制，随着限制项目、限制程度、限制数量的差别，其自主权所受到的制约也有不同，因而这种模式在具体实施时，可以有众多的、看起来差异较大的形式。一般说来，在这种模式下，首先失去的是高校规划权，即高校布局将受到较严格的控制，这方面的权力集中在教育管理部门；招生组织通常也会受到较大的限制，高校不能自主决定招生的时间，但在专业设置、招生考核命题及录取标准等方面，则享有较大的自主权。

三是统招前提下的自主型。即在统一招生中给高校某些自主权，所给予的自主权通常集中在录取标准方面，而在高校规划、专业设置及人数、招生组织、入学考试组织及命题等方面，高校基本上不能自主，但允许高校在统一考核的基础上，自主命题组织再考核，并根据考核成绩自主决定录取标准及录取对象。

我国目前 52 所高校实行的自主招生属于统招前提下的自主型。目前，我国高校的自主招生是指高等学校在政府批准的基础上，从招生计划中划出一定的比例，根据高等学校自身的办学要求，选拔适合学校特色的有特长的学生。高校自主招生以统一考试为前提，自主招生对象不仅要参加高校单独组织的考试，而且要参加全国的统一考试，高考成绩在决定考生是否录取时起着至关重要的作用。

今年复旦大学和上海交通大学的"自主选拔录取"改革，从学校的本意和最初的宣传来看，都是要改变以往统一以高考成绩决定录取的做法，但最终看来教育部并未松口，所以还是留了一个"尾巴"，已经被两校预录取的学生还得参加统一高考，且其成绩"原则上"还得在"一本线"上。其实，就算是教育部同意自主招生录取的学生可以不参加高考，还是表明本次两校改革的招生自主权有限，因为招生权实质上还是由政府"下放"而不是"回归"给高校。

直到目前，在某些人的意识中，包括自主招生在内的办学自主权并非高校固有的权力，而是政府给高校的授权，这种"下放"的权力政府随时可以收回。然而，高等学校无论是作为办学主体还是法人实体，都有其自身的目的性，自主是高校发展的内在需求。高等学校办学自主权根基于学术发展的要求，高等教育的历史表明了办学自主权是高校固有的权力。从我国高等教育发展的现实也可以看到，基本上从属于计划经济的高考统招模式，已难以适应市场经济的发展。如同一切市场经济供需方都具有很大的自主权一样，考生应有选择高校的自主权，高校亦应有更大程度的招生自主权。

（选自 2006 年第 7 期《报告文学》，作者：张英）

中国最大民办教育集团“南洋”崩溃始末

赫赫有名的南洋教育集团，2003年时总资产价值人民币13亿元，在2004年底被中国教育联合会授予唯一的“中国民办教育最佳品牌”。仅仅一年后，南洋即全面崩溃。2005年入秋，到期的各校教育储备金无法兑现，从而引发全国南洋学校的挤兑，南洋集团董事长帅建伦以涉嫌集资诈骗罪被定为A级通缉犯并被抓捕。更为惊人的是，2006年5月，济南南洋学校的两任校长和一任财务主管被押上法庭，被控犯有“非法吸收公共存款罪”。

南洋崩盘

2005年初冬，曾经的中国民办教育第一品牌，被誉为“航空母舰”的南洋教育集团衰象毕露。

此时的南洋尚有七所学校，分布于全国五省。各校情况几乎完全一样：到期的教育储备金无法偿还，家长不停追讨；欠供货商大量货款，连暖气和水电都无法保证；教学秩序无法维持，教师为拖欠的工资罢课。

一句话，学校没钱了。各地教育局派工作组进驻后，发现学校账上都只有几千元。

问题集中在教育储备金上。所谓教育储备金，是从1993年开始被民办学校广泛采用的一种融资方式，由广东英豪学校董事长陈忠联发明。其操作方式是，家长一次性交一笔钱给学校（不同阶段、不同学校从8万元～20万元不等），此外不再缴纳学费和伙食费。而收取的储备金，则由学校开设新校，或用于投资其他领域。待学生毕业之后，学校以投资获得的利润，或新生缴纳的新储备金，将教育储备金全额不加利息如数还给家长。

在南洋的整个发展过程中，教育储备金一直是集团的脊柱，也是后来南洋崩溃的直接原因：到期的教育储备金无法偿还，频遭挤兑，最终将各地南洋学校压垮。

封校

2005年秋，济南市教育局牵头的工作组进驻济南南洋学校。“教育局一直许诺说，政府会负责到底，教育局会支付学校的开支，包括老师的工资。”一位施姓学生家长说。

从夏天的挤兑风波开始，家长们非常清楚学校已是“气若游丝”。但很大一部分家长，尤其是毕业班的家长希望将学校维持下去，至少到孩子参加了高考和中考之后。

2005年11月，由于学校无法开支，济南市教育局曾发动全市公办教师募捐，每人为南洋学校捐100元。但每月不菲的运营成本，不是靠募捐可以维系的。当时学校人心浮动，由于领不到工资，教师们曾出现短暂的罢课。也许，这是教育局最终作出封校决定的最重要动因。

封校决定让家长和学生感觉“措手不及”。

2005年12月17日傍晚6时许，毛伟送读小学的女儿回南洋，很意外地看到校门口黑压压站着几百名警察，里面还有部分是戴着头盔手持警棍的防暴警察。

这一天正是小学生返校的日子，而中学生则在校内正常上课。毛伟回忆，当时警察把校门口封住了，只允许一个家长带一个孩子进去，收拾完东西出来。和警察站在一起的教育部门官员解释说，学校解散，办学许可证已经吊销，剩余的学生将被分流到市里各个中小学。

“我们也是为你们考虑，减少你们的损失。如果把这个学校继续办下去，家长的损失更大。”当时在场的教育部门官员说。

后来在法庭上，北京的中业律师事务所律师、济南学校财务主任袁国霞的辩护律师李方平曾对此提出异议，“吊销办学许可证是一种行政行为。教育局作出这样的行政行为，没有召开听证会，而且立即收缴了公章，连申请行政复议的权力都剥夺了，这是典型的违法行政。”

强行分流的方案第二天开始执行。学生和老师抱头痛哭整整一夜。12月19日，孩子们一步三回头地走出校门。

2006年5月15日，记者面对的济南南洋学校看起来一片破败，田径场上的草已没过膝盖。

2006年1月18日，太原市教育局也宣布，山西南洋学校停办。为了维持正常的教学秩序，太原市教育局在南洋学校原址上建立了“太原市第三实验中学”。教育局声明，南洋学校的学生和老师一概留校，教育局只是“借用”南洋学校的校舍办学。而学校的一切运行费用，目前都由教育局承担。

艰难的善后

但家长的储备金问题并没有解决。

在停办之前，太原市教育局曾向山西省政府申请，由山西大学并购山西南洋学校。其理由是，山西南洋开办之初，山西大学就是第一举办人——山西大学每年从南洋学校收益土地租金50万元；根据12年前的协议，学校举办28年后，山西大学将无偿收回土地包括其上的建筑。

太原市教育局的消息称，并购申请由于山西大学的抵触而于去年12月份搁浅。

“问题是，我们觉得现在没人管了。”在太原，山西南洋的老师和家长都这样对记者说。家长等待的是自己的储备金，而教师从去年底开始只得到每月1 000元的生活费，之前欠下的工资怎么清算，也没有一个说法。

太原市教育局副局长施永宁告诉《中国新闻周刊》记者，本来的计划是由家长申请学校破产之后，进行资产评估，并由教育局出资将学校购下，然后以“实验中学”的名义，纳入公办的学校序列。可是，由于山西南洋建校早，基建折旧率高，家长们唯恐学校破产后资不抵债，坚决不肯申请破产，而要起诉学校的第一举办方山西大学。

但此案一直不被太原市中级人民法院受理。

据家长和代理律师王杰君的说法，太原中级法院要求家长们把官司拆开打，而且不同意家长对诉讼费的减免；而家长对于此案的胜诉虽然很有信心，但是对之后的执行并不看好，因此要求执行后再扣除诉讼费。

这是2006年4月份的事情，目前的状况仍是僵持。几个月之后，新学年开始，实验中学是否招收新生，学校如何继续？施永宁他们也在挠头。

触礁

济南方面，是个更难解的局。政府方面短暂接管后，宣布封校。2006年4月，济南警方以非法吸收公共存款罪正式逮捕南洋济南学校两任校长吕军和韩峰，以及前济南学校财务主任的袁国霞后，再无下文。家长们也没有得到储备金。

济南的案子是5月15日开庭的。庭上检方提供的一份对济南南洋学校的资产评估报告称，学校资产总额为一点四亿元，而拖欠的家长储备金约一亿元。辩方律师李方平则认为，该报告大大低估了济南学校的价值。

家长们对该资产评估结果不置可否，但是以行政不作为提起了对济南市教育局的行政起诉，然而一直不被受理。

根据目前公布的材料，青岛南洋学校和昆明南洋学校已被出售，当地家长的储备金得到了归还，而其余学校，仍是僵局。

《中国新闻周刊》接触的所有采访对象，无论是律师、家长还是各地教育局官员都认为，由于南洋集团全国运作，资金全国调拨，最合理的清算方式是教育部成立一个清算小组，在全国范围进行统一清算并偿还各地家长的储备金及所欠的货款，家长们的储备金，就在全国各个学校的校产里。根据其学校本地的资产状况，进行单独清算的结果不仅可能是亏损，也会很不公平。比如大同南洋学校的资产状况最差，因为土地是租用的，只剩六年使用权，净资产几乎为零，负债近一亿元。

《中国新闻周刊》就此解决方案向教育部提出采访，被教育部以“问题正在解决过程中”为由婉绝。

4月，南洋教育集团的创始人、2003年之前的董事长任靖玺派人向济南警方提交了他离任前包括资产评估结果在内的一整套材料。后来济南庭审过程中，检方并没有出示这套资料。2004年起，任靖玺的职务由帅建伦接任。而任和帅交接后的南洋集团总账在何处？据南洋的最后一任董事长蒋国斌说，帅的部下赵富生向济南警方承认，财务资料在他们手中。

最后一根稻草

从2000年起，中国兴起了所谓“名校办民校”热潮。

所谓“名校办民校”，指的是公立重点中小学开办私有的“民校”。这种学校既能享受公办学校多年积累起来的巨大无形资产，又能堂而皇之地以民办学校的价格向消费者收费——却可免除民办学校的风险和公办学校的义务。

2004年底，本刊曾调查名校办民校对老牌民办学校的影响。就全国而言，当时此类学校已成燎原之势。与此同时，老牌民办学校纷纷倒闭。就记者得到的数字，此时南洋在全国的生源数也减少近一半。

后来代理太原和济南家长诉讼的王杰君律师指出，不得不承认中国目前的教育消费还是一个非常“不成熟和不理性的市场”。由于公办学校有优质的教育资源，“消费者”对它们的信任度要高于民办学校。因此，名校办民校虽然在实际的操作中常常超出相关规定，如常常没有独立的校园、师资等，但靠着公办的“金字招牌”却可以轻易击败经营多年的民办学校。

从存款利息的降息，到名校办民校的冲击，到2003年底，对“导致不公平竞争的政策环境彻底绝望”的任靖玺，与“ST佳纸（佳木斯纸业）”董事长帅建伦签署了对南洋集团的转让协议。帅建伦以其控制的四川科邦集团下属的中亚财富投资有限公司为入主机构，承诺出资人民币7 000万元获得南洋集团70%的股权。

当时双方签字的资产评估报告显示，南洋集团的账面净资产为7 400多万元。此时，距离南洋彻底崩溃，还有不到两年。

南洋易手

南洋被转让的价格为人民币7 000万元，任靖玺在转让前即声明，这笔钱他个人分文不取，全部留在南洋做滚动资金。

2004年7月，应帅建伦的要求，任靖玺完全退出南洋。

数位南洋的高管都对《中国新闻周刊》记者说，他们对于任靖玺的决定感到“情理之中，意料之外”。他们记得当时任非常消沉，越来越心灰意懒。

10月，任靖玺发布自己的《万言书》后，远赴海外。

回顾后来南洋的惨状，也有分析人士认为任靖玺是金蝉脱壳，把“绞索”留给了帅建伦。但当时南洋的一位高管并不同意这种说法：“当时南洋的确在走下坡路，不过账上还有几千万的流动资金，而且靠着透支信誉又支撑了整整一年。帅建伦如果按约注资，盘活南洋是没问题的。”

从未兑现的注资

帅建伦出资7 000万元的承诺一直没有兑现。

根据“ST佳木斯纸业”的2005年年报，深圳发展银行于2004年6月向“ST佳纸”提出诉讼。事情的原委，是2001年11月深发展罗湖支行向“ST佳纸”发放贷款三亿元。但公司未按合同按时付息。深发展要求“ST佳纸”立即偿还贷款本金三亿元及利息、罚息等。

对于一个上市公司来说，被银行起诉追款，不仅表明现金流抽紧，拆借能力严重下降，更意味着最大的信誉危机。而此时，恰逢宏观调控“渐入佳境”，各地银根抽紧的当口。但在后来“ST佳纸”的年报中，此次诉讼的结果从未出现。帅建伦后来如何渡过这个危机，是否动用了南洋的现金和资产，现在还是一个谜。

此时，任靖玺已经不再是南洋的大股东，董事长是帅建伦。南洋当时的部分高管告诉记者，曾有高管向任提出，对帅的拖延拒不履约提出起诉，申请转让合同无效。

任靖玺只回答了一句：“这官司打起来，消息传出去，对学校的影响太大了。”

2004年9月的太原校长会议上，到会的各地南洋校长们已经感觉到说不出的不祥。“我们都搞不清他（帅）到底有钱没钱，但是老任对我们说，老帅是有资金的。”一位参会校长对《中国新闻周刊》记者说。

抽血

太原校长会议召开时，2004年度的新生已经开学。帅上任后，第一件事是将下属八校收取的新学年学费和教育储备金全部上缴集团，如昆明南洋前后被调走了 1 500 万元，此后学校的办学经费却一直没有足额下发。而且，10 月底的校长会上，集团将各校的年预算下调了 30%。

当时一位校长向《中国新闻周刊》记者回忆说："帅接手之后，危机马上出现。除非我们要钱，他才会五万十万地给汇来一些。如果不要，总部是绝对不会理你的。"

这几万块钱，对于通常经费以 100 万元计算的诸校，只是杯水车薪。各校的告急求救传真如雪片一样向北京总部飞。学校的运转只能以赊账、欠款的方式进行。

由于无法清还到期的储备金，南洋的状况已经惊动各地教育局。2004 年 11 月 30 日，济南市教育局局长亲临学校督察，并要求学校向教育局上缴 500 万元的保证金，作为退还储备金的预备资金。对于严重贫血的学校而言，这是根本无法完成的任务。就在这一天，南洋各地的八位校长已经忍无可忍，联名向总部发出了最后通牒式的声明，表示"作为甲方（北京总部）没有提供乙方（各校校长）正常行使职务的条件，使乙方无法履行职责。因此，各位校长只能退聘，中止合约"。

另据一位校长的回忆，12 月，帅建伦将大同、连云港等校校长解聘。至年底，集团又下发了要求各校校长将属下学校"承包"的指令。大意是，集团不再对学校有拨款义务，学校自筹资金并且要上缴学校的管理费。于是，又有吕军等数校校长宣布辞职。

堕入深渊

不过，帅建伦"部分履行"了将南洋上市的诺言。2004 年 11 月底，由他担任董事长的"ST 佳纸"收购了连云港中奥教育有限公司及其下属的连云港南洋学校。

根据这次收购的公告，"ST 佳纸""以自筹资金 8 008 万元收购量子（北京）生物有限公司所持有的连云港中奥教育投资有限公司 90% 的股权"。而量子（北京）生物有限公司的前身，就是南洋集团中的北京南洋国际文化教育投资公司。

至此，连云港南洋被装入"ST 佳纸"，而这个教育概念已被炒作了整整一年。2005 年 3 月，有股评认为"ST 佳纸""重组教育，摘帽在即"。到了 2005 年 11 月 17 日，帅建伦被捕的当天，《证券时报》还报道说："民办教育广阔的发展空间有望给公

美梦？ 图/谢正军 新华社发

司带来更多的成长动力，而在出售赢利能力下滑的子公司股权之后，公司业绩和资产结构将得到改善，为其发展带来了广阔的想象空间。”

2005年1月，“ST佳纸”对2004年年度业绩预告为:“全年业绩扭亏，预计实现净利润约300万元左右。”不到三个月，4月2日“ST佳纸”再次披露业绩预测:“2004年度亏损4 000万元至5 000万元。”此举遭深圳交易所公开谴责。6月1日，帅建伦等董事不得不发布致歉公告。至此，“ST佳纸”成了标准的“垃圾股”，最后于2006年5月被停牌。

股市上的一切，学校老师表示并不知情。

到了9月开学，新一期储备金到期该还了，老师们才明白，这下是真完了。追讨储备金的家长和忍无可忍的供货商包围了学校追讨欠款。一向以伙食好著称的学校食堂里，只有白菜。到了11月，水、电、暖气都成了问题。南洋彻底堕入深渊。

最后的挣扎

2005年9月份，已是焦头烂额的南洋集团迎来了第三任董事长蒋国斌。

蒋从2003年开始，是帅建伦的财务顾问。2005年9月21日蒋和帅建伦签署了一揽子收购协议，从帅手里买下了中亚财富和北京南洋集团的三个公司，以及山西、大同和济南三校，成交价格为75万元。

后来蒋国斌向警方承认，这个钱他没有出。

2005年10月12日，拿到南洋各校公章的蒋国斌奔赴太原，他的计划是:“和当地的教育局领导接触，了解一些实际的情况。然后回到北京，和帅建伦以及潜在战略投资者商讨，拿出一个重组整合南洋集团、彻底解决教育储备金的可行性重组操作方案。”此时，蒋没有得到南洋的财务资料，当时他和帅约定回京后再做正式交割。

不料刚到太原，蒋国斌就被追讨教育储备金的家长包围。“不得不”和家长们同吃同住了一个多月——实际是被家长们变相扣留。蒋后来说，他一直和帅建伦反复沟通，却一直没有得到帅承诺的资金汇来。

11月17日，帅建伦在黑龙江黑河口岸被捕。同一天，蒋国斌和两位家长代表去教育局磋商时，借故跑了。回到北京的蒋国斌再也找不到帅建伦及其部下，便在网上发布他的公开信，宣布与帅建伦的转让协议中止。蒋告诉《中国新闻周刊》记者，他正在向法院起诉，要解除和帅建伦的转让合同。

妥善处理南洋事件关乎民办教育发展

南洋教育集团的发展和衰败有复杂的原因，集中反映了我国民办教育的诸多问题，值得认真研究和总结教训。但当前最紧迫的，是妥善处置善后事宜，依法保护学生家长的利益和南洋教育集团的资产。

如果采取简单化的处置，不恰当地定为刑事犯罪，随意处置南洋资产，将会造成新的动荡，形成新的纠纷和问题，有损政府形象和社会稳定。

历史理性地认识教育储备金模式

“教育储备金”模式，是民办教育创造的一种特殊教育收费形式。当“教育储备金”学校的财政危机显露后，广东省政府积极应对，于2000年2月出台《关于解决广东省民办学校教育储备金问题的意见》，因而，虽然广东是“教育储备金”的发源地，但却较好地化解了危机，没有发生如南洋集团这样的恶性事件。

风行十多年的“教育储备金”模式是在我国特定的历史条件下，民办教育发展过程中的一种摸索，历史已经为它画上了句号。南洋学校事发之后，有些地方教育主管部门为了卸责，称这是一场“骗局”，公安部门则视“教育储备金”为一种金融犯罪，并没有充分考虑到当时的特定环境。

改变“非法吸收公众存款罪”的定性

即便从法律的角度看，收取教育储备金与“非法吸收公众存款罪”的性质也完全不同。“非法吸收公众存款罪”的犯罪对象是“公众存款”。这里，“公众”是指社会上不特定的人或单位。而南洋学校对教育储备金的收取对象严格限定于就读南洋学校的学生家长；一旦该学生毕业、退学、转学则予以退还“教育储备金”。既非来者不拒，也未约定明确时间和利率，与法律意义上的公众存款有严格的区别。

近年来，各地因收取“教育储备金”而倒闭的民办学校屡见不鲜，各地几乎都将其定性为民事案件，对办学单位法定代表人追究刑事责任的少之甚少，少数的几起也是以涉嫌“挪用公司资金罪”起诉。经向立法、司法、法学理论界相关专家、学者以及经办多起类似案件的资深律师讨教，大家普遍认为：对“非法吸收公众存款罪”的认定，目前缺乏相关司法解释。

南洋教育集团采取集中统一的垂直管理模式，下属学校均无人、财、物的调配权，对既没有决策权、也没有获取任何非法利益的南洋学校管理人员实行拘押，追究所谓“非法吸收公众存款罪”或“非法集资罪”，是很难找到法律依据的，应当尽快依法改变。

公正公开地处理“南洋”的财产清偿

尽管南洋教育集团的经营失败，但就其资产及负债状况而言，总体上是资产大于负债。如果严格按照市场化运作，全盘清算，各地学生家长所交储备金不仅能够偿还，还会有不少盈余。但是，由于事发之后媒体广泛报道且定性不准，各地政府和公安部门闻风而动，各行其是，大量拘押人员、查封学校和有关人员财产。由于南洋集团的财产数额巨大，各地查处的积极性很高，使人担心在无人为南洋资产负责、缺乏监督、墙倒众人推的情况下，南洋资产的清算难以公正进行，很容易被权力部门贱买贱卖或形成新的经济问题。

鉴于南洋教育集团跨地区的性质，建议由中央部委有关部门组成工作小组，负责督导对南洋教育集团资产进行全盘清算。

建立健全民办学校退出和清算机制

民办学校主要靠收取学费维持运行，缺乏正常的贷款、融资渠道，近年来出现各种问题而破产倒闭的不在少数。为此，亟待建立针对民办教育机构的预警和退出机制，完善学校终止时的财产清算办法。

目前，一些省市在为地方民办教育立法时，根据地方的实践已经作出了一些设计。如浙江省的草案规定，"民办学校终止时，依照国家有关法律、法规的规定进行财产清算，依法处置剩余资产。民办学校清偿各类债务（含退还向学生收取的各项费用和应发放教职工的工资及社保费用）后的剩余财产，经审批机关核准，可以以出资额为限，连本计息返还出资人；返还后剩余部分转入民办教育发展基金。"

深圳市的草案规定，"民办学校终止时，必须妥善安置在校学生，审批机关应当予以协助。实施义务教育的民办学校终止时，审批机关必须协助安排学生继续就学"。"民办学校终止时，应当依法进行资产清算……资产清算按照下列步骤进行：（一）由评估机关以货币形式计算出学校资产负债总额，并出具评估结果报告;（二）由清算组根据投入各方实际投入的金额及相关协议，计算出终止时投入各方应占的份额。"

这些措施和思路值得有关部门在处置南洋教育集团问题时借鉴。

（选自2006年第22期《中国新闻周刊》，作者：朱雨晨、杨东平、李方平）

中国民办教师

民办教师，一个既熟悉又陌生的名字。

知识经济崛起，信息时代到来，民办教师作为一个群体，一个概念，一段历史，已逐渐淡出人们的视野和社会的舞台，成为昨天静态的历史，下几代人也许真的很难想象民办教师是一个什么样子，他们曾经处于怎样的生活状态。然而他们的背影走进历史的同时，已经在人民的心中深深地镌刻下了他们曾经共同拥有的名字——

一、民办教师，一个苦涩的话题

我们似乎很难向今天城市的孩子们解释什么是民办教师。笔者曾随机询问过一些城市的学生，不光许多中小学生想当然地认为，民办教师就是民办学校里的教师，就是一些中青年家长也语焉不详。

但是，这是一个不该被遗忘的群体。民办教师问题，一直是农村基础教育的热点，多少年来，一直引起各方面的关注。究其原因，大致有以下几个方面：一是队伍庞大，高峰时曾占到全国教师总数的60%以上，直到上个世纪末期还占了全国中小学教师总数的30%（230万人），占农村中小学教师的40%。毋庸置疑，这是一支对农村基础教育特别是普及九年义务教育的进程起着举足轻重作用的队伍。二是民办教师待遇太低，全国大多数地区民办教师的工资收入仅仅是公办教师的二分之一、五分之一，甚至十分之一。一些地方民办教师基本生活都难以维持，医疗退休保障更是希望渺茫。三是民办教师的性质、队伍的发展趋势等理论问题长期没有解决，很长一段时期民办教师工作缺乏规划。四是政策不稳定，一些早已制定并实行过的诸如民办教师转公办等方面的政策没有得到连续的贯彻执行，失信于民，曾严重影响了民办教师的积极性。

上述种种问题的长期存在增加了基层教育管理部门的压力，影响了教师队伍的稳定和农村教育事业的改革与发展。

笔者查阅有关资料了解到，民办教师这个工种可以说是新中国与生俱来的。这个群体的形成和发展，有分担国家困难方面的因素；有人口增长失控、入学人数太多，对师资需求剧增的客观需要；有不重视教育，不按教育规律办事的错误做法；有“极左”的影响和“文革”的破坏。原因复杂，导致这支队伍发展失常，问题突出。

建国初期，我国的少年儿童入学率不足20%。小学教师仅有83.6万人。我们一方面面临着广大人民群众迫切希望送子女上学的要求，另一方面又面临着文化、经济基础薄弱，中小学教师奇缺的巨大困难。因此，国家在创办公立学校的同时，大力提倡、支持群众办学，为新生的人民共和国减轻负担，全国农村兴办了一大批民办学校。民办学校和民办教师应运而生。

1952年至1957年，全国中学民办教师约1.5万人，小学民办教师在7万至15万人之间浮动，最高也没有超过中小学教师总数的7%。这一阶段，民办学校的建立，民办教师的选任，是根据需要和群众的办学能力，因地制宜地产生和发展的。应该说民办教师对分担国家困难，缓解中小学师资紧张状况，扫除文盲，提高广大人民群众的政治、文化水平起了相当大的作用。

1958年至1966年，“大跃进”造成的严重恶果显现，教育盲目追求高速度，几年时间学龄儿童入学率就由1956年的41.7%飙升到80.3%，小学教师由188.4万人增加为225.7万人，民办教师增加了12.5万人。为了在国家财力有限的情况下扩大教育规模，加之“大跃进”的盲目追求高指标，以及自然灾害造成的经济困难，公办教师大量精简，民办教师出现畸形增长态势。1963年至1965年，贯彻执行“两条腿走路”的方针，推行“两种教育制度”，小学教育又有较大发展。1965年学龄儿童入学率达84.7%，小学教师增加到385.7万人，民办教师增加到180万人，占中小学教师总数的40%，形成了建国以来民办教师增长的第一个高峰。

1966年至1977年，这段时间正值“文化大革命”，由于人口增长失控形成了中小学入学人数的增加，对师资需求剧增，再加上出现了“公转民”的热潮和“十年浩劫”造成的师资队伍主渠道师范院校招生的停止，公办教师来源的中断，而大量农村小学又改为民办，大批公办教师转为民办教师。这一时期，全国各地又盲目发展中学，教育管理处于极度混乱状态。民办教师数量剧增，1977 年小学民办教师总量达到历史的顶峰，达到 491 万人，占中小学教师总数的 52%。

1978 年起，各地加强了民办教师工作。通过对民办教师队伍进行调整整顿，确定留用的民办教师资格，淘汰部分经培训仍不合格的民办教师，将部分优秀民办教师转为公办，达到退休年龄的进行妥善安置等措施，到 1994 年民办教师逐步减少到 230 万人，仍占中小学教师总数的 30%，队伍的发展和民办教师管理工作开始趋于正常。

实际上，现在所说的民办教师恰恰出现在上世纪 50 年代中小学全部为公办学校（全民所有制）的时候。而原本意义上的民办教师，也随着 1952 年对民办学校的成功改造而消失了。至于近几年随着非公有制或集体所有制经济而出现的大量民办学校，那里的教师并没有被认为是民办教师。

二、无怨无悔的苦乐年华

不管是谁，只要你接触一下中国的民办教师，你就会有一种强烈的感受，那就是——这仿佛是从另一个世界另一个时代走来的一群人。他们待人是那样的谦恭礼让，谦恭得让人心灵悸颤，你会想起“卑微”这个词。他们或者是有钱不肯自己花，把微薄的工资用到学生身上，用到学校建设上；或者是有了“民转公”的机会却一次次让给别人；或者是放弃了到大城市工作的机会，甘愿在贫困中终老深山；他们或栖身破庙旧房，或跋涉山水之间，学校大地之小，学生管埋之难，生活上作条件之差，工资待遇之低，这一切都不能动摇他们矢志教育的信念。他们苦在其中，也乐在其中。

教育是神圣的事业，可要让一个事业神圣是需要代价的。听一听这些民办教师的故事，你会觉得有时候这种代价甚至到了惨烈的地步。

对青海大通回族土族自治县景阳乡山城沟村小学民办教师杨增奎来说，神圣的代价实在是太惨了，他女儿得的是现今并不难治的肺结核，就是因为贫困，因为没有钱，女儿在 18 岁时永远闭上了眼睛。女儿临终时都没能见上她极爱戴的父亲，就是在那个时刻，父亲还挺立在讲台上。

杨增奎穷，每月29元的收入，这与他所付出的代价实在太不相当了。是他在31年前办起了村里有史以来第一所小学，校长、班主任、教师，全是他一个人担任。没钱买粉笔，用生石灰拌黄泥自制；一年中只有一瓶蓝墨水写教案，一瓶红墨水改作业。就是在这样的条件下，顺着他的教鞭的指向，这个只有50户人家的小山村却有20多人走出了大山，成长为各类建设人才。

有多少民办教师，为教育竭尽了心血。他们的收入和付出是远若霄壤的不等式。

谢有德的不等式是可怕的，当他听说广东的大款一席黄金宴吃掉10多万时，他那本来就很大的嘴巴张得更大了。

河北的张广森算了一笔账，他任民办教师20多年，总收入还不足万元；四川开县渔北村的赖克林接到赴京参加表彰会的通知，却叹息着准备放弃，他无钱上路，也无出门的衣服。结果是乡教办为他筹了路费，几个弟兄资助他衣服他才得以进京；吉林榆树市的陈雅莉进京受表彰，身上穿的那套西装裙是村里你一元他两元凑钱买来的；张宗花到北京的老乡家，老乡看着她身上穿的直摇头，为不给广东人丢脸，老乡买了两套衣服送她，这才使她像样地出席了表彰会。

人生最大的愿望是什么？湖南瑶族民办教师吴西元的回答是：“吃饱一顿肉！”他上有瘫痪在床的80岁高堂，中有患精神病的妻子，下有两个在县城读书的孩子，全靠他几十元的月薪维持。吴西元不得不常常饿着肚子去上课。表彰会期间，会务组的同志只要和他一桌吃饭，都会主动把肉往他碗里拨，看着笼罩在同情目光中的他羞涩地低头吃饭，一些人的眼圈红了。

无论是遇到不幸，还是病魔缠身，他们对教育事业总是矢志不移。湖北的甘菊秀，1987年做完直肠癌晚期手术后，始终顽强地站在讲台上。她所带班的巩固率、提高率、合格率始终名列全学区前茅，她决心“把有限的生命投入到无限的教育工作中去”。河南邓州十里堡小学的民办教师李道理，1976年高中毕业当上了民办教师，先后任教导主任、校长，积劳成疾，患上“后天性维生素D3缺乏症”，全身多处骨质疏松，已有15处发生自然性骨折，随时都有全身瘫痪的可能，因此他在33岁时就拄起了拐杖。但他并没被病魔吓倒，始终坚持在教学岗位上，即使是外出看病，也不忘去走访学校，考察学习先进经验。为了学校工作或走访学生家长，他多次摔倒在路上。他常说：“人活着就几十年，病了不能等死；趁现在还没有全身瘫痪，只要能活动就要干事，就要全力以赴，奋斗不息。”

处于穷乡僻壤的民办教师，尽管工资微薄，但他们从不吝啬，而是倾其所有、慷慨解囊帮助那些交不起学费、书杂费的农村娃。山西兴县高家村镇西坪中学吕晋春老师，用他与他爱人（同是民办教师）两人的工资和变卖祖房的全部所得及他撰写文章的稿酬共 5 000 元，为学生办了图书馆，只希望“把晋西北的山里娃娃培养成合格的建设人才”。陕西延安的王思明，带领全校学生用课余时间大搞勤工俭学。当民办教师 30 年，他用自己的双手三迁校舍，连自已家的粮食、婆姨喂的猪都让他卖了投进学校，曾有四集电视剧《走出黄土地》介绍过他的事迹。

湘西土家族苗族自治州保靖县排捧村小学代课教师杨忠明，在代课教师的岗位上坚守了 28 年，将一生中美好的时光献给了山区苗寨的孩子们，如今桃李满天下。（明星 / 摄，图片来源：新华社）

内蒙古哲里木盟的散都嘎喳村小学的额尔敦桑老师1974年任民办教师，为了改变学校的贫困面貌，带领学生每年种植蓖麻十多亩，栽树150亩，他用几千元的勤工俭学收入为学生解决了疫苗费、书本费，为学生订阅了十几种报刊。该村有两个残疾儿童不能走路上学，额尔敦桑就每天晚上到学生家上课，风雨无阻五年整，使两个孩子成为合格的小学毕业生。额老师的奉献赢得了广大农牧民的尊敬和爱戴，被家长们称为“我们的赛音巴格希”（我们的好老师）。

黑龙江铁力市爱林小学的邵景云老师为了不让学生退学，用自己的钱为学生交学费，买学习用品和棉衣、棉鞋等。她说：“面对家乡父老，我唯一的选择就是掏出热心办教育，尽心教书育人才。”邵景云所在的爱林村是大骨节病多发区，也是铁力市防治地方病重点村，村里一些孩子患了大骨节病无法正常上学，邵老师便主动承担起为学生义务投药的任务，每次都把药和水一一送到孩子手上，眼看着孩子吃下去才放心。经过十几年的努力，爱林村的大骨节病发病率由原来的90%降至5%以下。为了怕交男朋友分散教学注意力，她一连推掉了乡亲们为她介绍的十几个对象。

徐显义原在江西龙南县新都村担任党支部书记，他带领村民拼死拼活搞科学种田，生产起色却不大。熬过多少个不眠之夜，他终于发现了其中原因，村民文化素质太差，村里50个党员中不认识自己的名字的就有39个，24个生产队长中21个是文盲。治穷要治愚，要想使家乡富，必须搞好家乡教育。1975年，组织上答应了他当教师的要求，这一干就是20多年。1986年夏天，洪水泛滥，他不顾家人的反对，蹿进快要倒塌的办公室去抱刚从书店领回的学生新书，书刚抱出，房墙擦着他的脊梁塌下来了。20多年来，他用自己微薄的积蓄资助了30多名学生，使他们顺利读完初中。

安徽金寨杨冲小学的卢丙伦1973年担任民办教师，20多年的时间，126名学生得到过他的接济和资助，总金额4 000多元。由于他威信高，懂科学，乡领导多次动员他当支部书记，劝他承包茶叶厂，带头搞致富，他都婉言谢绝了，他说，下代人没有文化，从根本上治穷不可能。

吉林省师德标兵，国家模范教师，永吉县黄榆头乡折麻背小学的林占春当民办教师25年，工资总额还不到15 000元，就是这些可怜的工资，他每年还得拿出几百元为家庭困难的孩子买书、买本子、买笔。有人为他算了一笔账，25年来，他把工资总额的三分之一都补贴到了学生的身上。

福建上杭县的才溪镇，毛泽东同志曾三次亲临调查，于1933年11月写下了著名的《才溪乡调查》。1959年，有18个师级，9个少将被授衔，才溪乡有了“九军十八师”盛名。改革开放以后，曾因“三千榔头八百斧”走出山门搞建筑，这个乡密集出现了千万元户、百万元户。有很多中小学教师也走下讲台走进商海。但黄秋莲老师从来没动摇过自己的信念。她的好友摆地摊赚了几十万，愿意拿出本金让她经商，她说:“钱固然重要，但孩子没有人教，一个个成了睁眼瞎，这才是最要命的。”任教以来，她用自己可怜的工资和家中养猪、养鸡的收入，先后为学生支付课本费2 800多元。

1987年，四川开县渔北村小学突然倒塌，106名学生停了课，村里穷得一贫如洗，没有力量修缮房子。赖克林老师自己一家五口挤到紧挨猪舍的茅草屋去住，四处走亲访友奔走化缘，卖猪卖粮，又说服妻子卖掉了陪嫁来的那只珍贵的红木箱子，终于盖起了三间宽敞的教室。有人问:“赖老师你到底图啥？”赖克林笑着说:“图啥？图的是孩子们有出息。为了这一点，我把老本赔上也心甘。”

“捧着一颗心来，不带半根草去”，这就是我们的中国民办教师。像这样的老师举不胜举。

四川省宜宾县茅坪村的郑金明，陕西省户县西林小学的谢有德，甘肃永登县临平希望小学的王好仁，辽宁阜新的侯凤田，海南儋州的朱金赞，宁夏永宁的康秀英，贵州凯里市金银洞村苗族教师金光明，陕西延安的刘生连，莫不倾尽全力资助学生，他们心甘情愿，无怨无悔。

民办教师是在我国国家办学力量严重不足和私人办学不被提倡的特殊情况下产生的，毋庸讳言，民办教师队伍存在天然的不足，这些不足随着教育事业的发展而被放大，问题也显得越来越突出。

民办教师不应当长期存在下去。因为社会的发展，科学技术的进步，人民群众物质文化水平的提高，对教育的要求越来越高；民办教师的性质决定了他们在完成教育教学任务的同时，还要兼顾家庭的生产活动，完全用公办教师的标准要求他们是很困难的；民办教师担负着与公办教师同样的教育教学工作，但待遇悬殊，同工不同酬，严重违背了社会主义按劳分配的原则，影响了民办教师的工作积极性；公办学校不应当长期存在比例过大的民办教师。民办教师的性质长期处在模糊状态，是教师却还要种地，是农民却还要教书，是干部又不享受干部待遇，是临时工却长期任教。这种状况造成了学校购买国库券时把他们算作干部；村里摊派义务工时又当作农民；教育部门定编时作为教师计算；人事部门精减人员时又当成临时工首当其冲；计划内临时工转正把他们排除在外；常常把一些难以解决的矛盾转嫁到民办教师身上。民办教师应当在一定时期内得到控制，并通过禁止增加新的民办教师、民办教师转公办、定向招收师范生、对经培训仍不合格的予以辞退、对达到退休年龄的妥善安置等措施逐步减少、最终消化掉。因此，国家在 20 世纪 90 年代初期提出的“关、招、转、辞、退”等解决民办教师的五字方针是在充分论证的基础上提出来的。

党的十一届三中全会以后，通过多次调整整顿、加强培训，民办教师素质有了不断提高、人数逐年减少、管理法规逐步健全，为做好民办教师工作奠定了良好的基础。这段时间，国家和地方各级政府对民办教师队伍进行了调整整顿。对一些文化水平太低，经全面考核不胜任教育教学工作的民办教师予以辞退。对需要进修提高方能胜任工作的民办教师发给了试用证，加强了培训，限期达到要求后颁发任用证，达不到要求的予以辞退，确定了资格。通过转正、提高待遇等措施提高了民办教师进修提高的积极性。与以前相比，民办教师的整体素质发生了极大的变化。

1994 年 6 月，中央明确提出了在 20 世纪末基本解决民办教师问题，是基于这样的背景：第一，民办教师 90% 左右集中在农村小学，1990 年小学民办教师中具有国家规定合格学历者已达 165 万人，占小学民办教师的 71%。还有约 5% 的民办教师取得了专业合格证书，达到国家规定合格学历教师所占比重已与公办教师相当，其中 7 万人具有专科以上学历。第二，按照和公办教师一样的要求，民办教师中有 206 万人评聘了各级教师职务，占民办教师总数的 69%，其中具有中级以上职务的有 13 万人。第三，受省级以上表彰的 7 000 余人，地（市）级表彰的 5 万余人，县级表彰的近 30 万人。第四，相当一部分民办教师已成为农村教育管理的骨干。据湖南省统计，该省的乡中心校，村小校长一半以上是民办教师。湖北省担任中小学校长、教导主任的民办教师达 2.5 万名，占民办教师总数的 13.4%，该省罗田县 33.7% 的民办教师担任校长、教导主任。第五，民办教师继续提高学历层次，提高教育教学水平的潜力很大。据统计，全国民办教师的 50% 为 35 岁以下的年轻教师，有条件培养提高和送入各级师范院校深造。第六，经过多年的努力，民办教师已有了较高的社会地位和社会影响。有的民办教师被评为特级教师，当选为各级政协委员、人大代表，据统计，全国当选为各级政协委员、人大代表的民办教师达 15 万多人。

上述情况表明，民办教师的素质已发生了可喜的变化，国家应当继续完善执行民办教师转公办的政策，并保证长流水、不断线、年年转。至少教育系统的自然减员指标应主要用于民办教师转公办。已取得中级以上职务、具有专科以上学历、特级教师，受省级以上表彰、担任中小学校长的民办教师更应当免试优先转为公办，以取信于民，调动民办教师的积极性。

58 岁的陆永康是贵州省黔南布依族苗族自治州三都水族自治县羊福民族学校的教师。他出生仅九个月时，因小儿麻痹症导致双腿膝盖以下肌肉萎缩。36 年来，陆永康日复一日地跪在讲台上传道授业；年复一年跪着前行在山间道上，走村串寨做家访。（杨俊江 / 摄，图片来源：新华社）

与民办教师地位、素质成反比的是民办教师与公办教师待遇相差越来越大，根据民办教师较多的河南、山东、四川等 23 个省、自治区统计，到了上世纪末，民办教师月工资在 76 元以下的仍然占 66.5%。而且民办教师除工资以外几乎没有任何补贴。近十年来公办教师几次增加工资和补贴，而民办教师的国家补助部分一直未动，每月仍然雷打不动仅 20 元左右。乡镇自筹的部分一是标准低，二是旱涝不保收，有的地方还长期拖欠。与教育部门以外的其他行业相比，民办教师的收入则更加微薄，更加可怜！

三、民办教师，想说爱你很容易

1994 年 8 月 18 日，我来到北京参加首届全国十佳民办教师表彰会，按照会议通知住在新华社招待所。12 点吃午饭的时候，我见到了来自全国各省的代表，总共 29 个人。原来是 30 名，陕西刘生连代表因病未到会。这 30 名代表中将评选出 10 名“十佳”和 20 名“优秀”。

有人介绍了会务组的几位同志：国家教委人事司的副处长孙霄兵，中国教育学会的秘书长郭永福，《中国教育学刊》记者杨太清，光明日报社的李丹、叶辉。后来才知道，整个这次活动就是由叶辉策划的。叶辉不到 40 岁，白净清瘦的面孔，戴着高度近视眼镜，未曾开口先带笑。叶辉有一个好友，叫柴云健，系广东大亚湾健风集团的总裁，38 年人生路，10 余载商海泛舟，13 个分公司，10 亿元资产；早已铸就一个现代企业家的卓著业绩。谁会知道，柴云健的启蒙者竟是一位民办教师。一次，叶辉采访柴云健时，柴云健和他谈了令自已终生难忘的人生经历。

柴云健出生的那年，正是他父亲成为右派，全家被遣送回老家的 1957 年。父亲被送去“劳动改造”，他们兄妹四人随同在音乐学院当教师的母亲来到浙江临海大山深处的一个小村庄，住进一座破庙，开始了常人无法想象的艰难生活。

那正是天灾人祸的困难时期，童蒙初开，饥饿便成了他生活的主调，在母亲的泪光里，他开始认识这个世界。

四年小学生涯在他的心中刻下了永难磨灭的印痕。他的班主任与其说是民办教师，不如说就是多读了几年书的农民。他丝毫没有因为柴云健是右派的儿子而歧视他。一次，学校开运动会，柴云健家贫，没带中饭，当同学都在吃饭时，他悄悄躲开，走向墙角。突然，一只大手搭在了他的肩上，随之一块黑面馍馍送到了他的手里，老师那亲切的声音从身后传来:“吃吧，别饿坏了身体。”他是伴着泪水吃完那块馍馍的。此后，每当家境同样贫寒的老师一次又一次接济他时，他心中就升起一种强烈的愿望：长大了我一定要报答老师的恩情！

如今，当他出入高级宾馆，面对美味佳肴时，那块使他铭心刻骨的黑面馍馍便会在他眼前浮现。

一日为师，终身为父。当他事业有成，回到了养育他的那块土地看望那位老师时，他的心灵又一次受到震动：30多年前的民办教师，至今依然还是民办教师，苦守清贫30年啊！老师，你含辛茹苦为哪般？他这里在唏嘘叹息，老师却朗声笑了：人生在世，各有活法，金钱名誉乃身外之物，何足道哉！我只求以自己微薄的能力，为社会作些微薄的贡献，问心无愧，于心足矣。

也就是那一次，他见到了昔日最好的同学。这位同学也是民办教师，月薪160元，18年老民办，因为穷，妻子跟别人跑了。一股同情心油然而生，不就是因为穷吗，今天他已有能力帮助同学去掉那个穷字。“来吧，到我的公司工作，我可以使你很快富起来。”他的同学却苦笑着谢绝了他的好意:“教书苦，但我舍不得离开孩子们，钱这东西可多可少，人活着也不仅仅为了钱啊！”

他又一次震惊了。普通平凡，质朴无华，无私无恨，无怨无悔，倾尽毕生心血，献出拳拳爱心，可是却连一句豪言壮语都不会说，这就是我国最基层的民办教师！

有一段时间，电视剧《凤凰琴》在电视台热播，很少看电视剧的柴云健却每天破例坐在电视机前。那些普通民办教师的命运深深吸引着他，那从不轻弹的男儿泪竟一次又一次地从这坚强汉子的眼眶漫出……

眼角泪痕未干，一种神圣崇高的情感在柴云健心中升腾起来。作为一个现代企业家，他很清楚教育无疑是阳光下最神圣的事业。可是最神圣的事业却有着最世俗的烦恼——没钱。教育穷，中国的教育更穷。作为教育的受惠者，作为已经成功的企业家，他要向教育、向他的老师们，捧上一颗赤子之心。

叶辉也是一位有着强烈社会责任感的优秀新闻工作者。这些年来，他接触采访了大量基层民办教师，多少次为他们的奉献所感动，多少次思考着自己能为这些民办教师做些什么，能为中国的农村教育做些什么。两位好友倾心相谈通宵，当黎明的曙光透过玻璃窗照进屋里时，两双大手紧紧握在了一起。握手之间，一项建国以来第一次为民办教师举办的全国评优活动拉开了序幕。

评选、资助优秀民办教师的决定作出以后，他们的想法得到了国家教委、中国教育学会和光明日报社的大力支持。大家都认为这项活动很有意义。江泽民同志说，

"山村教师"张宝华骑行在上下班的坎坷不平的山路上。没有雨雪的情况下，每天他骑摩托车要一个多小时才能到学校。（李钢/摄，图片来源：新华社）

振兴教育的希望在教师。而我国尚有230万民办教师长期工作在农村中小学，这是党和政府撒播在农村最基层、最贴近“三农”的一个知识分子群体。他们白天办“日校”培养下一代，晚上办“夜校”扫盲培训农民，在令人难以想象的艰苦的条件下为我国农村教育事业作出了杰出的贡献，是我们解决“三农”问题的一支重要的

在位于伏牛山脉深处的河南省南召县留山镇大沟村小学有一对患难恩爱夫妻——一个是残疾的乡村小学民办教师杜广云，一个是普通的农村妇女李正洁。16年来，妻子代替丈夫的一双脚，背着他往返了数万里崎岖山路去上课，丈夫则将全部心血奉献给了山区渴望知识的孩子。
（岳月伟/摄，图片来源：新华社）

力量。颂扬他们的奉献精神，并以此唤起全社会对他们、对农村教育的理解、关心和支持，这是一件极有意义的事情。

中国教育学会会长张承先得知此事表示极大支持。他说：民办教师大都分布在农村，越是贫困的地方，民办教师越多。民办教师的社会地位和物质待遇与他们付出的劳动极不相称，他们的工作条件很差，负担很重，工资很低，且得不到保证，因此特别需要得到全社会的支持和关心。中央已决定六七年内解决民办教师问题，这次评选活动正是具体贯彻全国教育工作会议精神的一个具体行动。张承先在与柴云健交谈后说：柴云健慷慨支持这项活动是与他对民办教师的深入了解分不开的。作为企业家，他对教育和人才的重要性有深切的体会。当然，他知道自己的力量有限，他想通过这项活动带个头，使更多的企业家和志士仁人都来关心民办教师，为他们献上一份爱心，把表彰民办教师的活动坚持下去，形成风气，促使我国民办教师问题的尽快解决。我相信，柴云健这一义举定能及时得到社会的响应。

尽管民办教师的产生和发展有许多非正常因素，但作为民办教师个人，长期以来，在生活条件困难、工作环境艰苦，待遇、地位低下的困境中，不计名利、顾全大局、任劳任怨、辛勤工作，献身农村基础教育事业，为国家分担了困难，为农村的精神文明和物质文明建设作出了贡献。他们扎根农村、教书育人，呕心沥血，为培养下一代奉献了宝贵的青春。民办教师的形成和发展及他们的贡献证明，没有民办教师，就没有中国农村基础教育的今天；没有民办教师，中国的文盲要比现在多好几亿。但遗憾的是，很长一段时间，并不是政府所有的部门对民办教师都有全面的认识，也并非所有的人都能理解民办教师。民办教师待遇提高缓慢，转公办等政策没有连续地贯彻执行，与对民办教师的认识和理解程度有密切关系。

民办教师是具有中国特色的一种特殊的用工形式，是教师队伍中的一个特殊群体，甚至有人干脆称民办教师为“赤脚教师”。民办教师大致有三种类别：由上级颁发任用证的是第一类民师；上级主管部门没有发给他们任用证，但却有登记记载的，属第二类民师；最后一类，就是所谓的“临时代课民师”，是由各乡镇、村自己任用的民师，既没有任用证也没有登记，这样的教师连民师都称不上。

民办教师，应该说是中国最基层的一个知识分子群体。他们与农民群众朝夕相处，深知农民群众的甘苦，因为他们本身就是农民。因为大多数农民识字太少，他们在农村的威望一直很高。过春节为农民写春联，平时为农民写信，甚至代写情书。

上级要求村里干的宣传工作，村里大多都安排他们去完成。粉刷标语，写批判稿子，挨家挨户设计学习专栏，为村里办黑板报，挂锄季节为乡亲们念唱本，说评书，编节目，演节目，宣传党的路线方针政策。办夜校，扫文盲，为农民讲农药使用常识，带头推广优良品种，搞塑料大棚，带头搞农村产业结构调整。带头搞家庭致富，做给农民看，引导农民干。一身洗得发白的中山装，头发理得一丝不乱，迈着稳健的八字步走路目不斜视，风纪扣系得严严实实，上衣兜里插一支钢笔，提一个包带大多已断裂，用布条缝合着的印有“教师节留念”几个字的人造革提包。面带微笑，有求必应，这一民办教师形象一直定格在几亿农民脑中。

他们虽然也是人民教师的一部分，但他们的身份和收入却是那么不协调。他们还是常常在锄头和课本、土地和讲台之间徘徊。

1980年以前，民办教师得到的是同等劳动力的工分报酬和国家补助费。小学民办教师每年补助170元，初中民办教师210元。1980年以后，民办教师享受责任田和国家补助费。1981年，国务院规定民办教师每人每年的补助标准增加50元。此后，由各地根据实际情况自定补助费标准。经济条件好的地区补助费相对较高，但大部分地区依然很低。民办教师工资待遇长期偏低的问题十分突出。至1995年底，全国民办教师月工资在70元以下的有17.5万人，约占8%；月工资在100元以下的有43.8万人，约占22%；月工资在150元以下的有59.4万人，约占30%。在一些民办教师较多的省份，大量的民办教师月工资不足100元，仅是公办教师工资收入的1/4，且不能按时、足额发放，生活之清苦可想而知。国家也曾多次发出文件，要求各地要做到民办教师和公办教师同工同酬，最低也要达到公办教师平均工资额的2/3。可实际上，绝大多数地方没有做到这一点。

四、长路漫漫，艰难的等待

因为种种原因。全国“十佳民办教师”的评选活动只举办了这一次。是首届，也是最后一次。但这次评选在中国教育史上留下了浓墨重彩的一笔。活动发起者和国家教委、光明日报社、健风集团的远见卓识，也将会永留中国的教育史册！这次活动对自孔子开始至今2 400多年来的中国民办教师群体作了最好的注解。

中共中央政治局委员，国务院副总理李岚清欣闻举办首届全国优秀民办教师评选活动时，高兴地说:“这个活动举办得好！我国的民办教师特别应该受到全社会的理解、关心和尊重。希望全社会对民办教师给予更大的关心支持。”

全国人大常委会副委员长雷洁琼称赞民办教师是“中国农村教育的脊梁”。是啊，脊梁的负担太沉重而又缺乏营养，这脊梁会弯曲的，脊梁弯曲过度，大厦也会倒塌的。

因为奉献，杰出的民办教师受到表彰。但表彰却不是为了永远的奉献，而是为了让这不公平的奉献彻底终止。

民办教师问题也引起越来越多有识之士的关注。北京师范大学教育系副主任史静寰博士在接受记者采访时说：从古到今，从外到中，教育不是个致富的产业，教师也不是个能发财致富的职业，民办教师更是如此。但教师付出的劳动应能维持其体面的生活。一个贫困孩子失学，受影响的是一个孩子，如果一个教师因贫困“失教”，受影响的却是整班的孩子。中国已经有了“希望工程”，失学儿童可以得到救助；同样贫穷的教师，也应该建立一个希望工程，让全社会都来关心他们!

“民办教师”是一个大课题。民办教师的性质、队伍的发展等理论问题长期以来是个空白领域，很少有人对此进行认真的调研、细致的分析。

国家教委人事司的杨春茂在负责教师队伍管理的工作期间，对这一问题的探讨、解决贡献很大，提出了很多建设性的建议。针对各地“民转公”过程中发现的种种误区，他在《瞭望》周刊上撰文指出：

第一，“民转公”不是考试录用公务员。“民转公”，在国家，是教育事业发展的需要；在民办教师个人，应当说是一种“补偿”措施。因为民办教师长期在生活、工作条件都非常差的农村中小学工作，本应得到比城市、比发达地区更多的补贴、津贴之类的“补偿”。但限于我国一度人口增长失控，紧接着“十年动乱”，国家难以承担大量的教育费用。很多教育经费方面的困难，实际上长期由民办教师个人承担了。今天，当我们的教育事业日益受到应有的重视，国家有能力解决“民转公”问题的时候，作为一种“补偿”，逐步将合格民办教师转招为公办教师，仅仅是民办教师转变为公职人员的身份变化，与考试录用公务员（干部）有显著的区别。“民转公”是国家专门针对民办教师采取的一项特殊政策。这种特殊政策不适用于其他任何行业，因此不能把考试录用公务员（干部）的办法简单地套用于“民转公”。

第二，“民转公”不应当根据考试成绩决定。在“民转公”中不能凭考试成绩决定谁能转公办，而应当首先考虑民办教师的贡献。这种贡献主要体现在任教时间上，时间越长贡献越大。公务员之所以要通过考试录用，是因为一方面对公务员文化水平、法律意识、社会责任感、奉献精神要求很高，另一方面又没有专门的高校（或专业）培养公务员。故世界上很多国家对公务员都是通过考试录用的，实践也证明这是一种比较科学的办法。而民办教师长期担任教学工作，绝大部分人在学历等方面已经达到《教师法》规定的标准，按公办教师一样的条件评聘了教师职务，而且这支队伍已经过多次调整整顿，淘汰了不合格人员。转公办仍从事与过去完全相同的工作，所以不应当以考试成绩作为转公办的唯一根据，更不能简单地套用考公务员的办法，用同样的教材考民办教师。依照《教师法》制定的教师资格制度规定，具有教师职务的民办教师将与公办教师一样经教育行政部门考核后认定其国家教师资格，具有国家教师资格的民办教师转公办，就更没有必要进行考试。《国务院关于〈中国教育改革和发展纲要〉的实施意见》中明确规定:“现有合格的民办教师经通过考核认定资格后逐步转为公办教师”。其中的考核就是针对考试而言的。“民转公”工作中应当按照国家的法律法规办事。

第三，“民转公”不应当有年龄限制。“民转公”主要应当考虑其在教育事业中的贡献，因此在“民转公”中不应当限制年龄。而现在在一些地区，仍套用以往录用干部的做法，规定了“转公办”的年龄界限（一般在 40 岁左右）。这种做法会严重影响民办教师的积极性。众所周知，长期以来，民办教师支撑了农村基础教育的半壁江山。没有他们，就没有九年义务教育今天的普及程度；没有他们，中国农村的文盲会比现在多得多，他们对教育事业的功绩是不可磨灭的。今天，当国家有条件解决他们的困难和出路的时候，我们不能采取“卸磨杀驴”的做法，把从教多年、贡献很大的民办教师拒之门外。据 1994 年上半年统计，全国 51 岁以上的民办教师仅 18.6 万人，即使将他们全部转为公办，也不会对农村中小学教师队伍的年龄结构产生大的影响。

第四，“民转公”不应当收费。民办教师转为公办教师，是教育事业改革与发展的需要，是依法治教的需要，是政府对民办教师的关心，也是政府对民办教师为农村普及九年义务教育辛勤劳动的补偿。在这一工作中，收取任何费用都是不合理的。

1994年6月，李鹏总理提出“争取今后六七年内基本解决民办教师问题”的目标后，杨春茂在充分调研的基础上，又在同年第42期《瞭望》周刊上提出了“消化掉”民办教师的思路：

第一，全国50岁以上的40万名民办教师，将在未来十年内陆续退休。

第二，对经过培训仍不能胜任教育教学工作的约10万名民办教师，予以辞退。

第三，转公办是减少民办教师数量、调动民办教师积极性的最有效措施。为此，国家每年至少应下达5万名民师转公办的指标，各地政府也应下达不少于这个指标的数字，这样每年可以转10万人。另外，中小学公办教师的自然减员指标应主要用于民师转公办，现在这项自然减员率至少为1%。以此为标准，每年中小学公办教师自然减员约6万人。这两项民师转公办每年为16万人，到本世纪末可转96万人。

第四，现在35岁以下民办教师100万人，其中一部分可由师范院校定向招生的途径转为公办。比较保守的估计，这些青年民办教师至少有40万人符合到师范院校深造的条件。

上述多渠道、逐步消化的一系列措施，没有超出国家和地方财政的承受能力。只要各级政府重视，就可以达到最终消化掉民办教师的目标。总之，消化民办教师的速度越快，对基础教育的改革和发展就越有利。

不能忘记的还有，在逐步消化民办教师的过程中，应当加快着手改善民办教师待遇，以调动他们的工作积极性。首先是提高民办教师国家补助费标准，以此推动地方政府改善民办教师待遇的工作。笔者认为，民办教师的收入标准，在农民人均年纯收入超千元的地区，应与公办教师同工同酬；在农民人均年纯收入600元左右的地区，应不低于公办教师的三分之二。

笔者之所以在这里长篇幅地介绍杨春茂同志的观点，一是在新中国成立以来50多年的历程中，像这样有远见的针对“民办教师”的建议如凤毛麟角。二是杨春茂的建议，得到了当时教育部长陈至立和李岚清副总理的称赞，他的建议在后来解决民办教师群体的进程中，基本全被政府采纳。

尽快妥善地解决好民办教师这一历史遗留问题，成了教育事业特别是农村教育事业一道迈不过去的坎儿。和所有社会改革一样，解决的进程中有阳光也有阵痛，

我们不妨回顾一下解决这一问题进程的漫漫长路。

1979年10月，国务院决定将全国136个边境县的8万余名中小学民办教师转为

公办教师，揭开了党和政府妥善解决民办教师问题的序幕。

1983年的《中共中央、国务院关于加强和改革农村学校教育若干问题的通知》中明确提出:“对民办教师应逐步实行社队统筹工资制，有条件的地区还应建立民办教师的福利基金，解除他们的后顾之忧。根据国家财力物力的改善，每年安排一定的劳动指标，在考核合格的民办教师中，转一部分为公办教师。”山东平度在此精神指导下，1984年建立了人民教育基金，民办教师的工资全部由基金会支付，在全国引起很大反响。

山东平度的经验在全国得到推广，民办教师从1977年的491万人减少到1990年的280万人。为加快解决民办教师问题，1992年8月，国家教委、国家计委、人事部、财政部联合下发了《关于进一步改善和加强民办教师工作若干问题的意见》，明确提出了解决民办教师问题的著名的“关、招、转、辞、退”五字方针。1994年的全国教育工作会议上，党中央、国务院明确提出，“争取到本世纪末基本解决民办教师问题”。这一年的全国优秀民师评选表彰活动，促进了党和政府尽早解决民师的进程，解决民办教师问题从此有了历史性的转折。从1994年起，国家连续三年每年下达15万名“民转公”专项指标，各级政府调剂约17万名配套指标。到1996年底，我国民办教师人数已减至145万人。1997年9月国务院办公厅发出《关于解决民办教师问题的通知》，提出全国解决民办教师问题分年度目标为：1997年民办教师占全国中小学教师的比例为12%，1998年减少到7%，1999年减少到3%，2000年基本解决民办教师问题，结束公办、民办教师并存的状况。“九五”期间，国家共下达的“民转公”指标近80万个；另外，地方政府还调剂了10多万个配套指标。对于被“辞”和被“退”的民办教师，地方政府都尽可能地进行了妥善安置。但由于各地的经济发展差距，民办教师的解决时间表各有不同。这样实际最终解决民师问题仍然推迟到了2003年底……

五、“编外民师现象”的思考

中国的民办教师问题最终解决了吗?

说“最终解决”可以，因为站在全国的角度来看，作为亿万人关注的这个群体不存在了，最起码，国人心目中“民办教师”的群体已经淡出了时代的视野，淡出了自上而下各级政府的视野了。

说“基本解决”也可以。因为在今天中国农村中小学的三尺讲台上，仍然站着一大批不是公办教师的执教者。是的，就在读者读这篇文章的时候，仍然有一大批身份既不是公办教师也不是民办教师的执教者还站在老少边穷地区的中小学讲台上。毫无疑问，他们肯定不属于公办教师，也显然不再是民办教师。他们的角色似乎有些滑稽，也似乎有些尴尬，已没有一个恰切的称谓来表述他们的身份。但他们确实在传道授业解惑。

这一大批是多少？没有人统计过。

他们还要在讲台上站多久？不知道。

他们依然在从事着“民办教师”的工种。报酬由乡里统筹发给，每月几十元上百元不等。由于工资由乡镇统筹，他们从不奢望工资能按月发放，因为这实在没有可能，能到年底一次性补齐就很不错了。乡里每年和他们签一次合同，合同条款上很明确地写着“聘期是一年”。他们也很清楚自己的命运，学生在逐年减少，公办教师也会渐渐超编，说不上哪天，他们有可能随时被中止合同。

他们大多是50岁左右外出打工打不了的一个群体。他们文化水平都不很高，边学边教也能应付教学工作。其中一些教学成绩可能还略高于周围的公办教师。成绩好归好，他们对转正已不再抱任何幻想，因为他们很清楚这是绝对不可能的。能有这么一份既能照顾家庭、土地，又能挣点小钱的事情做，他们已经知足了。让他们搞家庭种植、养殖，能不能挣来几千元钱也很难说。

他们或许是中国民办教师的最后守望者？

接收一名师范毕业生，乡镇财政每年得支出近万元，而且这些师范毕业生还不一定安心在这里干，头天来报到，第二天就开始托关系、走门子活动进城的，太多了。

聘用一名临时的教师有几千元就足够了，用一名公办教师的开支，可以聘用三五名这样的教师啊！财政状况大多捉襟见肘的乡镇政府不得不都在算这么一笔账。

我们不妨听听几位农村基层教师的肺腑之言，他们是山东省微山县的两名农村基层教师，一位叫张伟，一位叫樊彩云。他们以超人的胆识说出了多少农村基层教师想说而不敢说的心里话，仅此一点，他们就很了不起，就足以让世人对他们仰视。但为了使他们避免不应有的麻烦，笔者权衡再三，在这里还是隐去了他们的工作单位。他们的“心里话”先后刊登在2004年11月17日和2005年1月12日的《教师报》上。听听他们的呼吁和期待，我们或许能对“编外民师”现象产生的背景有一个比较全面的了解。

张伟：遥想17年前，我中师毕业后回到了生我养我的故乡。“知物由学，学之乃知。”为能胜任所教学科，我踏上了漫漫的继续教育之路。经过六年的寒“冻”暑“烤”，我拿到了本科毕业证书，并通过加试外语，获法学学士学位。农村学校财政困难，所有的继续教育费用“自产自销”，再加上培训、办证，我的工资入不敷出，负债累累；还有一些不知名的直接从工资中扣除的所谓“捐资”，令我雪上加霜。校园内流传着一首打油诗：教师职业不入流，忍气吞声度春秋。只讲奉献低工资，温饱问题使人愁。工资能及时发放，成了我们农村教师最大的心愿，“福利补贴”“奖金”之类想也不敢想。一教师结婚，众同事前去贺喜，因未发工资，无钱上礼，只好联合打白条，等有朝一日发工资再补上，想来真让人心酸掉泪！

《教师法》第六章第二十五条规定:“教师的平均工资水平应当不低于或者高于国家公务员的平均工资水平，并逐步提高……”2002年教师工资改由县统一发放，教师今后不必再为工资问题而担忧。多少农村教师为之欢呼雀跃，可盼来的居然是“外甥打灯笼——照舅（旧）”。农村教师只能领到工资单中65%的“国标”工资，属于“地补”的35%的工资依然是“水中月，镜中花”。前不久，农村部分地方实行乡镇合并，我们有幸与一所原来的县直学校合并在一起，我的对桌（拿县直工资）竟比我这位比他早工作九年的大师哥每月多400多元工资。一样的工作，天壤之别的待遇，真让我们心寒！我们地方的乡村退休教师最初和所属农村在职教师一样只拿“国标”工资，后经退休老教师的多方“努力”，终于“吃”上了“县直皇粮”。“干，不如不干”，于是乎，一些还在默默耕耘的老黄牛争先恐后地卸了磨去颐养天年；亦有几位八面玲珑之辈提前金盆洗手，捞取35%的“地补”工资。一时，有多少乡村教师望眼欲穿，巴望着退休那一时刻的到来……《教师法》第二十七条:“……少数民族地区和边远贫困地区从事教育教学工作的，应当予以补贴。”我们隔邻的湖区学校境况更糟，他们四面环水，交通不便，办学条件差，生活艰苦，不仅没有“地补”，连原有的“湖区补助”也销声匿迹。去年，一所学校的副校长、教导主任连同几名骨干教师进城了，这个学校一下子陷入了瘫痪，只好在乡下找了几名代课的编外民师来维持！又有多少乡村教师在“闻鸡起舞”，“卧薪尝胆”，挑灯夜读，准备在来年的招聘中跳离“农”门！毋庸置疑，在教学软硬件、工作量、教育科研、文化生活、学生管理与学生家长沟通等各方面，农村学校与城镇学校没法比。同样的工作，乡村教师要花费更多的心思，流更多的汗水！然而，从最能体现地位的收入上来讲，乡村教师却是“低等教师”，他们不仅生活苦，更多的是“心”苦。连《教师法》都遭遇尴尬，何况我们这些“低等”教师的呐喊，轻者“末位淘汰”“降岗使用”，重者“下岗”没商量，我们只能选择沉默！

在农村教育财政体制实行“县”管的今天，多数地区“县两标”（一县城乡两个标准）却是一个不争的现实，教师职业状况整体改善的同时，教师之间的收入差距加大了。农村教师中的骨干教师纷纷调入城镇学校，农村学校成了城镇学校的“教师培训基地”。优秀教师走了，新教师不愿意下乡，不合格的教师又增加了，贫困地区教育的“血”正被城市一点一滴抽走！别再让我们这些留守在农村的“低等教师”流汗又流泪了，“一县一个发放标准，所有发放项目均由县财政统发”是我们最大的心愿！同工同酬，会有那么一天！

樊彩云：“起得比公鸡还早，睡得比小姐还晚，干得比驴还累，跑得比马还快，挣得比民工还少，说起来比谁都好。”网上这句戏言看似有些荒诞，却道出了今天教师这一职业的无奈。我们学校坐落在微山岛乡中央，四面环水，交通不便，有800多名学生，核编在岗教师58人，却仅有38位任课教师，而一所吃县级财政的中学，400多名学生，却拥有科任教师60余人，与此相比，我们的工作量岂可同日而语？许多教师要把学生的作业带回家去批改，在家里加班备课！乡村学校设备简陋，鲜有图书馆和活动室，教师的精神生活几乎一片空白，好几位教师挤在一间破宿舍里，寒冬腊月十几位教师围在一个蜂窝煤炉周围取暖，批改作业的手冻裂冻破，类似现象司空见惯。农村学生家长的文化水平普遍不高，虽有“望子成龙”之心，却无教子成才之法。不少学生家长认为“万般皆下品，唯有读书高”，节衣缩食让孩子“考取大学穿皮鞋”，用“知识改变命运”；又有一些家长认为“读书没有用”“有钱就有一切”，他们早早把孩子拉出学校，送入劳（童）工的大军。乡村的素质教育何其难！城里学校师资强，竞赛桂冠一大堆，成绩好的、家庭经济背景好的学生如潮水般涌向县城和名校，农村学校各项考评分落后，“弱势群体”的农村教师身上的压力可想而知!

《教师法》第二十七条:"……少数民族地区和边远贫困地区从事教育教学工作的，应当予以补贴。"我们本地不仅没有属于"地补"的36%的工资，连原有的"湖区补助"也没有了。教师的工资收入还不如"干建筑"的，许多教师的日子过得紧紧巴巴，"馊先生"的美誉让教师的心理很不平衡。去年，一所学校的副校长、教导主任连同几名骨干教师进城了，新分配教师又不愿意来这苦地方，这所学校一下子陷入了瘫痪，只好在村子里找了几名代课的编外民师来维持，每月150元的代课费根本无法解决生活问题。其中的两个代课教师另有职业，没有活干的时候才去教学，教学工作只是他们的"副业"！安居方能乐业！我们农村教师首先是人，我们有自己的喜怒哀乐，也需要油盐酱醋，生活是我们的第一需求！同在一片蓝天下，同在一片热土上，同在一个县，农村和县城却截然不同：县局领导和职员以及县直所属学校教师都拿全额工资，凭什么农村学校只拿64%？农村教师拿不到全额工资，不仅得不到有关领导和有关部门的过问，反而一些领导还要经常口口声声地对老师们讲"要奉献"，这种冠冕堂皇的"对付"让广大教师心里很不舒服。城市教师、乡村教师，都是教师，但在许多地方苦乐不均，而且相当明显。"一样的人不一样的看待"，我们农村教师远离了"福利补贴""奖金"，远离了人们深恶痛绝的教育乱收费，远离了城镇的走穴补课，连正当的权益也得不到维护。莫非我们农村教师不是教师？不少省市制定了"教师下乡"政策，给下乡支教的教师浮动一级工资，以推动农村教育事业的发展，可咋也不想一想农村为什么留不住教师呢？"善除害者察其本，善理疾者绝其源。"其中农村教师的工资问题就是最大的症结所在！我们希望，当领导干部端起饭碗时，别忘了在农村学校捧着半碗饭的广大教师；当领导干部要求广大教师讲奉献的时候，多给教师一些心理上的平衡，别忘了广大教师的利益也需要有人来维护。

国务院发布的《国务院关于进一步加强农村教育工作的决定》，要求各地要落实国家规定的对农村地区、边远地区、贫困地区中小学教师的津贴、补贴。有些地方的领导公然提出了"拖欠教师补贴不算拖欠教师工资"的说法。"拖欠补贴不算拖欠工资"的说法是一种概念上的偷梁换柱，不符合国务院的有关要求，也违背了《教师法》的有关规定。"不提高人民教师的地位，就谈不上任何文化。"（列宁语）尊重广大农村教师的辛勤劳动，保障他们的合法权益，保证他们按时足额领取到工资，是我国农村基础教育事业发展的基础。我们国家已意识到这个问题，并着手制定了一些相关的政策措施，随着教育“四权”收归县管，农村中小学教师的工资由县统一足额发放的日子不会太远了！

“面包会有的”，一切都会好起来的，至少我们还有梦！我们坚信：梦犹在，希望永存，同工同酬，会有那么一天的！

这两位教师反映的情况肯定不是我国农村基础教育现状的全部，但肯定也不是个别。有多少农村中小学像这两位教师描述的情况这样，笔者手头没有详细资料，不敢妄下结论。

众所周知，上世纪 80 年代以来，我国的基础教育采用的是“分级办学”“分级管理”的投入机制。也就是说，哪一级政府辖区内的教育由哪一级政府投入管理。广大农村的基础教育自然由各乡镇人民政府投入、管理了。

这似乎是合理的。“分级办学”“分级管理”，可以最大限度地调动人民群众投资办学的积极性。于是，就有了天南海北的中国老百姓都不陌生的“人民教育人民办，办好教育为人民”的响彻全国各地的口号。我们是穷国、大国，穷国、大国的教育不这么办怎么办？分级办学、分级管理，哪一级政府辖区内的教育由哪一级投入管理似乎是天经地义的。

但是，把分级办学、分级管理片面理解成分级筹资、分级投入就很值得探讨了。很长一段时期，我们农村的义务教育一直都这样运行着。于是，越到基层农村，教育投入便越少，危房越没钱改造，教师工资越没有保障。据权威资料统计：目前世界上 190 多个国家中有 170 多个实行了免费义务教育，连柬埔寨、尼泊尔、越南这些人均 GDP 是中国三分之一的国家都完全免费了。我国义务教育尤其是农村义务教育的费用却大部分仍由农民自己承担。占总人口 80%的农村只获得了全社会教育投入的 30%左右，在农村义务教育投入中，90%由乡村统筹。

在很多乡镇，危房摇摇欲坠，一到下雨天就得停课，教师的必保工资都难以兑现。早在 1993 年 10 月 31 日颁布实施的《教师法》明文规定：“国家保护教师的合法权益，改善教师的工作条件和生活条件，提高教师的社会地位。教师的工资、福利待遇依照法律、法规的规定办理。”（《教师法》第 23 条）很多省市下发的《实施〈教师法〉办法》中也明确规定：“各级人民政府应当保障《教师法》规定的教师工资待遇。建立和完善教师工资按月足额发放的保障机制，将国家支付部分金额列入财政预算，专款专用。中小学、成人学校教师在乡（镇）、村学校任教的，在国家规定的工资标准的基础上向上浮动一档工资。八年后继续留在乡镇学校任教的，再向上浮动一级工资。”1994 年 7 月 3 日发布的国务院《中国教育改革和发展纲要》的实施意见中也明确指出：“保证实现《教师法》和《纲要》所规定的教师工资待遇的目标，使教师的平均工资水平不低于或者高于国家公务员平均工资水平。要建立有效机制，决不允许拖欠教师工资，人事、财政部门应制订相应的提高教师工资的规划和计划。”实际上，乡镇教师工资被拖欠已不是什么新闻。难怪很多人把《教师法》称作“软法”，在这部法律颁布实施十多年以后的今天，农村教师的工资依然被拖欠，这不知是法律的悲哀还是民族的悲哀？

《义务教育法》已颁布实施近 20 年了，可是究竟何时才能让国民真正“义务”，谁都不敢想。义务教育首先是政府的义务，接受义务教育是公民的权利，维护公民的这一权利，是政府义不容辞的责任。然而，遗憾的是，许多地方对《义务教育法》的内涵把握不准。前几年，甚至一些地方为了使那些因家庭贫苦而让孩子失学的家长承担送孩子上学的义务，还通过诉讼方式来控告这些让孩子失学的家长。事实上，政府的教育“义务”在先，只有在政府为孩子提供了接受义务教育的充分条件之后，家长才能继续“义务”下去。

上世纪六七十年代，分配到乡镇任教的教师比同期分到城市的还要多一级二级工资。在那种政策鼓励下，有很大一批优秀师范毕业生积极申请到老少边穷地区去任教。

后来，工资差别越来越大，农村教师的工资已远远低于城里，别说向上浮动工资了，就连最起码的必保工资都难保证。师范毕业生主动申请到农村任教的越来越少。师范院校每年一次动员毕业生到老少边穷地区任教已成了虚情假意的例行公事。

师范毕业生们都很清楚，到农村去任教损失的不仅仅是工资，还有交通难、住房难、找对象难、进修求学难、科研信息难等一大堆难以解决的实际问题。

所以“到最艰苦的地方去建功立业”的口号已成了“很不合时宜”的令人哑然失笑的苍白无力的说教。

于是，便出现了今天我们司空见惯的越需要优秀师资的地方越没有人去、越留不住优秀人才的恶性循环的局面。

没有政策支持的良好愿望只能是良好愿望而已。

教育，特别是基础教育，已经到了非“全国一盘棋”通盘思考不可的时候了。

分级筹资，分级投入的教育投入体制必须尽快中止！

好在中央已意识到这一问题，相继出台了一系列“积极完善以县为主的义务教育投入机制”等方面的政策法规。

但这还远远不够！

比如在教师分配方面，我们可否采取这样的优惠政策：除了对师范毕业生进行思想教育，鼓励他们到贫困地区建功立业以外，还应启用经济杠杆。到人均收入低于多少元的乡镇去任教的除浮动的几级工资外，还应发给一定数量的住房难、交通难、找对象难、进修难等这难那难的经济补贴，只有这样才能真正吸引大批的优秀师范毕业生到急需优秀师资的农村，到老少边穷地区去任教。

现在的基础教育，特别是农村基础教育，形势很不容乐观。城乡之间、学校之间，差异之大令人几乎难以想象。资金投入不平衡是造成差异的关键原因，现在好的教师都是逆向流动，农村的向县城流动，县里的向市里流动，于是乎，薄弱学校便越来越薄弱。

2005年3月6日财政部部长金人庆在人代会上参加青海代表团讨论时，民盟青海省委专职副主委程苏反映，该省1994年就已完成“普九”工作的乐都县，有的学校至今没有教室，只能用塑料布搭棚子上课，而且有的学校连塑料布棚也搭不起。

全国每年有160万适龄儿童不能进入小学，100万名小学生进不了初中。这些都是“教育投资倒挂”造成的恶果，这好比给成年人配备婴儿的饭量。时间短，巨人可以勉强支撑，但时间一长，他除了日益病弱和随时倒下死亡，别无他路。

上世纪80年代我国就提出，教育投入占国民收入的比重达到4%，20多年过去了，这个目标依然远远没有达到。各级人大年年审查预算、决算，可从没听说哪级政府的预决算因教育投入没有达到4%的法定目标而被否决。难怪很多人说“重视教育”仅仅是挂在口头上的空话而已。投入不足，说到底，还是认识问题。

教育患贫，更患不均。因为教育资源分配不均，一些学生的人生起跑线就完全不同了。特别是义务教育，作为公共产品，从理论上说，应由国家来提供，应该同质等量，可实际上却悬殊得惊人，大的悬殊有城乡差别，即便是在同一层面上，还有重点非重点示范非示范学校的体制。多少年来，教育就靠这些重点校、示范校来展示自身形象。教育成绩大小、业绩高低，就靠这些“窗口学校”展示形象。领导看教育，也满足于被领着到窗口学校转一圈。这样一来，投入本来就不够，再这么贫富不均地一闹腾，对于优质教育的强烈需求和优质教育资源的供给不足，就成了日趋尖锐的矛盾。不想让孩子在起跑线就落下一大截的家长们，只有倾其所有来缴纳高得惊人的择校费、赞助费。现在学校之间悬殊有多大？用教育部长周济的话说就是，“有的城市学校搁到欧美也堪称一流；很多农村学校拿到非洲恐怕也是最差的”。我们的教育如果一直沿此思路办下去，投入再多老百姓也不会都满意。

当前的“三农”问题，全社会分配不均问题，莫不与农村教育的滞后互为因果。据调查，一个地区的劳动者接受教育每多一年，其 GDP 就会增加 9%。农村同样的投入，在教育上回报率在五倍以上，而投到生产领域最多两倍左右。因此尽快增加对广大农村的义务教育投入，是全民建设小康社会，彻底根治“三农”问题的治本之策。

导致教育不公问题的原因是复杂的，而政策性导向和制度设计上的缺陷是主要原因。不可否认，由于经济社会发展水平、文化条件的差异，地区之间、城乡之间、各级各类教育之间，肯定会存在某种失衡现象。比如，东部地区经济发达，一些地方财政收入高，有能力创办更多条件优越的学校等。教育机会不可能绝对平均地被所有人享有，这样的失衡在现阶段看来是难以避免的。但问题在于，政府应该采取什么样的政策，进行合理协调和统筹布局？当前，涉及教育公平的种种表象，其根本原因是教育资源的占有和利用问题，而政府对教育资源利用方面的政策性允许或者限制，直接关系到社会大众的受教育权的实现程度。

国家教育投入的不公，人为地造成教育资金向城市倾斜，向城市中的重点学校倾斜，并且越是级别高的城市这种倾斜就越明显，由此导致最好的设施、教师、管理等公共教育资源向少数学校流动和集中；而“同在一片蓝天下”的农村，得到国家的教育投资相对少得可怜。教育的不公必将会导致整个社会的不公，甚至会引发社会危机。这决不是危言耸听，实际上，在欧美一些国家，教育不公平问题早就被提到影响国家危机的高度来认识。

在任何社会，社会的阶层分化都客观存在，现代社会的分层与一个人的教育水平相当，教育不公平会加剧社会的两极分化，甚至形成底层民众无法上升的“断裂的社会”。这种分化通过代际传递到第二代，甚至第三代，几辈子难以跳出，让弱者失去希望。因此，教育不公不仅危及社会公平和社会效率，而且危及社会稳定。长期以来，在我国，教育往往被大多数个人和家庭当作是改变自身命运，实现社会流动的主要方式，尤其是那些相对低层的群体和个人。因此，教育事业也被认为是现代社会减少贫富差距、促进平等的“最伟大的工具”。但近年来，教育领域所出现的不公平倾向却日益严重。因此，确保教育公平是关系国家战略的大问题，也是坚持科学发展观、落实以人为本这一治国理念的需要。

胡锦涛同志对“和谐社会”的定义是“民主法制、公平正义、诚信友爱、充满活力、安定有序、人与自然和谐相处，而和谐社会的最核心就是公平”。从社会公平的角度看，教育权利是公民的基本权利之一，而对社会来说，这种公民权利是否能实现，以及能在多大程度上得到实现，不仅牵涉公民权利，同时也是衡量社会相关制度正义含量的标尺。而上述的教育公平问题的研究结果及多年来所存在的城乡教育的巨大差距，很清楚地说明公民权利或者说是社会公平还存在着很大问题。在教育本就水平较低，发展需要加大投入的广大农村，相关的制度安排不但没使其教育水平有所提高，相反还使其离社会要求距离越来越大，这不能不让人觉得是一种社会马太效应现象。

学者周义兴先生认为：就目前情况来说，虽然我国的城市化已经有了较大的进步，但大量的人口仍然分布在农村，这是社会的事实。而从社会发展与城市化的要求看，农业人口向城市与工业化转移，这也是今后社会发展的必然趋势。所以就此角度看，无论是从农业本身发展的要求，还是从城市化的角度看，农业人口的文化素质与农村教育水平的提高，不但对农业本身和城市的发展有着现实与潜在的影响，且对今后整体人口素质与社会发展也同样有着相当的制约作用。因为在低文化素质农村人口的条件下，要使农业现代化并以此推动城市化发展进程，其结果肯定是不可想象的。在社会发展需要高文化素质人口的农村，在城市化进程需要高文化素质人口的今天，农村人口的文化素质和教育现状却呈现了反社会发展需要的情况，且彼此的差距还处在不断扩大的趋势。这不能不让人觉得是一个社会发展中的严重问题!

“在社会不公平的现实面前，教育制度有几种选择”，教育学者杨东平说，一是主动维护社会公平，将教育资源向弱势群体倾斜；二是至少不去人为制造差距与不公。而我国当前的教育不公，很大程度上是教育管理的政策失误和偏差所致。

教育公平是社会公平、稳定、自由、和谐的基础，着重、优先发展公平公正的教育，是一个国家和民族的重大战略选择，是国家富强、民族复兴、人民安定和谐之本。

我们应该从这个高度上认识和促进教育公平与社会和谐。

城乡教育存在巨大差距，不仅是一个公民权利是否实现的问题，同时对整个社会的协调发展也是一个危险因素。

要采取切实措施使基础教育均衡发展，努力缩小城乡、地区、阶层之间的教育差距，在经济较发达地区应实行城乡一体化的基础教育政策，打破城乡二元格局。

在欠发达地区，在确保教育足额投入的前提下，我们可给农村学校设定最低的投入标准。从现在起，教育投入要依据现有生均（按学生人头平均）资产来投入，高的少拨，低的多拨。同时，在全国范围内取消各级各类重点学校体制，彻底避免教育的马太效应。领导看学校也不要再嫌贫爱富，看教育业绩也不要再看好学校有多好，而要看差学校有多差。这样，可从根本上改变教育资源配置大大偏向重点学校的扶强抑弱的做法，转而向弱势学校倾斜。

这也是遏制当前恶性择校热的根本举措。

教育不公还反映在接受高等教育上。现在，我国高等教育平均毛入学率地域差距明显。上海55%、北京52%、江苏29%，而西部省份却还在10%左右徘徊。同时，近年高校学费的增长加大了落后地区学生的经济压力，更加剧了这种差距：在清华大学、北京大学等国立知名院校，落后地区、贫困地区的学生比例呈连年下降之势。

全国政协委员、贵州大学副校长金道超认为：国立高等院校享有了全国的人财物资源，在提供高等教育服务方面理应具有全国区域概念上的公平性。目前这种教育不公造成的沟壑，较之于资金、政策等方面的倾斜负面影响更为严重，已经并将进一步加大各地区的经济社会差异。

全国政协委员朱永新建议：高等教育要在追求效率的同时实现公平，可灵活地通过高考制度的改革来实现。从目前看，可将国立大学、省立大学、市立大学和民办大学进行分类的独立考试：国立大学采取全国统一试卷，严格按分录取，不允许有地区的分数差异；地方院校可对本地区学生实行适度优惠入学政策，民办学校则完全自主招生。在尽可能盘活教育资源的同时，实现国立高等教育对全民的一视同仁。

如何彻底消除教育的不公平？越来越多的有识之士认为，应首先在农村全部实行免费义务教育。有人会说中国人口太多，国家没有足够的财力才造成今天义务教育的不尽如人意，这种说法是站不住脚的。

公共政策是政府对社会价值所做的权威性分配。财政分配体现的是政府对不同事务重要性的优先次序。据统计，按现行农村义务教育“一费制”标准统计，每年约需250亿元，如按照比较理想的标准，再多一倍足矣。农村教师工资统发，约需650亿元，两项相加，有1 000亿就够了。目前国家财政总收入已达到26 000多亿元，其中中央占到了51%，县乡两级十亿民生只能分享约20%，由中央和省统筹理所应当。我国每年仅餐桌上花掉的公款就达数千亿元。据资料显示：目前我国有专车约400万辆，包括司勤人员在内，每年仅此一项耗用3 500亿元人民币。按照湖北老河口市和黑龙江省齐齐哈尔市公务用车改革的经验，节约率分别为76.2%和62.6%，即使都按60%计算，全国公车都改革，一年就能节约1 900亿元，以30万元建一所农村小学计算，可建63万所。

说到底还是认识问题。

2004年，我国仅税收增长就达5 000亿元。

可见我国是完全具备这样的国力和财政能力的。

就在写这篇文章的时候，我们欣喜地看到党中央、国务院已决定：从2007年起将逐步在全国实行免费义务教育。

听到这个消息，相信谁都会为之一振。

免费义务教育，是该驶入快车道的时候了。

还有，教师工资发放、义务教育投入也应尽快纳入中央财政统筹。从高等教育和基础教育比较看，前者有助于个体发展，而后者则有助于民族的整体发展。当务之急应明确在义务教育上的责任，建立合理的财政分担机制。当前因税费改革，农村教育经费总投入大幅度减少，中央应加快对这一问题的解决，中央、省、县可否按照7∶2∶1的比例进行投入，否则，脆弱的县乡财政是不可能确保农村教育正常运转的。

以上所谈话题扯远了吗？没有，当然没有。

有了科学合理的政策支持，我们的良好愿望才能变成现实，而且是越来越理想的现实。解决其一可惠及全部。解决了由中央和省统筹义务教育经费，实行农村义务教育全免费，教师工资拖欠问题，危房难改问题，贫困学生辍学问题，越穷的地方越缺乏人才之类的恶性循环等一系列困扰了中国教育几十年的瓶颈问题便可迎刃而解。站在老少边穷地区农村三尺讲台上的那些既不是“公办”又不是“民办”的“民办教师守望者”们才不会再在那里守望。中国的农村基础教育才能真正得以健康发展，科教兴农战略才能真正得以有效实施，影响中国发展的头等问题——三农问题才能真正得到彻底解决。

教育现代化的主题词，将不仅是数量、速度、规模、效益，而将大写以人为本、公平、民主、公正、协调、可持续发展，从而书写和谐社会教育的新篇章。

否则，“民办教师守望者”们还将一代代守望下去。

六、民办教师，感动中国的名字

因为爱教育才做教师，因为做教师才爱上教育。真的不必追究太多的因果，曾经奉献过，就必定留下痕迹；曾经付出过，就必定产生影响。不管怎样，当年的民办教师已经成了许多人心中的丰碑。特别是在乡村或者是从乡村走出的孩子对民办教师的敬意和感激让人感动。这是一个特殊的群体，他们并没有完全享受教师的待遇，却担负起了中华民族最神圣也最艰巨的农村教育的重担。他们用自己枯瘦的脊梁超负荷多少倍地支撑起了中国农村基础教育的大厦。而对于无论是转正、退休或是永远告别讲台的所有民办教师来说，这就足够了。

全社会都应该向民办教师致敬，你们是伟大的！同时也应感谢那些关注民办教师，关注中国教育，为民办教师呼吁、呐喊的人们，你们同样是伟大的！

历史的车轮进入了21世纪，知识经济崛起，信息时代到来，民办教师作为一个群体，一个概念，一段历史，已逐渐淡出人们的视野和社会的舞台，成为昨天静态的历史，下几代人也许真的很难想象当年的民办教师是一个什么样子，他们曾经处于怎样的生活状态。他们的背影虽然走进了历史，但在人民的心中早已深深地镌刻下了他们曾经共同拥有的名字:“中国民办教师”。今天，我们怀着复杂的心情，用有些苍白的笔触，试图定格这些平凡的伟大、伟大的平凡，以及泪水，汗水和心中的感动，但总觉得笔不尽心，语不尽意。我们颂扬这个群体，崇敬这个群体，并不是希望这个群体再次回归，因为作为共和国特殊历史时代的产物，民办教师的隐退与消失是社会巨大的进步。之所以用心血和笔墨记录这些文字，是为了进一步挖掘、弘扬从这个群体身上所折射出来的那种精神力量。这种精神力量，正是中国的希望、民族的希望，它不能随着事物的消失而泯灭。今天，中华民族正面临着前所未有的发展机遇，一个民族的崛起，需要感动，需要精神，而中国民办教师的群体精神在全民建设小康社会、和谐社会的今天理应在国人的追思、怀念中发扬光大。

今天，趁记忆还没有离我们太远，让我们再一次记住那些熟悉而又陌生的曾经感动过中国教育、感动过中国的名字吧。

“健风杯”全国十佳民办教师10名：

山东沂水张载军、山西兴县吕晋春、内蒙哲理木盟额尔敦桑、浙江丽水陈岳明、河北平泉张广森、河南邓州李道理、湖北南漳甘菊秀、广西贵港覃月明、云南富源缪志和、新疆米泉麦吉汗。

全国优秀民办教师20名：

辽宁阜新侯凤田、吉林榆树陈雅莉、黑龙江铁力邵景云、江苏丹阳王小红、江西龙南徐显义、安徽金寨卢丙纶、山东德州李照明、福建上杭黄秋莲、湖南江华吴西元、海南儋州张宗花、广东南雄朱金赞、四川开县赖克林、宜宾郑金明、贵州凯里金光明、陕西延安刘生连、延安户县谢有德、西藏日喀则德吉、甘肃永登王好仁、青海大通杨增奎、宁夏永宁康秀英。

（选自2006年第12期《北京文学（精彩阅读）》，
有删节，作者：鲁沂、刘加民）

让泪水作证

——丛飞的178个孩子

丛飞是深圳知名歌手，商业演出频繁，却一直过着清贫的生活，因为他在十多年间，靠自己的演出收入供养了100多名贫困学生。2006年4月，年仅37岁的丛飞因病去世，但他的倾情奉献感动了无数人，直到今天，人们依然用各种各样的方式在怀念丛飞、延续丛飞精神。

一

2005年5月24日下午，深圳特区报领导带着三名年轻记者来到病房看望正在接受化疗的丛飞。报社领导告诉丛飞，明天这三位记者就出发奔赴贵州省毕节地区的织金县，对他资助贫困学生的事迹进行深入采访报道。记者问丛飞有什么话要捎给山区孩子。躺在病榻上的丛飞说，前几天听徐华说报社要派记者去贵州采访，他很激动很欣慰，在自己行动不便时终于有人可以代替他去看望那些孩子了！为此，他带病录制了一盘VCD，请记者捎给孩子们看看。

临别时，丛飞动情地说，特区报把我的事情报道出去以后，社会各界给予我的关爱和援助，不仅我，而且我那些孩子也会深深感谢特区报的。现在我的精神好多了，在社会各界的支持下，我又有能力为山区孩子交学费了。

他让妻子拿出两万元交给特区报记者，请他们带给孩子们。

二

下了飞机，从贵阳到毕节地区是九曲十八弯的山路，经过四个多小时的颠簸，深圳特区报记者郑向鹏、滑翔以及丛飞的老朋友、摄影师刘家增等人到达此行的目的地——织金县。毕节地区位于贵州省西北部川、滇、黔三省交界处，是典型的岩溶山区。千疮百孔、到处渗漏的地表留不住水，下雨就流，无雨就旱。开门是山，出门爬山，山外有山，山头山间整日云雾笼罩，交通极为艰难。都说贵州“天无三日晴，地无三尺平”，记者到毕节地区放眼一看，果不虚言。

千百年来的贫困、封闭、落后，积累成千百年来几乎不变的贫困、封闭、落后。织金县，一个多么富有诗意的名字啊。惜乎“织金”仅仅是织金人的梦想。毕节地区的八个县（市）中，六个是国家级贫困县，织金县就是其中之一，其人口组成近半数是少数民族，有苗、彝、水、布依、仡佬等族，丛飞资助的贫困学生就分属不同民族。

1999 年夏天，丛飞第一次来贵州。当时共青团深圳市委和义工联决定到贵州慰问帮贫支教的青年志愿者，时任义工联副秘书长的杨华打电话给丛飞，问他有没有时间去贵州参加义演？丛飞正在上海参加预定好的几场商业演出。问清任务，他毫不犹豫当即应允，放下电话立即向演出组织者赔付了违约金，自费买机票飞回深圳，然后和大家一道辗转到达织金县。县里搭起了露天舞台，那真是“蓝天丽日当灯光，十万大山当剧场”的壮阔场景。这里的老百姓绝大多数从未出过大山，很多家庭没电视，他们哪见过这么“高规格”的演出。周围四乡八寨的人扶老携幼，翻山越岭，如滚滚洪流集中到演出场地，不仅把舞台围得水泄不通，周围的山坡都坐满了，树上也有很多人。这是织金县历史上从未有过的最盛大的演出，丛飞使出浑身解数，唱歌、表演模仿秀、说单口相声。他和众多演员的精彩演出，激起老百姓和孩子们一阵阵开心的掌声和笑声。

县里演完了，还要去乡里看望和慰问扶贫支教的青年志愿者。丛飞和同事们又来到官寨乡。无论在什么地方，无论是在学校简陋的操场上，还是在乡间的空地上，只要说给老乡演几个节目，丛飞二话不说，立马上场。

丛飞的心是柔软的、丰盈的和富于感情的。在织金县、在官寨乡，第一次目睹这里残破的学校、穷困的村寨、四处漏风漏雨的茅草屋、衣衫不整的老百姓和许多失学的孩子，丛飞被深深地震撼了。是的，在电视中我们经常看到，云贵高原层峦叠嶂风景如画，少数民族的生活千姿百态风情万种。但是，在十万大山的皱折深处，在交通不便、信息不通、无路无电的深山老林，在延续着、坚守着自己生活习俗的少数民族当中，那千百年来不变的、几乎是半原始状态的贫困是怎样的触目惊心啊！

震惊、激动、伤心、同情、回味、渴望……丛飞百感交集。演出之余，丛飞和几个朋友请当地干部和学校校长领他们到学校、村寨、老乡家里看看。一路上，丛飞总是不住地摇头感叹，没想到没想到，这里的日子真是太苦了、太苦了、太苦了……

在安顺地区的农工小学，进入校舍陈旧不堪、桌凳破败不齐的校园，看着那些可爱的、消瘦的、衣衫陈旧、打着赤脚的学生，丛飞情不自禁掏出身上带的厚厚一叠百元人民币，共计三万元，见一个孩子发一张，见一个孩子发一张。当地的干部、周围的朋友、所有的孩子都惊呆了！然后，满操场的孩子一拥而上……

学校里发完了，又去村寨。一路上，两个特别喜欢丛飞表演的苗族孩子一直蹦蹦跳跳跟在他身后，问这问那，还让丛飞唱歌给他们听。丛飞问他们上学没有？孩

这是丛飞生前和他资助的孩子们在一起。（吴俊/摄，图片来源：新华社）

子说，只上了两年，后来因为家里交不上学费就不念了。刚刚十几岁的孩子啊，因为贫穷，刚认识几个字就被迫离开学校，已经快进入21世纪了，我们还在培养新一代的文盲！

从飞十分激动，当即把跟在后面的校长叫过来，掏出400元说，这两个孩子今年的学费我替他们交了，以后每年我都会按时寄来的，请你安排这两个孩子入学吧。

一路上，只要见到孩子老乡，从飞就发钱给他们。有朋友劝他，别这么发了，得留点啊。从飞说，没事儿，这儿的老乡一年到头见不到几个钱，我挣钱容易，一两场演出就回来了！

自己的钱发没了，他就跟同行的朋友挨个借。朋友们把钱掏给他，他数也不数，继续发……

这件事迅速在大山里传开，老百姓都说，那个深圳来的大明星"是个大善人"，"愿意帮咱们孩子交学费"。以后的几天，好几十个孩子找上门来，从飞来者不拒，一一答应。就像后来接受央视采访时从飞说的，这些孩子家里都很穷，你应了这个不应那个，扶了这个不扶那个，良心上过不去啊！

这一次，从飞把自己带的三万元全部分光发光，甚至把朋友身上的钱和带来的公款都借光发光了。准备回深圳时，大家才发现，打道回府的机票钱没了，一时都傻眼了。从飞一脸笑容，说没事儿没事儿，我马上让深圳的朋友紧急电汇过来。果然，第二天钱汇过来了。回到深圳，他把欠同事的钱一一还清。

1999年这次织金县义演，成了从飞在贵州省大规模资助贫困学生的开始。从那时一直到今年病倒，从飞先后六次到贵州安顺市和织金县扶贫助学，认养的学生也像滚雪球一样不断扩大。截至2004年年底，从飞在安顺市和织金县认养了126个贫困学生。今年年初，从飞身体很弱，有一段时间没有演出。在家静养的他十分挂念贵州的孩子们，于是常与原官寨中心学校校长、现任普翁乡副乡长的徐习文通电话，了解这些学生的学习情况。徐习文是当地基层干部，个子不高，很清瘦，一看就是风里雨里山里走惯了的人。2003年12月和2004年6月，从飞两次到织金县义演并下乡看望贫困学生，都由徐习文全程陪同。第一次正逢冬季，从飞把自己带的钱捐得一分不剩，最后把身上的毛衣也脱下来给一位老乡披上，而他自己在寒风中冻得簌簌发抖；第二次，从飞不仅把带来的钱捐光了，过后又在织金县电影院举行义演，然后将所得收入三万余元和价值五万多元的钱物衣服全部捐给织金县希望工程办公室。耳闻目睹，徐习文对丛飞真诚无私、高尚彻底的奉献精神感佩得五体投地，自此义务做丛飞和学生之间的联络人，两人结下深厚友情。

徐习文对记者说，丛飞每次来贵州，他对山区人民的那颗赤子之心，都常常让我们感动得热泪盈眶。来贵州扶贫助学的单位和人也不少，但谁也没像他那样达到完全忘我的境界。他六次来贵州，六次把自己带的钱捐光，而且几乎把同行朋友的钱也借光了捐光了。有一次大冬天，他把身上厚一点的衣服都捐了，自己只穿了一件短袖衬衫回到深圳。面对丛飞，我们没法不感动！

徐习文担任副乡长以后，走访了很多村寨。今年初与丛飞通话时，徐习文谈到他最近对一些贫困家庭的走访，心情十分沉痛。远在深圳的丛飞听了，又坐不住了，执意要求徐习文再给他找一批家庭生活特别困难的学生，继续由他来资助上学。那时他完全想不到自己会病得如此严重，以为养几天治一治就会生龙活虎地重登舞台。

城关镇中心学校是一所希望小学，由广东发展银行深圳分行于1997年捐资兴建。学校里绝大部分学生家境贫寒，每年都有一些学生因缴不起学费而辍学。徐副乡长经过认真走访和家访，提出32名家境特别困难的学生名单，这些学生最大的11岁，最小的才7岁，近一半是少数民族，其中有的孩子父母双亡，有的家长身患重病，有的孩子生活在单亲家庭，更多的是来自偏远山村的贫困人家。

这是丛飞2005年病倒前认养的最后一批学生。

经过本文作者提请丛飞认真回忆并仔细核对，我们确认，丛飞先后在贵州认养贫困学生158名，在湖南认养15名，在四川认养5名，总计178名，这还不包括已经毕业的几位大学生。

2005年11月7日上午，我们再次与深圳义工联秘书长辛海波同志通话，他说，深圳共青团市委已经接管了丛飞在贵州认领的150余名贫困学生，这个数字是确切的。

另外还有许多残疾人、打工仔、贫困人口接受过丛飞一次或多次钱物扶助的，已经无法统计。

三

5月27日下午2时，大山里的天半阴半晴。在织金县官寨中心学校坑洼不平的操场上，从飞资助的30多个小学生站成数列，从校长手中接过从飞捎来的学费。然后，孩子们围站在学校特意放置在操场上的电视机前，一双双眼睛紧盯着电视屏幕。

躺在深圳病榻上的从飞出现在屏幕上了。他的眼睛那样的深情，那样的湿润，他仿佛能看到所有的孩子。他微微欠起身，用沙哑的声音吃力地念叨着孩子的姓名：苍生、晏语轻轻、艳燕、艳梅、朱园、朱丽……他在电视中说，爸爸不能亲自去看你们了，爸爸很想念你们，爸爸没忘记你们，爸爸一定会战胜疾病，重返舞台。你们放心，爸爸一定继续资助你们上学。你们要好好学习，注意锻炼身体，尽早成为国家的栋梁之才……

看到从飞"爸爸"消瘦的面容和身上插着的各种软管，听他说爸爸很想念你们，爸爸一定继续资助你们上学……所有的孩子都呜呜痛哭，一旁的校长和老师也泪水盈盈。

下午4时许，得知深圳记者带来了从飞"爸爸"的录像和叮嘱，九名已从官寨中心学校考上初中或高中的学生急忙赶到织金县城，要求看看"爸爸"的画面，听听"爸爸"的声音。

记者又来到织金县城关镇中心学校。得知从飞"爸爸"委托的叔叔阿姨要来给他们送学费，从飞通过长途电话认养的32个孩子早早坐在教室里等候了。为了让孩子能够与素未谋面的"爸爸""见面"，校长和老师特意找来一张从飞以往在织金县义演的大海报，贴在黑板上，32双黑亮的眼睛瞅着海报上"爸爸"面带微笑的大照片，瞅了又瞅，说咱们的爸爸多帅呀！

校长对孩子们说，你们的从飞"爸爸"已经病倒了，不能来看你们了。当老师把学费发到一个个孩子手里，他们瞅着黑板上的"爸爸"，都哭了。

现在，让我们走进几个贫困孩子的生活。

朱园——

依山而建、半石半土的泥瓦房，关不严的木门，破碎的窗户，这就是朱园的家。朱园今年15岁，长着圆圆的脸蛋，一双细长的眼睛很有精神，她在官寨中心学校读小学六年级。记者郑向鹏和滑翔刚刚跟她提到从飞的名字，朱园的眼泪就扑簌簌掉下来。

朱园刚刚三岁的时候，父母因病先后去世，爷爷瘫痪在床，全家三口人，只靠70多岁的老奶奶下地干活，每年收下七八百斤玉米来维持生活。穷人的孩子早当家，几年来，每天凌晨5时前，天刚麻麻亮，朱园就要起床做饭，洗碗扫地。吃完玉米饭，干完家务，再背上书包翻山越岭，徒步跋涉近三个小时的路程，从官寨乡黄泥村“打铁洞村民组”赶到学校上课。每学期，朱园的学费仅为80元——即使是少得可怜的80元，朱园也交不起。

2004年7月初，带病的丛飞和妻子邢丹徒步走了三个小时，来到朱园家。听说小孙女的恩人来了，奶奶颤颤巍巍迎出门，一件破旧的衣衫套在身上，连上身都遮不住。丛飞连忙脱下自己的衣服披在奶奶身上。看到瘫痪在床的爷爷，枯瘦的奶奶，还带着朱园这么小的一个孩子，邢丹不禁泪水涟涟。她说，她终于理解了丈夫在深圳为什么一提起山区的孩子就寝食不安。后来丛飞感慨地说，与贵州贫困山区的孩子相比，自己“再难也是生活在天堂”，“几十元、几百元、上千元，对于深圳人来说也就是一顿饭。但对山区那些孩子来说，就是一年两年的学费生活费呀！”

两位记者郑向鹏和滑翔在校园里找到朱园，同她聊了几句。一听说丛飞“爸爸”患了癌症，朱园的眼泪立刻像断线珠子似的不停地流。没有丛飞爸爸，我早就失学了！朱园眼泪汪汪地说，然后她指指自己的红上衣，瞧，这是爸爸给我的，现在爷爷奶奶穿的也都是爸爸给的衣服，爸爸给了我家30多件衣服呢！

家这么远，中午在哪儿吃饭啊？记者问。

不吃饭，吃饭要花钱。下午下课回家，帮奶奶干完家务活，到晚上六七点钟才能吃上饭。请你们回深圳以后转告爸爸，要他千万保重身体啊……

小朱园一边揩眼泪，一边再三对记者请求。

听说记者到了朱园家，丛飞和邢丹特意打电话嘱咐他们，别忘了给朱园的奶奶留下点钱，另外再拿100元给朱园的邻居，那家也很穷……

晏语轻轻——

丛飞依然记得，她那秋水般忧郁的眼神。

2000年，丛飞来贵州为希望工程义演并为孩子们送学费，他来到织金县官寨中心学校，接受资助的孩子们说呀笑呀，像一群欢快的小鸟儿簇拥着他。丛飞注意到一个拖着一条细辫子的瘦弱小女孩一直默默站在人群外面，远远地望着他，那秋水般忧郁的眼神与她的年龄极不相称。丛飞走过去抚摸着她的头顶，亲切地问她叫什么名字，家里什么情况？读书有什么困难吗？

女孩说她叫晏语轻轻，今年9岁，然后一双大眼睛泪汪汪的，不说话了。在旁的老师介绍说，晏语轻轻是少数民族孩子，爸爸在她生下不久就扔下母女不知去向。妈妈长年在外打工，一年半载回来一次，也顾不上她。晏语轻轻只好跟姨妈住在一起，那是租用的山脚下一间年久失修、漏风漏雨的泥瓦房。姨妈身体有病，干不了什么重活儿，只能靠母亲寄回来的一点钱维持生活。晏语轻轻上学以后，经常缴不上学费，性格也很内向，沉默寡言，同学们都说她是“不会笑的女孩”，还有些不懂事的男孩子说她没爸爸，骂她“野种”……

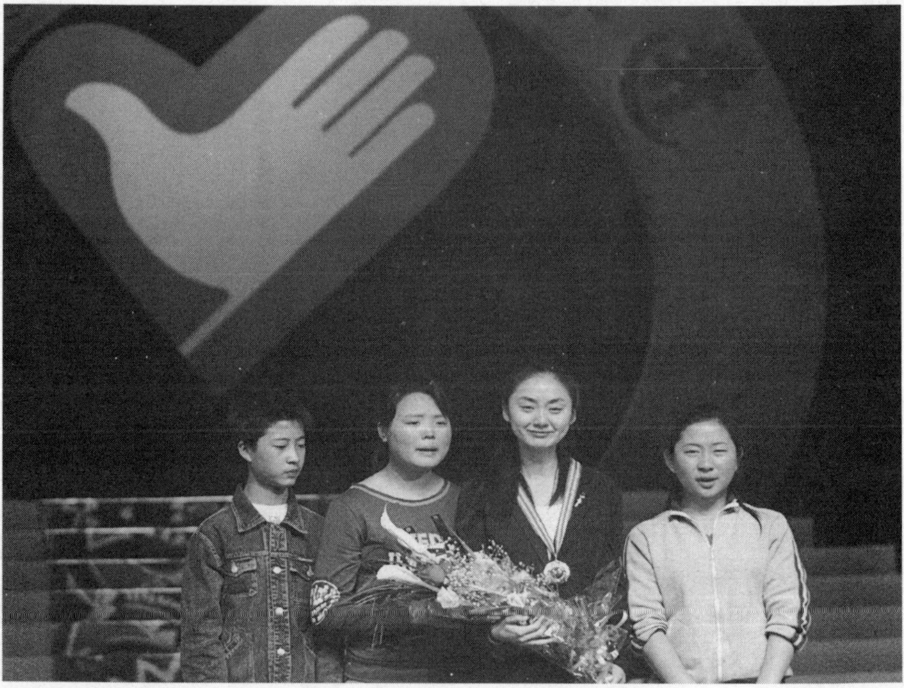

2006年5月16日，已故青年志愿者丛飞的妻子（右二）和丛飞的受助学生为丛飞领奖。当日，共青团中央在贵阳表彰37名青年志愿者，并颁发2005年度“中国青年志愿服务金奖奖章”。（杨俊江/摄，图片来源：新华社）

从飞心疼了。他抱起晏语轻轻说，孩子，今后我就是你的爸爸，今后谁再说你没爸爸，骂你是“野种”，你就说我有个爸爸，叫从飞。

自此，从飞承担了晏语轻轻的学费和生活费。晏语轻轻从未出过山寨，对外面的世界充满好奇。2004 年 6 月，从飞又去给孩子们送学费时，晏语轻轻问“爸爸”，你住的城市大吗？街道上有很多车吧？都说深圳好，是什么样啊？有大海吗？海水真的是蓝色的吗？你常去海边吗？无数的问题把从飞的眼泪都问出来了，从飞说，以后有机会爸爸一定带你到深圳玩玩。2005 年 1 月，从飞病情加重，嗓子嘶哑，不能演出了，他想起自己对晏语轻轻的承诺。恰好这段时间在家养病，没多少事情，学校又放寒假，可以接晏语轻轻到深圳来。邢丹很为难，从飞不能演出了，等于断了经济来源，一家三口的生活要维持，还要给从飞看病吃药，哪里还有闲钱啊！

但是，这些年来一谈到钱的问题，一谈到家里生活困难的问题，从飞总是毫不在意、信心百倍的样子，总是挥挥手爽快地说没事儿，我一场两场演出钱就回来了。这回他又不容置疑地跟邢丹说，先找哪个朋友借点儿，等我病好了就还上，你去办吧。

2005 年 1 月 26 日，贵州大山里的女孩、从未出过山寨的女孩、14 岁的晏语轻轻登上飞机，来到深圳。从飞拖着病体，和邢丹一起到机场把晏语轻轻接到家里。一路上，女孩瞪大眼睛，惊讶地瞅着车窗外的大都市，那森林般的高楼大厦，那宽阔的公路，那潮水般涌过的车辆，那红绿灯、斑马线、立交桥……一切都让晏语轻轻兴奋不已又惊叹不已。从飞也哑着嗓子、忍着病痛，高兴地对这个大山里的“女儿”一一解释着沿路的风景。以后的日子里，晏语轻轻经历的全是她生命中的第一次：第一次逛大商场，第一次去儿童公园，第一次吃麦当劳，第一次尝冰激凌，第一次吃羊肉火锅，第一次乘电梯，第一次进书城，第一次穿上漂亮的新衣服和皮鞋……

女孩笑开了花！

几天过去，细心的从飞注意到晏语轻轻每顿饭都吃得很少，赶紧带她去医院检查，发现她患有肝炎，于是，又一次次花钱给晏语轻轻治病，买药，还亲自照顾她服药……20 多天以后，晏语轻轻的假期快结束了，从飞又到医院为她开了许多药，给了孩子 1 000 多元钱，嘱咐她回家休学一年，好好治病，坚持服药，等养好身体再继续上学。

候机厅里，“父女”两个就要分手了，晏语轻轻依依不舍地扑在“爸爸”怀里，不住地哭泣，还再三叮嘱爸爸注意休息，养好身体，说得从飞也不住地抹眼泪。把

“女儿”送上飞机后，从飞还不放心，打电话给晏语轻轻的姨妈，详细讲述了孩子的病情，要姨妈每天一定监督晏语轻轻按时服药。晏语轻轻后来回忆说，因为家里生活困难，姨妈心情不好的时候经常会打她。那次她从深圳回家，姨妈见她两只手提着满满的行李，知道是恩人丛飞送的，感动得放声大哭，从那以后再没打过晏语轻轻。

今年，14岁的晏语轻轻已经是官寨中学的初二学生，模样清秀可爱，学习也很优秀，还担任班级的班长兼团支书。听说深圳特区报记者带来了“爸爸”的消息，她赶紧从中学那边跑到小学这边来。记者告诉她，她的丛飞“爸爸”身患胃癌，动了手术，正在住院治疗，晏语轻轻垂下头泣不成声，她再三问记者，胃癌是什么病啊？爸爸以前身体那么好，整天面带笑容，唱歌演小品可好看了，怎么一下就病倒了呢？她想来想去，含泪说，爸爸一定是为照顾我们这些山里孩子才累病的……

记者提出，要去她家里看看，晏语轻轻有点不好意思地说，早晨忙着上学，也来不及收拾，有点乱。

记者跟着女孩，穿过一条窄街，再拐进一条泥泞曲折的小路，一直走到山脚下，晏语轻轻指指一间低矮破旧的泥瓦房说，这就是我家，我和姨妈住这里。记者还没进门，一股霉味扑鼻而来。走进去一看，房间很暗，靠墙摆放着一张简易木床，破旧的被褥泛着土黄色，显然已经铺盖了许多年。床边的小木箱上放着几册课本，没有桌子，做饭的煤炉摆在屋角，水盆里放着还没来得及洗的碗筷……全部家当价值超不过200元。房间里唯一比较新也比较显眼的物件，就是挂在墙上的一条图案精美的大毛巾。晏语轻轻自豪地告诉记者，这是“爸爸”给我买的。

面对记者的摄像镜头，晏语轻轻含泪说：

——爸爸，你知道吗？我每天早晨起来上学，都要不自觉地看看山路的远处，盼望你的身影能出现在那里……

——爸爸，知道你有病以后，这两天我做梦总梦见有神仙下凡，带来了治癌症的好药，我高兴得要命，等醒来才发现这不是真的……

——爸爸，我有一个最大的心愿，就是希望你再来贵州时，一定要选在我们学校放假时间，这样，你走时我就可以到车站去送你……

——爸爸，你放心，我一定做你最乖的女儿……

——爸爸，感谢你的爱，感谢有你伴我一生，让我有勇气面对自己，面对人生，面对未来……

罗艳燕和罗艳梅——

姐妹俩清晰地记得，是2002年7月14日这一天改变了她俩的命运。那天下着毛毛细雨，从深圳来官寨中学支教一年的六位老师就要返回深圳了，汽车先把他们送到织金县城的天谷山庄宾馆休息，准备第二天去贵阳乘飞机。在给老师送行时，罗艳燕和罗艳梅狂追汽车跑出老远老远，不断哭喊着和老师挥手再见。听说老师晚上住进天谷山庄宾馆了，姐俩和另外两个同学又一口气跑到宾馆来给老师送行。望着几个孩子泪水汗水汇流在一起的湿湿的脸蛋，老师们都忍不住落了泪。

师生们合影留念之后，一位个子高高的叔叔走过来，和艳燕、艳梅几个同学坐在一起聊起了天。艳燕和艳梅一看，这不是昨天晚上在县电影院为大家唱歌表演小品的丛飞吗！丛飞问起她们的家庭、生活和学习情况，艳燕和艳梅说，她们的家在大山里，距离学校很远很远，为了不耽误学习，姐俩在学校附近租了一间小房，独立生活。她们的父亲在别处的乡村小学当老师，每月收入不到600元，妈妈在家里务农，维持一家人的口粮。另外两个男生也说了家里的困难情况。丛飞当即掏出四张百元钞票，每人发给一张，还详细记下了四个孩子的名字、学校、家庭住址，说以后我就是你们的“干爸”，你们上学的费用由我来负责吧。

那天晚上，丛飞花钱让四个孩子在宾馆住了一夜，他给孩子们又唱歌又表演又变魔术，孩子们高兴得像过年一样。

2003年，艳燕和艳梅一起考上了织金县重点高中。由于高中学费增加了不少，姐妹俩不知道丛飞“爸爸”是否还继续资助她们读书。怀着忐忑不安的心情，她们给丛飞打了个电话。没想到，她们的“爸爸”高兴极了，说你们只要好好念书，就一直供你们到大学毕业！

2003年12月，丛飞再次来到织金县官寨乡给孩子送学费。当时，正是当地一年中最为阴冷潮湿的季节，几乎天天下雨，山里又没有什么像样的路，弯弯曲曲蜿蜒在山坡上，泥泞不堪，走起来很累。艳燕和艳梅陪丛飞“爸爸”顶着绵绵细雨，一路东歪西倒，到后寨、青山等几个村，访问他资助的那些孩子的家庭。看了一寨又一寨、一家又一家，孩子家里贫穷困苦的生活状况让丛飞十分难过，他不断地摇头叹气自言自语说，太苦了，太苦了！一路上，艳燕和艳梅看到，只要遇见衣衫不整的穷苦人，丛飞“爸爸”就掏钱给人家；看谁穿得单薄，他就把自己的衣服脱下来给那人披上。一行人走到艳燕、艳梅家时，丛飞身上只剩下一件衬衫和一件风衣，钱也给光了，实在拿不出什么东西送给艳燕、艳梅的父亲了。丛飞见姐妹俩的父亲胡子老长，就摸出兜里的电动剃须刀送给了他。

2004 年 6 月 30 日，丛飞再次来织金县义演，他特意打电话要艳燕、艳梅到县里去找他。丛飞请姐妹俩在宾馆吃了一顿丰盛的晚餐。因为第二天还有课，丛飞叫她们雇一辆三轮车早点回家。姐妹俩嘴上应着，赶紧低下头往外走——她们兜里根本没钱啊。丛飞早知她们的心思，便把姐妹俩叫住，一掏，口袋里一共 100 多元全掏了出来，其中还有十几枚硬币，数也不数，一股脑儿塞进姐妹俩兜里……

罗艳燕、罗艳梅得知记者到了县城，课也不上了，满头大汗跑来，要求一定看看“爸爸”的录像。面对屏幕中躺在病榻上的丛飞，姐妹俩伏在床边号啕大哭……

陈贞梅、陈鸿——

17 岁的陈贞梅和 13 岁的陈鸿是一对苗族姐妹，家在官寨乡青山村，是一个四代同堂的家族。祖奶、祖父和祖母年事已高，丧失了劳动能力，父亲腿有残疾，干不了农活，长年外出打短工，一年到头寄不回几个钱。三位老人加上两个上学的孩子，全靠母亲一年四季起早贪黑种地养活。一起生活的小叔两个月前又因病去世，留下一个婶婶和两个年幼的孩子，使这个大家庭更加雪上加霜。

在织金县平远中学，特区报记者见到正在读高一的陈贞梅。她个子不高，脸色苍白，身体十分瘦弱，她含泪告诉记者，妈妈种的粮食只勉强够一家人吃饭，根本没钱供她们读书。要不是 2001 年遇上丛飞“爸爸”，她和妹妹早就失学回家了。2003 年，陈贞梅不幸患上肝炎，家里没钱送她到正规医院看病，妈妈只好领着她到处找土医吃草药，治疗了半年，病情非但没有好转，她又得了神经衰弱症，身体越来越弱，只好休学了。每天看着妹妹陈鸿背着书包去上学，她泪水盈盈，目送老远，难过得不行。整天待在穷困而又孤寂的家里，守着几位不大说话的长辈，她是多么想念学校里热闹的生活啊。

所有这一切，陈贞梅都没敢告诉丛飞“爸爸”，她觉得，“爸爸”一直资助她和妹妹两人的学费，已经很不容易了，不想再给“爸爸”添负担。但是，有一次她病得很重，又打针又吃药，妈妈为此借了很多债，债主们不断找上门催妈妈还钱。被逼无奈，陈贞梅只好拨通了“爸爸”的手机。那时丛飞正在外地演出，对着话筒，小贞梅只是呜呜咽咽地哭，丛飞那边急得不知怎么办好，好不容易问明了情况，丛飞很快寄来500元医药费。

小贞梅的病情好转后，去年考上高中，学习成绩相当优秀，现在是班上的学习委员。她深情地对记者说，丛飞“爸爸”不仅让我能够继续读书，还救了我的命，将来我一定要考上大学，回报“爸爸”的爱。

第二天，记者请副乡长徐习文帮忙约好，让陈贞梅的妹妹、13岁的陈鸿带路，一起到这对苗族小姐妹家里看看。早早等候在盘山路边的陈鸿一见记者就哭了，急切地问叔叔阿姨，丛飞“爸爸”的病怎么样了，能不能好。

陈家住在青山村附近一座叫三丫口的山顶上，距离官寨中学至少有十多里路，翻山越岭步行一个来回要三个小时左右。这里的路，说路不像路，其实是村民经年累月上山下山踩出来的一条羊肠小道，处处是乱石树丛险坡，最窄的地方只能容下一双脚，旁边就是吓人的陡坡。可以想见，若遇雨季，这条小道泥泞不堪，湿滑难行，孩子们天天走这样的路去上学，该是多么危险。

陈鸿性格比姐姐开朗一些。沿着坑坑洼洼的羊肠小道一路上山，她蹦蹦跳跳走得很快，常常要停下来等待记者和徐副乡长——显见她是走惯了的。她说，别看这条路危险，丛飞“爸爸”每次到官寨来，都坚持一定要来她家看爷爷奶奶，遇到下雨天没少摔跤。

走到一处陡峭的转弯处，小路只有20多厘米宽，旁边就是几米深的一道山沟。陈鸿说，去年“爸爸”来时，正赶上下雨，走到这里，“爸爸”一个屁股墩儿就滑了下去，滚得浑身都是泥。当时徐校长、姐姐和她都吓坏了，可“爸爸”重新爬上来，还跟他们开玩笑……

临近山顶，经过一片菜地，陈鸿高兴地说，她就是在这儿和“爸爸”认识的！同行的徐习文介绍说，那是2003年12月，丛飞到织金县和官寨乡义演，过后一定要当时的徐校长陪他上山看看“女儿”陈贞梅的家，再送些生活费和过冬衣物。丛飞在陈家坐了好半天，下山时，陈家老人感激地送了一程又一程，走到这里，正巧遇上放学回家的妹妹陈鸿。陈鸿一喊妈妈，丛飞才知道陈贞梅还有个11岁的妹妹。他蹲下来，搂过陈鸿，看看她背的那个有漏洞的书包，又看看她身上那件破旧的衣

2006年4月25日，“爱心大使”丛飞遗体告别仪式在深圳市殡仪馆举行。许许多多被丛飞帮助过，被丛飞感动过的人自发赶来，向英年早逝的丛飞告别。（彭勇/摄，图片来源：新华社）

服，心疼地对徐校长说，今后，这对姐妹的学费我全包了。

家离学校这样远，小陈鸿每天早晨不吃早饭，5点多就出门，顺山坡一溜儿小跑到学校，才能赶上7点钟开始的早自习。记者问她："5点多，天都没亮呢，你一个人走这么危险的山路不害怕吗？"

小陈鸿说："光想着上学不迟到，就忘了害怕了。再说，丛飞'爸爸'总是鼓励我要勇敢面对生活，记住'爸爸'的话，我就不怕了。"

走到山顶，绿树丛中，终于见到三四户残破简陋的房屋。这里苗族人家住的多是这种茅草覆顶、石块叠墙的石屋，牲畜是他们最重要的财产，为防走失，家家都把石屋叠成二层，牲畜圈养在底下，人居住在上面，生活条件和卫生环境之差可以想见，一进屋，那股强烈的腥臭味能把人顶个跟头。陈鸿的家当然也不例外，其中一间阴冷潮湿的小屋，窗口只蒙着一层漏着破洞的塑料布，这就是陈鸿每天做作业的地方。

听说远道而来的记者都是丛飞的朋友，陈鸿80多岁的祖奶，还有祖父、祖母都激动地凑过来，听记者介绍丛飞的近况。老人们听不懂普通话，就一个劲催小陈鸿当"翻译"。告别的时候，满头白发的祖奶噙着眼泪道出全家人的心声:“吾愿（苗族方言，巴不得的意思）他早点好起来……”

四

2005年6月6日，深圳特区报刊登了记者郑向鹏、滑翔从贵州采访归来的最后一篇通讯报道。

不。这不是一篇报道，或者说是完全有违于通讯报道写作方式的一篇报道。新闻学告诉我们，新闻报道应当是真实的、客观的、不带个人偏见的、不带作者个人思想倾向的。但是，郑向鹏和滑翔的这篇报道，完全不合乎这些国际通行的写作原则。他们实际上把报道写成了一篇抒情散文。

面对丛飞，他们难以抑制，他们毫无办法，他们只能让自己的情感喷涌而出，其中有些细节感人至深。本文特别录入，以资存念。

忘不了，那一幕幕感人的场景

记者　郑向鹏　滑翔

总有一种感动，让我们泪流满面；总有一些经历，让我们铭记在心。在贵州的几天采访，感人的场景接踵而至。

忘不了，在官寨中心学校破旧的操场上，三十几名丛飞长期捐助的孩子围站在电视机前，充满泪水的双眼紧紧盯着电视屏幕。“轻轻、艳燕、朱园、朱丽……”当屏幕中的丛飞用沙哑的声音吃力地一一唤出每个孩子的名字，在场的孩子齐声祝福:“祝‘爸爸’早日康复，我们等着您回来！”带着哭声的呼唤，在操场上空久久回荡……

忘不了，盯着电视屏幕里“爸爸”消瘦的样子，晏语轻轻哭成一个泪人儿。记者临走时，她从后面追过来，边走边哭着摘下腕上的手表，交给丛飞的好朋友、与记者同行的贵州义工刘家增，一头扑进老刘怀里放声大哭:“这个手表是‘爸爸’给我买的，今天还给‘爸爸’，记得让他一定回来，我一定等着他。”小女孩哭着哭着，拔腿往回跑，很快消失在记者的视线外。那一刻，泪水模糊了我们的双眼……

忘不了，像朱园这样的山区孩子，求学之路如此艰辛。每天清晨，孩子用一顿两碗饭的能量，背着书包步行一两个小时，翻过一眼望不尽的座座高山，走进教室里读书，汲取着知识的能量。中午为了省钱孩子们只能挨饿，只能抑制着胃的阵阵蠕动，到了下午三四点钟，再走一两个小时的山路回家，回家还要拔草、施肥，干完家务活，才能吃饭……

忘不了，离开青山村的时候，陈鸿让记者转告“爸爸”一个好消息，她最近在全乡的普通话比赛中获奖。“爸爸说过让我学好普通话，我一定会继续努力的！”小女孩一再请求记者回到深圳后，给她寄一张“爸爸”的近照，因为她“实在太想爸爸了”……

忘不了，与记者同行的刘家增，一讲到丛飞，泪水便潸然而下。他说，丛飞资助了很多贵州孩子，小学、初中和高中的贫困学生都有。每回总要翻山越岭，挨家挨户，亲手把钱交到孩子手中。有一次，丛飞将口袋里的钱捐了个光，连临行前母亲给他穿上的羊毛衫、御寒的外套都送给了农民。他身上的钱捐完了，便向随行的人员一一借款，最后大家身上的钱也捐光了，连吃饭钱也没有，只好打电话从深圳紧急汇钱过去……

忘不了，老刘向记者回忆一个细节，每次丛飞从深圳到贵州，总要带上几大箱衣服，拎上几大袋食品，他说“让孩子尝尝深圳的食品”。有一回在飞机上，空姐给每位旅客发了几粒糖，丛飞突然跑到他面前说:“老刘你别吃了，给我。”老刘开始还很纳闷，怎么丛飞喜欢吃糖？没想到，丛飞走到每位同行的团友面前，将他们的糖也一一“没收”。后来丛飞道出原委，山里的孩子没吃过飞机上的糖，把糖送给他们，他们肯定高兴……

忘不了，织金县普翁乡副乡长、原官寨中心学校校长徐习文，多年来一直义务为丛飞联系贫困学生。谈及丛飞，他总是情不自禁地说：我从来没有见到这样有爱心的人，他把爱心播撒在大山深处，把助人当作一生的事业。

（选自作家出版社《丛飞震撼》，2006年1月出版，作者：蒋巍、徐华）

雪豹突击队

在武警里，有一支训练有素装备精良的特种部队。他们以神秘、神奇和神勇而著称，是国家反恐力量的重要组成部分。队员们个个身怀绝技：百步穿杨，弹无虚发；飞檐走壁，如履平地；高空索降，如燕展翅；徒手开砖，如刀削泥……

他们的奇功绝技令人叹为观止，他们的故事写满了传奇。

他们有一个威武的名字——雪豹突击队。

“雪豹”与“雪狼”

“雪豹突击队”的前身是“雪狼突击队”。

“雪狼突击队”组建于2002年12月。他们隶属于武警北京总队，主要担负反劫持、反爆炸、反袭击等特殊作战任务。

“雪狼突击队”队员的右臂上都缀有一枚抢眼的“雪狼”臂章。“雪狼”盾形臂章为蓝底黄边，上面绣有“雪狼突击队”的汉字和英文，中间绣有一只张着嘴巴长嗥的雪狼正面图像，狼头下面绣有两支交叉的自动步枪，狼头的两边为橄榄枝，象征和平与正义。臂章不仅是警服上的饰物，也是特种部队的标志。

“雪狼突击队”的臂章色彩鲜明，对比性强，构图充分体现了突击队反恐、防暴的职能和特色，比武警部队统一制作的臂章更具特性。

人们不禁要问，这支精锐的突击队为什么要以“雪狼”命名呢？

说起“雪狼”的诞生有一段耐人寻味的经历。

“9·11”事件后，恐怖分子越发猖獗，恐怖活动愈演愈烈，在这种国际背景下，世界各国纷纷成立反恐武装。根据国际和国内形势的需要，为了保护首都的安全，经武警总部批准，北京总队率先成立了武警特战队。

武警特战队成立了，取个什么名字好呢？特战队上上下下都在思考。

教导员黄福韶说，我以前看过一本叫《雪狼》的书，主人公是一个在狼窝里长大的孤儿，因此有狼的性格，正是因为这种性格——刚毅而智慧，最后他成了雪域的统治者。

大队长曲良峰说，我最近看了一部电视剧，是部队题材的，叫《沙场点兵》，剧中的“雪狼”勇猛顽强，给人留下了深刻的印象。最近还看了一本畅销书叫《狼图腾》，作者把狼的生存法则提升为一种文化和精神。

政委王锋是一位军旅诗人，他曾写过一首名叫《雪狼》的诗：

> 背负着月亮女神赋予的神圣使命/从远古雪的故乡走来/在高山草原森林/驻足繁衍出没/用全部生存的经验/塑造一个团队的精神/积千年修炼的心得/把生命的形象做成了雪与月的颜色/一身完美的迷彩。

不谋而合，于是，大家一起认同了“雪狼”这个名字。

纵观世界各国战功卓著、令犯罪分子闻风丧胆的特种部队，大多以勇猛、机智的动物命名，如美国海军特种作战部队命名为“海豹突击队”，印度国家安全卫队命名为“黑猫突击队”，法国国家特警队被誉为“黑豹突击队”，德国边防警察第九大队被誉为“德意志猎豹”，以色列特种部队被誉为“中东飞虎”。在各国反恐特种部队中也不乏以狼命名的突击队，如美国海军的反潜直升机中队以“狼牙”命名，俄罗斯空降兵第四十五团以“飞狼”命名。

中国人民解放军的特种部队也大多以猛兽猛禽来命名。如沈阳军区的“东北虎”特种部队，成都军区的“西南猎鹰”特种部队，南京军区的“飞龙”特种部队，兰州军区的“夜老虎”特种部队，济南军区的“雄鹰”特种部队……每一支特种部队都担负着特殊的任务和使命，都是部队中的铁拳和尖刀。

“雪狼突击队”诞生了，在中国武警的序列中又多了一支新锐的反恐力量。在应对国际上重大爆炸、劫持人质、生物化学等恐怖袭击事件时，反恐特种部队发挥了十分重要的作用，他们取得的成绩，对恐怖组织形成了震慑。

反恐特种部队一般编制规模小而精悍，拥有高科技、高性能的特种装备，训练难度极高，队员技能高超。

关于“雪狼”名字的由来，还有一层深刻的内涵。

自古以来，我国的许多民族都以狼作为图腾崇拜，尤其是蒙古族这个以彪悍而著称的马背上的民族善骑善射，东征西伐，他们所崇拜的是狼的团队精神和家族责任感。狼的智慧、顽强，对蒙古铁骑的驯养和对草原的保护，都起到了不可抹杀的作用。游牧民族千百年来对于狼的崇拜，渐渐地形成了一种图腾文化——狼文化现象。

狼是群居动物，最值得称道的是它们的团队精神和勇猛顽强的战斗精神以及勇于牺牲自我的精神。如果部队有了这种精神，必将无敌于天下。

狼，毕竟是一种贪婪而又凶猛的野兽，它有很强的攻击性和弱肉强食的野性，其公众形象并不好。也许正因此，在“雪狼突击队”正式命名时，一位领导在“雪狼突击队”这个名字的下面画了一个“问号”。这个“问号”无疑是对“雪狼”这个名字提出质疑。于是，“雪狼突击队”便更名为“雪豹突击队”。

“雪豹突击队”正式命名时，云南电视台播放了一部名叫《雪豹》的电视专题片。大家第一次看到了那个神秘而又神奇的雪豹。

雪豹属于高山动物，长期隐居于高山密林之中，很少被人发现。一位专门研究雪豹40年的研究员，居然没有见到过雪豹。有一次，一位牧羊人发现他的羊被咬死了，牧羊犬也被咬伤了，这位研究员经过大半年的跟踪调查，才发现原来是雪豹所为。

雪豹身上体现出什么样的战斗精神呢？

其一，雪豹能和牧羊犬搏斗，谓之战斗性强。

其二，雪豹生活在3 000米以上的高山上，很少下山，不为人知，谓之神秘。

其三，雪豹来无影，去无踪，动作快捷，谓之神速。

其四，雪豹是夜行性独行动物，有独立作战的能力，谓之勇猛。

神秘、神速、勇猛、战斗性强，这不正是特战队员所要具备的品质吗？

“雪豹突击队”就这样诞生了。

雪豹突击队成立了，队员从哪里来？他们是从北京武警总队数万名官兵中选拔出来的，用“千里挑一”来形容毫不夸张。政治条件、身体素质比考核空军飞行员还要难。一名入伍一到两年的优秀武警战士必须自愿报名，经过严格的政治审查、体格检查、文化考试、心理测试等一道道关卡，审查合格后才能入队。要真正成为突击队队员，还要经受炼狱般的体能、意志、品质等各种特殊训练，即便如此，队员们还要在艰苦的训练中不断地优胜劣汰。

体能训练。每人每天要完成规定的五个“100”：100个俯卧撑，100个蛙跳，100个仰卧起坐，100次杠铃，100个双臂大回环。除此之外，每天负重35公斤的十公里武装越野是必不可少的训练内容。从上面的一组数字看不出特警队员们在训练中付出的艰辛，如果说他们的训练服能“立”起来，这也许能引起读者们阅读的兴趣。每天进行超体能训练，队员们的汗水始终没有断过，身上的训练服湿了又干，干了又湿，体内的盐碱浸透到训练服的纤维中，经风一吹，结实得像盔甲一样，能直挺挺地“立”在地上。一位摄影记者当场验证，果不其然。于是他留下了那张稀有的照片，也留下了那份感动。

为了练就一双铁拳，特警队员们四年里打破了八个沙袋，手上脱了几层皮已经记不清了，人多数人的手掌变形，指背断裂。为了练就“飞毛腿”，特警队员们每年要穿破30多双训练鞋，四年来他们每人负重越野跑的距离相当于两个“两万五千里”。为了练就“飞檐走壁”的绝技，特警队员们每年要磨破50多双手套，四年来每人攀登的高度相当于十座珠穆朗玛峰。

除了体能和基本功训练，特警队员们还要学会在复杂条件下的汽车、摩托车驾驶，各种轻武器射击，排爆、侦察、越障、格斗等特种技能，进行仿真训练和带有实战背景的对抗训练。而且还要按照基础训练、生存能力训练、特种条件下的行动训练、仿真训练和实战训练等五个步骤进行严格考核，哪一关不合格都会被淘汰。

“穿越火障”是锻炼特警队员心理素质的必训课目。那是什么样的一道“火障”啊：铁板，一块接一块，铺了整整十米长，铁板的下面是一条深深的壕沟，壕沟里堆满浇了汽油的松枝，待松枝烤红了铁板，指挥员下令特警队员低姿匍匐快速通过火障。

第一次看到这训练场景的新兵们没有不发憷的，血肉之躯啊，这才真的是血与火的考验。做示范的干部穿过去了，老兵们抖擞着精神穿过去了……这就是动员令，这就是榜样。同样是血肉之躯，老队员能做到我们为什么做不到？皮肉之苦都吃不了还当什么突击队员？新队员们鼓起勇气冲了过去。可以肯定地说，无论是新队员还是老队员，但凡闯过这一关的，所有人身上都留下过伤痕。胆量就是这样练出来的。

“直升机滑降”是特警队员另外一个必训课目。滑降和跳伞不同，跳伞不但有安

中国武警“雪豹突击队”队员在进行快速集结训练。（刘海山/摄，图片来源：新华社）

全措施而且有保护措施，可滑降是在没有任何安全防护措施的情况下，单凭一根绳索，仅靠滑降者两只手抓住绳索来控制下滑的速度、方向和身体平衡，在两秒钟内，从 15 米的高空迅速着陆。2 秒钟，一个短短的瞬间，生死系于一线，来不得丝毫差错，来不得丝毫胆怯，一旦失手，将粉身碎骨。国外的特警部队称滑降训练为“自杀性垂降”。

既无理论可循又无实践经验可借鉴，要练出这个“绝活”谈何容易！为了摸清滑降过程中双手握力的大小以及身体保持平衡的动作要领，突击队员们每天都在六层高的攀登楼上进行无数次的下滑训练，强大的摩擦力磨破了他们的手掌，也磨炼出他们坚定的信念。能闯过“垂直滑降”这一关的突击队员，身上全都脱过几层皮。

实战考核在京郊某训练基地进行，实战背景是一次反恐演习。情况设想为：数十名携带武器和炸药的“恐怖分子”化装成观众混进某影院，将影院内数百名观众劫为人质，并以杀人质、炸影院为威胁，向政府提出无理要求。在与“恐怖分子”谈判无效的情况下，突击队接到“武力强攻，解救人质”的作战命令。随着指挥员一声令下，直升机迅速飞临影院顶部，在距地面 180 米的高空盘旋。只见机舱门迅即打开，从机舱垂下一根绳索，一突击队员抓起绳索，跳出机舱，在没有任何保护措施的条件下快速滑降，那个惊心动魄的瞬间，几乎让在场的所有目击者都屏息静气。何止是精彩，简直是神奇！抓绳、下滑、降落，动作一气呵成，破窗、瞄准、击发不差分秒。

在指挥所的超大显示屏上，可以看到惊心动魄的对抗演习在同步进行。突击队员装备了目前国内最先进的反恐怖武器，从装甲防暴车到特种排爆车，从窥视设备到高技术通讯器材，从微光夜视系统到电子计算机指挥系统，从微型冲锋枪到新式自动步枪，一应俱全。

在解救人质的过程中，“破窗突击”是突击队员惯常采用的战术技能之一。这项技能不但技术难度大，而且还有很大的危险性。看——他们来了：四名勇士分别沿建筑物的墙角和下水管向上攀缘，只有短短的几秒钟，他们已经闪电般爬上了屋顶。接下来的动作更加惊险，登上屋顶的突击队员来不及喘息，手持保险绳，飞身而下，那动作酷似杂技表演中的“空中飞人”。时间、惯性、力量、速度，都要在瞬间作出准确的把握和判断，一旦出现失误，不但贻误战机，还可能给队员带来灭顶之灾。这种高难度的技术动作，靠的是勇敢，靠的是机智，靠的是良好的心理素质。无论是实战还是演习，都是一个要求：只能成功，不能失败。

现场观众的心提到了嗓子眼儿，目光一起在突击手身上聚焦。“哗啦啦”……随着一声脆响，一名队员用“铁腿”击碎玻璃窗，破窗而入，落地未稳，迅速举枪射击，在其他队员的配合下，将盘踞在影院内的“恐怖分子”击毙，人质被成功解救出来。整个战斗过程干净利落，一气呵成。演习结束了，人们过速的心跳还没有平复下来。

会看的看门道，不会看的看热闹。实战演习结束了，各项高难度的动作完成了，成功的表演赢得了如潮的好评和上级领导的表扬。而面对这一切，大队长曲良峰一点也高兴不起来，作为总指挥，他看到的是开屏的凤凰暴露出的命门：一“红方”队员进入房间搜索，未发现目标，刚转身离开，背后响起了枪声；另一侦察队员潜入“蓝方”阵地，被装扮成打扫卫生的“恐怖分子”击毙；狙击组夜间行动前，在灯光下暴露了自己，竟让隐蔽的敌人一览无余……

训练与实战的脱节，是反恐训练之大忌。战评会上，曲良峰用启发性的语言对大家说：“母豹训练小豹捕猎，从不拿现成的肉去喂小豹子，每一次都是面对活物的实战，要奔跑，要捕咬，要见血。我们是雪豹突击队，雪豹不是在庭院里养大的，是在你死我活的实战中成长的。”

训练场上的一点一滴，就是实战的一招一式。训练需要改革，训练必须贴近实战。过去特战队员的训练射击，全都是练习，改革后的训练标准是：“三三制”，即在三米距离内用三秒的时间打三发子弹命中目标。更苛刻的要求是，队员一律持双枪，长短枪互换射击，对近距离出现的目标实行精度射击。

雪豹，每一个毛孔、每一根神经都张扬着血性。每次训练、每次演习都力求达到实战要求。队员们练刀枪不入的“硬功”能银枪刺喉、汽车过身；练隐蔽接近敌人的“轻功”，竟然能让警犬听不到动静；近距离快速射击，三发子弹仅用时2.2秒。够神了吧？

对特战队员的考核，也以实战论英雄。评价一名枪手，不再看他训练了多少时间，打了多少发子弹，只看他在实战中打没打响，打没打中。

训练小憩，笔者与刚刚走下训练场的排长李国勇攀谈，他无意中撸开裤腿，笔者惊异地发现他腿部布满了大大小小的伤疤。笔者认真地数了数，一共17块。问起这些疤痕的来历，这位铁汉脸上呈现出羞赧的神情，变得不好意思起来。

他说，左腿迎面骨这块疤，是在一次过矮墙训练时，不小心被剐掉了一块肉，当时骨头都露出来了；右脚脚踝的疤痕是在爬低柱网时被划开了一道七公分的大口子，当时血把鞋子都灌满了；右小腿这块疤痕是在大比武翻高墙时被戳了一个洞，小腿肚子差一点就被穿透了……

他接着说，在我们雪豹突击队，训练受伤就像家常便饭，谁没有经受过无数次呢？好在习惯了，好在你有我有大家有，再也没人把它当回事了。

一块伤疤，就是一次难忘的记忆，就是一次血与火、灵与肉的较量。充满浪漫主义精神的队员们常这样标榜说：这是我们终身佩带的训练奖章。

能沙里淘金成为一名雪豹突击队队员实属不易，甚至是幸运的，可已经成为雪豹突击队队员要保持荣誉而不被淘汰更是不易。戴上“雪豹”臂章，并不意味着有了终身荣誉，“雪豹”队员每天要练“一条龙”，还有不定期的“魔鬼周”。“魔鬼周”下文还有专门章节做介绍，这“一条龙”是训练场上的一个新名词。“一条龙”：先跑五公里武装越野，接着跑400米障碍，然后是多功能体能训练架和单、双杠练习，最后是100米冲刺。“一条龙”下来，等于洗了一次“汗水澡”。

这还不算苦，“雪豹”自创的挑战生理极限的训练课目——800米越障，那才是真正的苦上加难。训练要求：每名队员携带八种装备，负重九公斤，通过23种障碍，使用轻重两种武器完成四个射击课目，完成时间不超过八分钟。一趟跑下来，心跳骤然加快到180次以上。一次，队员肖见妹失手从四层楼上掉了下来，送医院一查，只伤了皮毛，并无大碍。医生惊讶不已：真是一身钢筋铁骨！

雪豹突击队的队员们通过这样的训练来培养自身超强的作战能力和坚强的意志品质，他们不仅是体能、智能上的“超人”，还努力学习科学知识，掌握高科技装备。去年，为适应反恐怖作战的需要，上级给“雪豹”引进了一台新型“电子侦察仪”。这的确是一个新玩意儿，不但有夜视功能，预测功能，还有透视和窥探功能，如果它的功能全部释放，侦察员真的就成“火眼金睛”了。新装备有了，安装测试时才发现配套装置不全，一线侦察与指挥平台不能同步运转，口令要通过侦察员二次传递，这中间的时差是五分钟。新装备发挥不了优势，大大影响了整体作战效能。为了解决这个难题，实现人与武器的最佳结合，队员们成立了攻关小组，在互联网上查询请教，无数次进行技术论证、电脑模拟、实际操作，最后用无线网卡，通过两台电脑并网，从而使图像传输可以与指挥平台达到同步。难题解决后，他们继续探索，运用电脑的图像储存、自动分辨、远程发送的功能，使“电子侦察仪”与潜望镜、猫眼、反窥镜形成最佳结合，使“电子侦察仪”的功能发挥得淋漓尽致。

就是这样近乎残酷的训练、逼真的演习，把队员们一个个摔打成钢铁硬汉，练就了一身绝技，为圆满完成反恐和“处突”任务打下了良好基础。

2004 年 6 月 2 日，一起丧心病狂的劫持人质案给首都的初夏带来令人惊悸的躁动和不安。

这天中午，刚刚走出训练场的雪豹队员们正准备就餐，作战值班室接到武警总部下达的“紧急出动”的作战命令，这不再是演习，而是一场与穷凶极恶的歹徒真枪实弹的对阵。

据当地公安机关通报，是日，在北京市和平街闹市区，三名歹徒劫持五名人质并武力占据一民宅负隅顽抗，疯狂至极。

案发现场在居民区，地形复杂，围观者众，不利于展开攻势。丧心病狂的歹徒利用手中的人质，以破釜沉舟的疯狂与警方决一死战。

一亡命徒持枪将一名羔羊般的人质推上阳台，声嘶力竭地叫嚣着：立即送 20 万现金和一辆面包车来，警方后退 500 米，如果不答应我们提出的条件，从现在开始，每五分钟杀掉一名人质……

歹徒已经变成失去理智的疯狗，人质的安全命悬一线。在这千钧一发的危急时刻，队长曲良峰迅速下达命令：按照一号反劫持预案行动！

两名突击队员以惊人的速度爬上附近一座 20 米高的水塔，迅速占领制高点；另一组突击队员利用楼房下水管道爬上房顶，又像壁虎一般紧贴墙体下滑到人质被困的房屋后窗，将“软管窥镜”从窗缝里插入，一边清晰地观察室内动静，一边在后窗的玻璃上巧妙地安装了定时爆破装置……一切准备就绪，俯视脚下，一辆黑色全封闭车已稳稳地停在楼下。

“开始行动！”队长不失时机地下达命令。

“轰”的一声震响，后窗的玻璃被炸开，在烟雾弥漫的瞬间，全封闭车车顶魔幻般迅速升起一架攀登梯，五名训练有素的队员携枪攀梯入室。砰，砰，砰，随着几声枪响，负隅顽抗的三名歹徒被全部击毙，五名人质安然无恙。

一场惊心动魄的劫持人质案在人们的欷歔声中结束了，那精彩的一幕给人们留下难忘的记忆。

“首战用我，用我必胜。”这是“雪豹突击队”出征奥运安保的誓言。

2008 北京奥运会举世瞩目。同一个世界，同一个梦想。同一个期盼，同一个担忧。奥运会的“安保”成了世人关注的焦点。没有安全就没有奥运，中国有能力举办一次安全、祥和的奥运会吗？从奥运申报成功的那天起，“奥组委”就把“奥运安保”提上重要议事日程。

不负重托，不负厚望。“雪豹突击队”以雪豹的机敏、勇敢、坚韧圆满完成了奥运安保任务，赢得了本届奥运会场外最大的一块金牌——奥运安保金牌。

“豹头”与“豹尾”

要打造一支国际一流的反恐队伍，就必须有一批国家级、国际级的专家型教员和实战型队员，担负起前沿理论研究、实战竞技等任务。没有这样的专业人才队伍，在与国际一流队伍接触中就会处于被动，就无法进行学习交流。

曲良峰是雪豹突击队的大队长，作为雪豹突击队的领军人物，他一直致力于反恐“前沿理论”的研究，并对“突出谋略指挥，培养现代型指挥员”做了前瞻性的思考。他认为：现代条件下“反恐”斗争对指挥员的思维能力、谋略水平、指挥艺术、管理能力提出了新的更高的要求。作为雪豹突击队的指挥员必须做到“四个熟悉”：熟悉装备，熟悉战法，熟悉士兵，熟悉指挥。行动过程中必须具备“三种意识”：到位意识，打赢意识，安全意识。现场处置必须做到“五敢”：敢挑重担，敢提建议，敢下决心，敢入敌阵，敢负责任。他提出“领军”人必须具备的“三种素质”：一是思想素质，就是在政治上绝对可靠，思想上高度稳定；二是心理素质，在反恐作战中要做到机智勇敢，沉着冷静，临危不乱，处变不惊；三是战术素养，掌握现代条件下的反恐作战战术，能熟练运用高科技装备，有现代高科技素质。同时要具备八种能力，即识图用图能力，识爆排爆能力，观测记忆能力，时空想象能力，信息传递能力，快速应变能力，独立决断能力，精确打击能力。他分析认为，目前雪豹突击队有侦察、特战、狙击、排爆、技工、防化、火炮、后勤等专业，从专业人才队伍看，专业不专的问题突出，教学上采取的是传统的以老带新，缺乏理

中国武警“雪豹突击队”队员在进行追击训练。（刘海山／摄，图片来源：新华社）

论指导和高科技含量，属于低层次循环，这种现状必须尽快改变。要建立一流的队伍，必须有一流的人才。

高素质的人才哪里来？一是靠培养，二是靠引进。

在曲良峰的倡导下，他们采取两条腿走路的方式，着力打造人才队伍。

第一步是“引进”。

特战十中队中队长李广生是“引进”来的。他原在特警学院当教员，既有丰富的教学经验，又有组织指挥能力，是一个复合型人才。

副大队长程迅是“引进”来的。他是武警工程学院的研究生，编写过《反恐作战理论》教材，他撰写的“反恐”论文屡屡在学术期刊上发表并获奖，是一个“重于思、敏于行”的研究型人才。

大队长曲良峰本身就是被“引进”的人才。他多次被评为优秀教练员，被总部评为“十大训练标兵”，荣立过二等功。

打破壁垒，走出国门，这是曲良峰打造高素质人才的又一招数。他亲自带领基层干部和教练员分赴福州炮校、特警学院、廊坊武警学院、北京军区特种兵大队参观见习，然后选派人员走出国门学习和培训。全队有 17 人先后出国学习，回来后分别成了骨干和精英。

在雪豹突击队，队员们个个身怀绝技，而作为“豹头”的领军人物同样也身手不凡。

400 米障碍的纪录是排长李国勇保持的。

五公里越野的纪录是副中队长刘强保持的。

应用射击的最好成绩是排长李文昱保持的。

快速交替射击的最好成绩是排长张建明保持的。

70 公斤散打冠军的称号是副中队长丁安杰保持的。

70 公斤肉搏的冠军是排长张健保持的。

大队长曲良峰被评为武警部队标兵教练员。

副大队长程迅是国家反恐办专家组成员。

中队长徐波是“留学”归来的狙击枪手兼教练员。

……

这就是雪豹突击队的“豹头”。他们不但人人身怀绝技，而且思想过硬，爱岗敬业，乐于奉献。

教导员黄福韶三年没有休假，为组建雪豹突击队呕心沥血。

排长王亮在一次破窗入室的实战演习中小腿被玻璃划伤，血流不止，他硬是凭着坚强的毅力不动声色地完成任务。他还是索降、攀登高手，曾被评为“武警十大忠诚卫士”。

九中队排长焦志强，女朋友病重没有回家，女朋友来京治病也很少去医院看望。不是他薄情寡义，是训练太紧张，竞争压力太大，他是一个有集体荣誉感的人，不愿意让自己带领的团队落伍。

九中队排长李国勇家在四川，一场洪水冲走了他家的房屋，家人流离失所，他向所有人隐瞒了实情，没有请假回家。当年选派他出国执行任务，出发前，部队接到当地民政局发来的信函，才得知他家里受灾的情况，可他还是没有请假，义无反顾地登上飞机。

这就是雪豹突击队“豹头”的剪影，让人肃然起敬。

魔鬼训练周

雪豹突击队组建于2002年12月，第一次公开“亮剑”是在2006年4月。

经过四年多的磨炼和打造，雪豹突击队首次揭开了它神秘的面纱。

2006年，随着奥运会的临近，奥组委决定在北京举行奥运实战培训启动仪式，担负奥运安保任务的“雪豹突击队”在这个启动仪式上首次亮相，一展风采。

参加战术动作表演的24名队员英姿飒爽，像一个个出征的勇士，头戴防弹盔，身着防弹服，面戴护目镜，腿缠防护膝，手持95式自动步枪和92式手枪，斗志昂扬走上训练场。

他们先后进行了反劫持、反爆破、反袭击等精彩表演，展示了他们超人的技能。

射击是队员们的“绝活”。一声令下，队员们分别采取站、跪、仰、卧等多种姿势射击，百发百中。更加令人叫绝的是“后倒射击”，在轰然倒地的瞬间，队员们手中的枪口始终对准前方，而且能击中目标……

雪豹突击队不仅靠武器精良而著称，严格的选拔和训练是他们立于不败之地的根本。

雪豹突击队队员的选拔非常严格：个头儿1.75米以上，文化程度高中以上，在武警部队服役一年以上。符合上述参选条件者，参加全国“海选”，胜出者将成为“准雪豹突击队员”，编成预备队，然后进行为期一年的特殊训练。在特殊训练中，通过层层淘汰筛选出的精英分子，将被编入作战队，而作战队员还要经过三个月的淬火，才能成为正式雪豹突击队员。整个遴选过程淘汰率高达50%以上。即便是有幸成为正式队员，被淘汰的可能依然存在。

雪豹突击队员的作息制度非常严格，每天5点半起床，接下来是一个半小时的晨练，晚上9点就寝，每天除了短暂的就餐和午休时间外，其余时间几乎全部用来训练，他们的业余牛活变得毫无色彩。为了成为合格的雪豹突击队队员，队员们毫无怨言。

雪豹突击队的日常训练可以用“残酷”来形容，每天，队员们要进行体能训练、技能训练和战术训练。此外，队员们还要经受“魔鬼周”训练。

好一个“魔鬼周”：每人负重35公斤，徒步行军240公里，每天只能休息三个半小时，每日伙食是二两米饭和一小袋咸菜。在如此苛刻的条件下，每天要完成14个训练课目。人是铁，饭是钢，如此高强度的训练任务，如此少的身体补给，没有铁人的意志是无法坚持下来的。经历过一次“魔鬼周”训练，至少要掉十斤肉。

负责训练的参谋长谭国忠，被队员们称为“魔鬼教头”，说不清他哪来的那么多“损招”，一招比一招“狠”。他对记者说，雪豹突击队是一柄利剑，是一个铁拳头，就是要不停地磨，不停地练。当一名雪豹突击队队员，首先要有过人的军事技能，要有“过五关斩六将”的本领。训练是无情的，淘汰也是无情的。基础训练课目——射击、队列、军体、擒敌等成绩必须全部良好，重点课目如解救人质、游泳、反劫机、反爆破、汽车驾驶等一项成绩不合格即被淘汰。

在雪豹突击队的训练日程表上，有体能训练、技能训练、战术训练，其中体能训练中分单项训练和综合训练。综合训练中又分搏击训练、模拟训练、潜伏训练、抗孤独训练、抗寒暑训练、抗疲劳训练、意志训练和超常训练。

“魔鬼周”训练是超常训练中的内容。

参加过“魔鬼周”训练的队员们“谈虎色变”。

那是一个北风呼啸的冬夜，一阵熟悉的紧急集合号声将沉睡中的警营唤醒，几分钟后，全副武装的队伍齐刷刷集结在训练场上。“魔鬼周”训练便在这个寒风呼啸的冬夜开始。

队员们各自进入自己的位置，按照规定的训练内容完成自己担负的训练任务。

狙击手的“魔鬼周”：一名狙击手在黑暗中爬进地下涵洞，他将要在这里隐蔽48小时，接受耐寂寞训练。没有声，没有光，没有人，不能动，不能睡，周围是驱不走的寒气，身下的冰化了，浸湿了棉衣，棉衣又结成了冰，包裹着身体，寂静中唯一能听到的是牙齿碰撞的声音。天冷，身体要有抗击严寒的热量，而48小时内他能食用的只有一瓶矿泉水和一块压缩饼干。挨饿的滋味不好受，挨冻的滋味同样不好受，先是手脚冻僵了，接着整个身体全都麻木了，每一分钟都是痛苦的煎熬。痛苦也罢，煎熬也罢，每天晚上必须三次出击，完成射击任务后再进洞潜伏。作为狙击手，既要训练百发百中的军事技能，又要训练其耐孤独和寂寞的心理素质。结束训练爬出涵洞时，狙击手们无疑真正地经历了一次炼狱的洗礼。虽然圆满地完成了训练任务，可他们脸上却丝毫看不出胜利的笑容。

特战队员的“魔鬼周”：全副武装，长途奔袭240公里，练的是铁脚板，走的是盘山道。和狙击手相比，他们受的不是冰冻之苦，在这个寒风呼啸的冬季，他们每天汗流浃背。他们要完成的是超体能的耐疲劳、耐饥饿训练。

训练场地设在大山里，训练课目有通过毒区（催泪弹）、跳污水池、火中穿行……一项比一项难，一项比一项险。训练强度大，每天只吃一顿饭，休息不超过四个小时。冬天的山林里，能用来充饥的食物不多，偶尔能遇上只山羊或野兔又不能猎取，只能望“羊”兴叹。饥饿、疲劳，强健的肌体一天天消瘦，精神变得萎靡，手脚变得无力，经常有人晕倒在训练场。训练结束后，为了保证队员的身心健康，不得不采取限量饮食。

侦察兵的“魔鬼周”：侦察兵训练除上述共同训练课目外，还增加了一项长时间观察训练。观察中，不能眨眼，不能走神。不走神容易做到，可不眨眼却很难做到。眨眼是人体的生理功能，要改变实属不易。为达到要求，侦察队员们苦思苦想苦练，终于找到了窍门，他们圆睁双目，用舌尖紧抵上颚，果然奏效。长时间聚精会神观察，视觉疲劳，眼睛流泪，值得欣慰的是，他们终于练出了不眨眼的“特异功能”。侦察兵训练的另一项内容是眼睛的拍摄功能和记忆功能，要求在最短的时间内利用印象记忆法、形象记忆法准确无误地记录地形、地物和车牌号码。

在“魔鬼周”训练中，更骇人听闻的是抗引诱训练、抗噪音训练、抗侮辱训练。

结束了抗疲劳和抗饥饿训练后，队员们最最需要的是吃一顿饱饭睡一个好觉。带着一身的疲惫回到营地，队员们被带进食堂，看到饭桌上摆满了美味和清凉饮料，饭菜的香味扑鼻而来，空空的肠胃顿时加快蠕动，条件反射流出的唾液直往肚子里咽。队员们眼巴巴地站着、看着，可队长始终没下达“吃”的口令。对于已经超越生理极限饥肠辘辘的队员们来说，欲饮不能，欲食不得，那简直是一种精神的折磨。这就是他们进行的抗引诱训练。

抗噪音训练也是对人体和精神的折磨。在一个封闭的空间里，高音喇叭连续播放高强度噪音。在人的生存环境里，寂寞是难以忍受的，可噪音同样难以忍受。一开始，并没有太大反应，渐渐的就难以忍受了。人的情绪受到噪音污染后，出现烦躁、头痛、心悸，接下来是呕吐，第一次参加这样的训练，很多人半途而废，被抬出训练场。

抗恐怖训练，采取的形式是单兵训练，训练场地选择在坟地，时间是深夜。一个风高月黑、伸手不见五指的夜晚，参训者独自一人向山林里的一片墓地走去……

不许有光，不许有声，不许暴露自己，任务是到墓地取一顶草帽返回。队员小穆是出了名的“胆小鬼”，从小就害怕走夜路，更何况这大半夜的去墓地，想想就觉得毛骨悚然。心中有“鬼”，“鬼”上身来。他越走越怕，头发和汗毛竖了起来，额头上沁出冷汗，再往前走，感到双腿发软，一路上不停地摔跟头。总算是连滚带爬到了墓地，那顶草帽在哪里？上百块墓碑，要一块块去摸，那一刻，他感觉自己摸到的不是墓碑，而是心灵深处的魔鬼。真的有“鬼”，他分明看到了“鬼火”，看到了“鬼脸”，他觉得下身湿了，神经系统失去控制。那次训练回来，小穆一连做了几天噩梦。

十一中队的“魔鬼周”有些与众不同。他们训练的课目是“心理和体能承受能

中国武警“雪豹突击队”队员在进行攀登训练。（刘海山/摄，图片来源：新华社）

力”，采取的形式是“红蓝对抗”。

副中队长刘强对笔者说，在这次训练中，他担任“蓝军”头目，演练开始后，他先下手为强，劫持了五名人质，迅速占领有利地形，与“红军”展开一场斗智斗勇的遭遇战。虽然明知是演练，可队员们分明已进入实战角色。一次次“谈判”失败之后，双方进入僵持阶段，这正是检验武器装备性能的最佳时机。天渐渐的黑了，他指挥“蓝军”打开夜视仪，单兵攻防系统，双竖激光指示器,95 战术手电……一切应用自如。看到新型器械的神奇魔力，队员们显得异常亢奋。

前 12 个小时，部队处于兴奋期，12 个小时后，由于饥饿的影响，队员们进入困乏期，斗志减退。为了刺激部队的作战热情，“蓝军”决定向“红军”发起挑衅，做出突围的姿态。一夜无眠，第二天上午，“红军”把电停了，迫使“蓝军”缴械投降。“蓝军”迅速作出回应，如果不立即恢复通电，“蓝军”将杀死人质。红军、蓝军继续对峙到第二天晚上，队员们已经筋疲力尽了。从实战中得出结论，人是有生理极限的，犯罪分子也一样。

12 个小时是兴奋期，24 个小时是疲劳期，36 个小时是生理极限期，48 个小时是超越极限期，48 个小时后要轮番休息，经过休息，60 个小时后开始恢复体力，72 个小时体力开始增强，84 个小时又是一个疲劳极限期。这张类似温度计一样的数字显示板，是实战中发现的人体生物钟。经历了生理极限的挑战，队员们发现，在接近或超越人体生理极限时，人的精力已经无法集中，分辨能力下降，体能下降，记忆力下降。在这种状态下，人不能站停，不能坐卧，只要停下来、坐下来就会睡觉。掌握了人体机能规律，在敌处于疲劳期和困乏期发起进攻，常常会事半功倍。红、蓝军对抗已经不是新课题，过去听过、看过，可没有实践过。通过这次实践，受益匪浅。

（选自 2009 年第 9 期《中国作家·纪实》，有删节，作者：郝敬堂）

后记

上世纪末，文汇出版社曾出版了 18 卷本的《20 世纪中国纪实文学文库》，在读者中产生了广泛而深远的影响。现在推出的《21 世纪中国纪实文学大系》正是上世纪“文库”的延续，是对 21 世纪中国客观、真实的记录。由于某些原因，我们在这套丛书的编辑思路及框架设计上作了如下调整：

一、为了使记录更加及时、更为精准，决定以“一年一部”的节奏，每年出版一部记录上一年重要事件及相关人物的“年编”，力求内容齐全，文字准确真实。

二、考虑到《20 世纪中国纪实文学文库》收尾在 1999 年，本套丛书特将 2000 年一并收入，以弥补上世纪“文库”之不足，体现内容的完整性。

三、为了凸显文学价值，每一部年编都对当年中国纪实文学的新特征作了梳理和评析，并力图作出前瞻性的研究。这样，每一部年编在“一书一述”的基础上，又增加了“一书一评”的内容，其兼具“史料”和“文学”双重价值便成为可能。

在本套丛书的选编过程中，著名文学理论家钱谷融教授不顾九十多岁的高龄，欣然应允担当本丛书的顾问；著名文学评论家杨扬教授，则为本套丛书的编辑、出版提出了诸多建设性意见，并花费了大量时间阅读文本，带领他的团队撰写了一篇又一篇有关纪实文学的评论文章；上海市新闻出版局的阚宁辉副局长和许乃青处长对本套丛书的编辑、出版作了许多重要指导，并给予了很大的鼓励；新华社上海分社副社长叶国标、图片中心副主任金丽莉为本套丛书的图片提供给予了巨大的支持；文汇新民联合报业集团信息中心的姚高东主任和图片中心的高峰主任，则为本套丛书图片的选择提供了有益的建议……在此，对于每一位对本套丛书的编辑、出版予以帮助的前辈、领导和朋友，我们谨表示深深的谢意！

今后，我们每年都会编辑、出版一部《21 世纪中国纪实文学大系》的年编，我们将加倍努力，及时推出能够让读者朋友喜爱的读本，为中国的出版事业贡献出我们的绵薄之力。

（编　者）

致作者

编选者在编选本书时，已经获得部分作者授权，谨在此表示衷心的感谢。

同时，因时间仓促，作品来源辗转，故仍有部分作者未能取得联系。在此，我们深表歉意。请未取得联系的作者及时与我社联系，我们将按照国家有关规定支付稿酬，并奉上样书。

文汇出版社

2012 年 8 月 18 日

联系地址：上海市威海路 755 号 18 楼

邮　　编：200041

联系电话：021-52921234 转总编办

图书在版编目（CIP）数据

21世纪中国纪实文学大系. 2006卷：高原之路/桂国强主编. —上海：文汇出版社，2012.9
ISBN 978-7-5496-0608-5

Ⅰ. ①2… Ⅱ. ①桂… Ⅲ. ①纪实文学—作品集—中国—当代 Ⅳ. ①I25

中国版本图书馆CIP数据核字（2012）第178895号

21世纪中国纪实文学大系（2006卷：高原之路）

丛书主编 / 桂国强
责任编辑 / 张　涛　曹　立
特约编辑 / 严明瑗
装帧设计 / 周夏萍

出版发行 / 文匯出版社
上海市威海路755号（邮政编码200041）
经　　销 / 全国新华书店
排　　版 / 南京展望文化发展有限公司
印刷装订 / 上海宝山译文印刷厂
版　　次 / 2012年9月第1版
印　　次 / 2012年9月第1次印刷
开　　本 / 720×960　1/16
字　　数 / 250千
印　　张 / 19.5

ISBN 978-7-5496-0608-5
定　　价 / 32.00元